ABHANDLUNGEN
DER AKADEMIE DER WISSENSCHAFTEN IN GÖTTINGEN

# ABHANDLUNGEN
# DER AKADEMIE DER WISSENSCHAFTEN

PHILOLOGISCH-HISTORISCHE KLASSE
DRITTE FOLGE
Nr. 132

GÖTTINGEN · VANDENHOECK & RUPRECHT · 1983

# Hellenistische Reform und Religionsverfolgung in Judäa

Eine Untersuchung
zur jüdisch-hellenistischen Geschichte
(175–163 v. Chr.)

Von
KLAUS BRINGMANN

GÖTTINGEN · VANDENHOECK & RUPRECHT · 1983

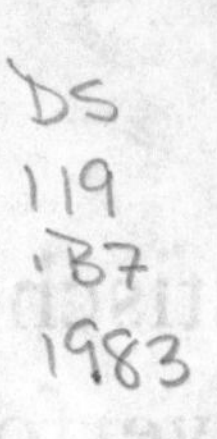

Vorgelegt von Herrn A. Heuß in der Sitzung vom 22. Mai 1981


*CIP-Kurztitelaufnahme der Deutschen Bibliothek*

*Bringmann, Klaus:*
Hellenistische Reform und Religionsverfolgung in Judäa : e. Unters. zur jüd.-hellenist. Geschichte (175–163 v. Chr.) / von Klaus Bringmann. – Göttingen : Vandenhoeck und Ruprecht, 1983.
(Abhandlungen der Akademie der Wissenschaften, Philologisch-Historische Klasse ; Folge 3, Nr. 132)

ISBN 3-525-82413-0

NE: Akademie der Wissenschaften ⟨Göttingen⟩ / Philologisch-Historische Klasse: Abhandlungen der Akademie ...





Satz: Tutte Druckerei GmbH, Salzweg-Passau
Druck: Hubert & Co., Göttingen

FÜR ALFRED HEUSS

# Vorwort

Die vorliegende Untersuchung ist durch ein Seminar angeregt worden, das ich an der TH Darmstadt über die Geschichte Judäas unter griechischer und römischer Oberherrschaft gehalten habe. Sie beruht auf der Überzeugung, daß ihrem Gegenstand eine Bedeutung zukommt, die über den engen zeitlichen und räumlichen Rahmen des Geschehens weit hinausreicht; und sie setzt eine so verwirrende Quellenlage voraus, daß die Forschung zu widersprüchlichen, einander ausschließenden Positionen, ja zu völliger Resignation gelangte. Ich habe mich bemüht, durch Quellenkritik und historische Analyse die größtmögliche Annäherung an den geschichtlichen Sachverhalt zu erreichen. Gerade weil diese Untersuchung streng auf die Klärung der Sachprobleme bezogen ist, sind Verweise auf die – fast unübersehbare – Sekundärliteratur im allgemeinen auf das jeweilige Minimum beschränkt, das zur Bezeichnung der Grundpositionen der Forschung notwendig erschien.

Während der Arbeit an vorliegender Untersuchung haben mich meine Sekretärin, Frau Eva-Maria Godau, und mein Assistent, Herr Wolfgang Rapp, aufs beste unterstützt. Ihnen sei auch an dieser Stelle herzlich gedankt.

Besonderen Dank schulde ich Herrn Prof. Dr. Alfred Heuß. Er hat das Entstehen dieser Untersuchung mit seinem Interesse von Anfang an begleitet und mir durch seine Kritik und seine Hinweise geholfen, meinen Standpunkt klarer herauszuarbeiten. Es ist nur ein bescheidener Ausdruck meines Dankes und meiner Wertschätzung, wenn ich ihm dieses Buch widme.

Frankfurt am Main,
im August 1982

Klaus Bringmann

# Inhaltsübersicht


Einleitung ........ 11

*I. Die Zeitrechnung der Makkabäerbücher* ........ 15

*II. Die Überlieferung* ........ 29

1. Das Verbot der jüdischen Religion ........ 29
2. Das Ende der Religionsverfolgung ........ 40
3. Vom Widerruf des Religionsverbots zum Religionsfrieden ........ 51

*III. Die hellenistische Reform in Jerusalem* ........ 66

1. Hintergründe und Motive ........ 66
2. Reform und Ökonomie ........ 74
3. Das Scheitern der Reform ........ 82

*IV. Die Religionsverfolgung* ........ 97

1. Der Ereigniszusammenhang ........ 97
2. Eine religiöse Reformation des Judentums? ........ 99
3. Steuerdruck und Tempelraub ........ 111
4. Ursachen und Hintergründe der Religionsverfolgung ........ 120

*V. Religionsverfolgung und hellenistische Reform in antiker Deutung* ... 141

Literaturverzeichnis ........ 149

Indices ........ 153
Index Auctorum et Locorum ........ 153
Index Nominum ........ 160

# Einleitung

Als König Antiochos IV. Epiphanes die Thora, das Grundgesetz des jüdischen Tempelstaates, aufhob und dem Lande eine nichtjüdische Gottesverehrung aufzwang, löste er Wirkungen aus, die er weder beabsichtigte noch voraussah, geschweige denn beherrschte. Er provozierte in Judäa einen Glaubenskrieg, dessen innere und äußere Folgen nicht nur der Geschichte der Juden eine neue Richtung gab. Die Religionsverfolgung, die als eine „Umstellung (der Juden) auf die hellenische Lebensweise" ausgegeben wurde[1], leitete jene verhängnisvolle Feindseligkeit zwischen Judentum und hellenistisch-römischer Umwelt ein, durch die die bedeutenden Ansätze einer fruchtbaren Symbiose allmählich verschüttet wurden. In römischer Kaiserzeit fand sie ihre verheerende Steigerung in der Katastrophe der jüdischen Aufstände. Doch davon abgesehen: Schon für sich betrachtet muß, wie Elias Bickermann es formuliert hat, „der einzige jemals unternommene Versuch, den Glauben des Judentums abzuschaffen, ... für alle Zeiten denkwürdig bleiben. Denn der Erfolg der Maßnahmen des Epiphanes hätte das Ende des Judentums bedeutet und damit auch die Entstehung von Christentum und Islam unmöglich gemacht."[2]

So klar jedoch Folgen und Bedeutung der von Antiochos IV. verhängten Religionsverfolgung zutage liegen, so umstritten ist die Frage der ihr zugrunde liegenden Ursachen. Das Vorgehen des Königs erklärt sich ja weder aus hellenistischer Herrschaftspraxis noch ist es die Frucht eines damals verbreiteten ‚Antisemitismus'. Die Schwierigkeiten des Verständnisses beginnen freilich schon im Elementaren: Nicht einmal die Folge und die Verknüpfung der Ereignisse, die zu der Religionsverfolgung führten, sind geklärt, und die Frage, wer sein geistiger Urheber war, blieb umstritten. Noch immer hat die Feststellung, die Elias Bikkermann vor mehr als vierzig Jahren traf, nichts von ihrer Gültigkeit verloren: „Der Religionszwang, den Epiphanes in Jerusalem ausübte, stellt also das eigentliche und einzige Rätsel der Geschichte des seleukidischen Jerusalem dar."[3]

An *Versuchen*, das Rätsel zu lösen, hat es freilich nicht gefehlt. Ihnen *vorgegeben* ist das Bild, welches das erste und das zweite Makkabäerbuch von der Vorgeschichte der Religionsverfolgung zeichnen. Beide Werke stimmen zumindest in einem Punkte überein: Sie suggerieren, daß ein Zusammenhang zwischen den innerjüdischen Reformbestrebungen, die auf eine Einführung hellenistischer Institutionen – Gymnasium, Ephebie, Polisverfassung – hinausliefen, und dem Religionsedikt Antiochos' IV. bestanden habe. Welcher Art der angedeu-

---

[1] Makk 2,11,24; vgl. 6,9 und Josephos, Ant. Jud. 12,263.

[2] E. Bickermann, Der Gott der Makkabäer, Berlin 1937, 92 (künftig zitiert als E. Bickermann, Gott der Makkabäer).

[3] E. Bickermann, Gott der Makkabäer, 92.

tete Zusammenhang war, präzisiert die Überlieferung jedoch nicht. Ja, ihre Angaben sind in dieser Hinsicht widersprüchlich. Hier Klarheit zu gewinnen, ist also der Wissenschaft *aufgegeben*, und sie hat auf die Lösung des Problems tatsächlich große Energien verwendet.

Das Ergebnis der wissenschaftlichen Bemühungen ist indessen wenig befriedigend. Zwar darf die ältere Auffassung, wonach die Verfolgung der jüdischen Religion Teil einer generellen Hellenisierungspolitik Antiochos' IV. gewesen sei, als endgültig widerlegt gelten. Doch noch immer ist umstritten, wer der geistige Urheber der Religionsverfolgung war (nur die politisch-juristische Verantwortlichkeit des Seleukidenkönigs steht außer Frage). Und was den sachlichen Grund der Verfolgung anbelangt: Ging es darum, einen speziellen jüdischen ‚Partikularismus' im Interesse der inneren Einheit des Seleukidenreiches zu beseitigen, oder sollte die Religion der Juden griechischen Vorstellungen über die reine, unverdorbene Gottesverehrung einer mythischen Frühzeit angeglichen werden? Anders ausgedrückt: War das Motiv in der beschriebenen Weise *politisch* oder *religiös-reformatorisch*? – Oder war der Glaubenszwang eine Antwort auf jüdische Aufstände, die ihrerseits durch politisch-gesellschaftliche Reformen provoziert waren – durch die Gründung einer Polis der „Antiochier in Jerusalem" und durch die Aufnahme nichtjüdischer Siedler in die Bürgerschaft? – Oder sollte die Religionsverfolgung gar die Folge einer Machtergreifung jüdischer Hellenisten gewesen sein, die einen eher ephemeren Anlaß, die von Antiochos IV. ausgesprochene Einladung zu einem großen hellenistischen Fest, zu einem religiös-politischen Umsturz genutzt hätten?[4]

Daß die Erklärungsversuche so verschieden ausfallen, ja, einander widersprechen, kann angesichts der Quellenlage nicht überraschen. Gerade die ausführliche und substantielle Darstellung, die das zweite Makkabäerbuch der Vorgeschichte des Makkabäeraufstandes widmet, zeigt mit wünschenswerter Deutlichkeit, daß die hellenistischen Reformbestrebungen in Jerusalem zumindest nicht die einzige Wurzel der Religionsverfolgung gewesen sein können. Die Visionen des Buches Daniel, die auf die Verfolgung des Epiphanes Bezug nehmen, übergehen die hellenistische Reform gar mit völligem Stillschweigen. So läßt sich die Schlußfolgerung nicht von der Hand weisen: Der aus den beiden ersten Makkabäerbüchern hergeleiteten These, der zufolge die Unterdrückung der jüdischen Religion einem Konflikt zwischen ‚Judentum' und ‚Hellenismus' entsprungen sei, haftet etwas Fragwürdiges, zumindest ein ungeklärter Rest an. Aus diesem Grunde sind denn auch die einschlägigen ‚Hellenismusthesen' der modernen Wissenschaft neuerdings auf Skepsis und entschiedene Kritik gestoßen, und zwar sowohl auf theologischer[5] wie auf althistorischer[6] Seite. Bisher ist

---

[4] Eine Übersicht über die einschlägigen Erklärungsversuche bietet V. Tcherikover, Hellenistic Civilization and the Jews, Philadelphia 1961², 175 ff. (künftig zitiert als V. Tcherikover, Hellenistic Civilization and the Jews). Zu der an letzter Stelle genannten Hypothese, die nach der Veröffentlichung der Arbeit Tcherikovers aufgestellt wurde, vgl. unten S. 34–36.

[5] Vgl. J.C.H. Lebram, Apokalyptik und Hellenismus im Buche Daniel. Bemerkungen und Gedanken zu Martin Hengels Buch über „Judentum und Hellenismus", VT 20, 1970, 503–524.

[6] Vgl. F. Millar, The Background to the Maccabean Revolution: Reflections on Martin Hengel's

jedoch auf den Versuch, über die Kritik hinaus zur Lösung des Problems vorzustoßen, verzichtet worden.

Mit der im Prinzip notwendigen und heilsamen Reaktion gegen die bisher vorgelegten Erklärungsversuche darf es sein Bewenden nicht haben. Ohne sorgfältige *retractatio* des Problems wäre es voreilig, die Akten mit einem *non liquet* zu schließen. Denn der Eindruck drängt sich auf, daß die Fragwürdigkeit der vorliegenden Erklärungsversuche auf einer unzulänglichen, anfechtbaren Auswertung der Quellen beruht. Die Wissenschaft neigte dazu, das unklare Deutungsschema der beiden ersten Makkabäerbücher durch Rückgriff auf Gesichtspunkte zu präzisieren, die der jeweils modernen Vorstellungswelt entlehnt waren und auf die zugrunde liegenden Verhältnisse nicht passen.[7] Die Folge waren einseitige Auswahl und anfechtbare Auslegung der Quellen. Auch elementare Regeln methodischer Untersuchung sind keineswegs immer in hinreichendem Maße beachtet worden: daß jede Analyse der Sach- und Motivzusammenhänge auf dem Fundament einer gesicherten Chronologie, einer sorgfältigen Quellenkritik[8] und einer möglichst genauen Rekonstruktion der Ereignisgeschichte ruhen muß.

In dieser Beziehung wirft freilich die wichtigste Quelle, das zweite Makkabäerbuch, schwierige Probleme auf. Der Vergleich mit den Paralleldarstellungen des Buches Daniel und vor allem des ersten Makkabäerbuches führt immer wieder zu der Beobachtung, daß dort mit Chronologie und Ereignisfolge sehr frei und eigenwillig umgegangen wird. Die Umdatierungen und Umgruppierungen des historischen ‚Stoffes' erstrecken sich auf den gesamten Zeitraum, der den Bezugsrahmen der vorliegenden Arbeit bildet: auf die Zeit von der Plünderung des Jerusalemer Tempels durch Antiochos IV. (169 v. Chr.) bis zur Restitution der auf der Thora ruhenden Ordnung durch Antiochos V. (163 v. Chr.). Wie weit sie reichen und welches die Ursachen des Befundes sind, mußte geklärt werden, und erst im Zuge der Klärung dieses Problems war es möglich, chronologische Folge und pragmatische Verknüpfung der Ereignisse aus den Quellen zu rekonstruieren. Damit aber die Ereignisfolge in ein festes Gerüst absoluter Daten eingesetzt werden konnte, mußte die ebenso diffizile wie umstrittene

---

„Judaism and Hellenism", JJS 29, 1978, 1–21; besonders 10ff. und A. Momigliano, Alien Wisdom. The Limits of Hellenization, Cambridge 1978², 101–112 = dt. Hochkulturen im Hellenismus, München 1979, 122–135.

[7] Gegen diese Kritik ist selbst das bewundernswerte Buch von Elias Bickermann (s. o. Anm. 2) nicht völlig gefeit: vgl. Verf., Die Verfolgung der jüdischen Religion durch Antiochos IV. Ein Konflikt zwischen Judentum und Hellenismus?, A & A 26, 1980, 176–190; besonders 181f.

[8] Wenig hilfreich haben sich die Versuche erwiesen, die schriftlichen Quellen zu eruieren, die der Hauptvorlage des zweiten Makkabäerbuches, dem verlorengegangenen Geschichtswerk eines Jason von Kyrene, vermeintlich zugrunde lagen: K.-D. Schunck, Die Quellen des ersten und zweiten Makkabäerbuches, Halle 1954 (vgl. dort auf S. 126 das Stemma der von ihm angenommenen Quellenverhältnisse) und J. G. Bunge, Untersuchungen zum zweiten Makkabäerbuch, Diss. Bonn 1971, 206–329; vgl. dazu die kritischen Bemerkungen von Chr. Habicht, 2. Makkabäerbuch, Jüdische Schriften aus hellenistisch-römischer Zeit, Bd. I. Historische und legendarische Erzählungen, Lieferung 3, Gütersloh 1976, 177f. (künftig zitiert als Chr. Habicht, 2. Makkabäerbuch).

Frage des in den Makkabäerbüchern verwendeten Datierungssystems einer sorgfältigen Prüfung unterzogen werden.

Das aber bedeutet: Zuerst mußte auf der elementaren Ebene der Chronologie und der Ereignisgeschichte ein festes, auf eigene Untersuchung gegründetes Urteil gewonnen werden. Erst danach war es sinnvoll und möglich, in eine Analyse der Sach- und Motivzusammenhänge einzutreten. Wie sich dabei herausstellte, läßt sich das Religionsedikt Antiochos' IV. nicht aus innerjüdischen Reformbestrebungen herleiten. Vielmehr erwuchsen hellenistische Reform und Religionsverfolgung aus Motivationsketten, die sachlich und genetisch voneinander unabhängig waren. Erst ihr zufälliges Zusammentreffen führte in der Zeit des Makkabäeraufstandes vermittels der Etikettierung der Religionsverfolgung als einer „Umstellung auf die hellenische Lebensweise" zur Behauptung eines inneren Zusammenhanges. Dies ist die Wurzel der bis heute vorherrschenden Deutung des epochalen Ereignisses: daß es das Produkt eines weltanschaulichen Gegensatzes zwischen ‚Judentum' und ‚Hellenismus' gewesen sei.

Was Form und Aufbau der vorliegenden Arbeit anbelangen, so sind sie durch Quellenlage und Vielschichtigkeit der vorgegebenen Probleme in entscheidender Weise geprägt. Wie ein Blick in das Inhaltsverzeichnis lehrt, folgen sie dem oben skizzierten Gang der Untersuchung. Am Anfang steht das Elementare, das Grundlegende: die Klärung der Fragen, die die Quellen hinsichtlich der Chronologie, der Folge und der Verknüpfung der Ereignisse aufwerfen. Die Analyse der Sach- und Motivzusammenhänge schließt sich an. Sie ist, entsprechend dem gewonnenen Ergebnis, für die hellenistische Reform in Jerusalem und für das Problem der Religionsverfolgung getrennt vorgenommen worden. Das Schlußkapitel des letzten Abschnitts ist der antiken Deutung der Verfolgung, der jüdischen ebenso wie der hellenistisch-römischen, gewidmet. In ihm sollen Ursprung, Anwendung und Wirkung des Schlagwortes von der „Umstellung auf die hellenische Lebensweise" dargestellt werden.[9]

[9] Da die Interpretation der Religionsverfolgung im Buche Daniel von diesem folgenreichen Schlagwort gänzlich unbeeinflußt ist, wird davon abgesehen, sie im Rahmen dieser Arbeit zu berücksichtigen.

# I. Die Zeitrechnung der Makkabäerbücher

In den beiden ersten Makkabäerbüchern ist eine Reihe von Ereignissen nach der Jahreszählung der Seleukidischen Ära (im folgenden auch: S.Ä.) datiert, in Makk 1 sind darüber hinaus mehreren dieser Jahreszahlen Daten des jüdischen, mit dem ersten Nisan (d.h. im März) beginnenden Festkalenders hinzugefügt. Im einzelnen handelt es sich um folgende Zeitangaben:

| Makk 1 | Ereignis | Datum |
|---|---|---|
| 1,10 | Regierungsantritt Antiochos' IV. | 137 |
| 1,20 | Plünderung des Tempels | 143 |
| 1,29 | Einnahme und Plünderung Jerusalems durch seleukidische Truppen | „nach Verlauf von zwei Jahren" (= 144)[1] |
| 1,54 (59) | Entweihung des Tempels | 15. (25.) Kislew 145 |
| 2,70 | Tod des Mattathias | 146 |
| 3,37 | Aufbruch Antiochos' IV. nach den Oberen Satrapien | 147 |
| 4,28 | 1. Feldzug des Lysias | „im folgenden Jahr" (= 148) |
| 4,52 | Neueinweihung des Tempels | 25. Kislew 148 |
| 6,16 | Tod Antiochos' IV. | 149 |
| 6,20 | Belagerung der Akra durch Judas Makkabaios | 150 |
| 7,1 | Usurpation Demetrios' I. | 151 |
| 7,32 (49) | Tod und Niederlage des Nikanor | 13. Adar (151)[2] |
| 9,3 | Niederlage und Tod des Judas Makkabaios | 1. Monat (= Nisan) 152 |
| 9,54 | Tod des Hohenpriesters Alkimos | 2. Monat (= Ijar) 153 |
| 10,1 | Auftreten des Usurpators Alexander Balas | 160 |
| 10,21 | Jonathan Hoherpriester | Laubhüttenfest (= 15.–22. Tischri) 160 |
| 10,57 | Vermählung des Alexander Balas mit Kleopatra | 162 |
| 10,67 | Rückkehr Demetrios' II. | 165 |

| Makk 1 | Ereignis | Datum |
|---|---|---|
| 11,19 | Tod des Alexander Balas und des Ptolemaios Philometor | 167 |
| 13,41 | Beginn der jüdischen ‚Freiheit‘ | 170 |
| 13,51 | Einnahme der Akra durch Simon | 23. des zweiten Monats (= Ijar)[3] 171 |
| 14,1 | Feldzug Demetrios' II. gegen die Parther | 172 |
| 14,27 | Ehrendekret der Juden für Simon | 18. Elul 172 |
| 15,10 | Rückkehr Antiochos' VII. Sidetes | 174 |
| 16,14 | Ermordung Simons | Schebat 177 |

| Makk 2 | Ereignis | Datum |
|---|---|---|
| 13,1 | 2. Feldzug des Lysias | 149 |
| 14,1 (4) | Usurpation Demetrios' I. | „nach Verlauf von drei Jahren“ (= 151)[4] |

Die Umrechnung dieser Daten hat die Forschung vor schwere, lange Zeit unlösbar erscheinende Probleme gestellt. Der Ursprung der Schwierigkeiten liegt darin, daß die offizielle Jahreszählung der seleukidischen Kanzlei nicht mit der in Babylon gebräuchlichen übereinstimmte. Die babylonischen Keilschriftentexte rechnen die Jahre der Seleukidischen Ära ab 2./3. April 311 v. Chr. (= 1. Nisan des Jahres 1). Im Westteil des Seleukidenreiches begann dagegen die offizielle Jahreszählung mit dem Herbst 312 v. Chr. Der 1. Dios des Jahres 1 fällt bei Gleichsetzung des makedonischen ersten Monats mit dem babylonischen Ta-

[1] Die Datierung μετὰ δύο ἔτη ἡμερῶν bedeutet, entsprechend antiker Zählweise, soviel wie ‚*im* Verlauf des zweiten Jahres‘ (inklusiv gerechnet): vgl. Makk 2,14,1 bzw. 4, wo die Datierung „nach Verlauf von drei Jahren“ (Bezugsdatum ist das Jahr 149 S. Ä.: Makk 2,13,1) auf das Jahr 151 S. Ä. (so Makk 1,7,1) führt.

[2] Das Jahr ergibt sich aus dem Vergleich der Zeitangaben in Makk 1,7,1 und 9,3: vgl. E. Schürer, The History of the Jewish People in the Age of Jesus Christ (175 B. C. – A. D. 135), rev. and ed. by G. Vermes and F. Millar, Bd. I, Edinburgh 1973, 170 Anm. 30 (künftig zitiert als E. Schürer, History I; Bd. II, 1978 als History II).

[3] Auf den 23. Ijar datiert das Ereignis auch die jüdische ‚Fastenrolle‘, Megillath Taanith § 5: H. Lichtenstein, Die Fastenrolle. Eine Untersuchung zur jüdisch-hellenistischen Geschichte, Hebrew Union College Annual 8–9, 1931/32, 286f.

[4] Vgl. Makk 1,7,1.

schritu auf den 6./7. Oktober 312 v. Chr.[5] Somit stellt sich die Frage, welcher Seleukidischen Ära die Makkabäerbücher folgen.

Von der geographischen Lage Judäas her gesehen liegt die Annahme nahe, daß dort nach der westlich des Euphrats üblichen Herbstära datiert wurde. Tatsächlich fällt es nicht schwer, anhand der folgenden drei Beispiele nachzuweisen, daß die Zeitangaben, die sich im engeren Sinne auf die Geschichte der Seleukiden beziehen, dieser offiziellen Jahreszählung folgen.

1. Aus der im Jahre 1954 veröffentlichten babylonischen Königsliste BM 35 603 geht hervor, daß der Tod Antiochos' IV. im Monat Kislimu des Jahres 148, also zwischen dem 19./20. November und dem 17./18. Dezember 164 v. Chr., in Babylon bekannt wurde.[6] In Makk 1,6,16 wird dieses Ereignis jedoch in das Jahr 149 datiert. Da bei allen in ein Winterhalbjahr fallenden Daten die Jahreszählung der syrisch-makedonischen Seleukidenära um eine Einheit höher ist als die der babylonischen, sind die abweichenden Zeitangaben leicht vereinbar: In Makk 1,6,16 ist im Gegensatz zu der babylonischen Königsliste die Herbstära des Jahres 312 v. Chr. der Datierung zugrunde gelegt.

2. In Makk 1,7,1 und Makk 2,14,1 (4) wird die Thronbesteigung Demetrios' I. in das Jahr 151 gesetzt. In Babylon wurde noch am 18. Taschritu des Jahres 150, also am 15./16. Oktober 162 v. Chr., nach seinem Vorgänger, Antiochos V., datiert.[7] Dieses Datum fällt nach der syrisch-makedonischen Seleukidenära in den ersten Monat, den Dios, des Jahres 151. Andererseits ist aus dem Geschichtswerk des Polybios bekannt, daß Demetrios, der als Geisel in Rom lebte, Italien auf einem regulären karthagischen Schiff im Herbst des Jahres 162 v. Chr. verließ, um den seleukidischen Thron für sich zu gewinnen; der Bestimmungshafen dieses Schiffes war Tyros[8], und Demetrios ging, Makk 2,14,1 zufolge, im Hafen von Tripolis an Land. Da die Schiffahrt auf dem Mittelmeer wegen der Winterstürme Mitte November eingestellt wurde[9], muß er spätestens in der ersten Novemberhälfte des Jahres 162 v. Chr. in Tripolis angelangt sein. Auf jeden Fall gewann er den Thron im Winterhalbjahr 162/161 v. Chr.[10] Zu dieser

---

[5] Vgl. E. Bickermann, Chronology of the Ancient World, London 1968, 71 mit 25; A. E. Samuel, Greek and Roman Chronology, HdAW I,7, München 1972, 140–142. Die Umrechnung der babylonischen in Daten des julianischen Kalenders ist gegeben nach R. A. Parker and W. H. Dubberstein, Babylonian Chronology 626 B. C. – A. D. 75 (= Brown University Studies XIX), Providence 1956, 27 ff.

[6] A. J. Sachs and D. J. Wiseman, A Babylonian King List of the Hellenistic Period, Iraq 16, 1954, 208 f. und 210; zu der evident richtigen Ergänzung der Jahreszahl 148 S. Ä. vgl. auch A. Aymard, Du nouveau sur la chronologie des Séleucides, REA 57, 1955, 112 (= Études d'histoire ancienne, Paris 1967, 272) und J. Schaumberger, Die neue Seleukidenliste BM 35 603 und die makkabäische Chronologie, Biblica 36, 1955, 423.

[7] R. A. Parker and W. H. Dubberstein, a. a. O. (s. o. Anm. 5) 23 und E. Bickermann, s. v. Makkabäerbücher, in: RE XIV (1928), 782 nach F. X. Kugler, Von Moses bis Paulus, Münster 1922, 330.

[8] Polybios 31,20,12: vgl. E. Bickermann, RE XIV, 783.

[9] Vgl. Vegetius, Epit. rei milit. 4,39: Die Schiffahrt auf dem Mittelmeer ruhte vom 11. November bis zum 10. März.

[10] Diese Datierung findet ihre Stütze auch darin, daß der von Demetrios I. mit der Befriedigung Judäas beauftragte Nikanor bereits am 13. Adar des Jahres 151 S. Ä. (das Jahresdatum ergibt sich

Zeit aber wurde in Babylon noch das Jahr 150, westlich des Euphrats bereits das Jahr 151 der Seleukidischen Ära gezählt; also ist die westliche Seleukidenära diejenige Jahreszählung, nach der das Ereignis in beiden Makkabäerbüchern datiert ist.

3. Und das letzte Beispiel: In Makk 1,15,10 wird die Rückkehr Antiochos' VII. Sidetes in das Jahr 174 S.Ä. gesetzt. Mit diesem Jahr beginnen auch seine syrischen Münzen[11], die auf ihn lautenden Datierungen in Babylon aber schon mit dem Jahr 173 S.Ä.[12] Damit ist seine Rückkehr auf das Winterhalbjahr 139/138 v.Chr. datiert. Auch in diesem Fall folgt also der Verfasser des ersten Makkabäerbuches der Herbstära des Jahres 312 v.Chr.

Entsprechendes gilt für alle übrigen auf die Geschichte der Seleukiden bezüglichen Daten. Thronbesteigungen, Todesfälle sowie auswärtige, d.h. nicht gegen die Juden gerichtete, Feldzüge sind – insoweit besteht in der Forschung heute Übereinstimmung – nach der im Westteil des Reiches offiziellen Zählweise der Seleukidischen Ära datiert.

Ein Teil der älteren Forschung war sogar der Auffassung, daß die Herbstära des Jahres 312 v.Chr. *allen* in den Makkabäerbüchern überlieferten Zeitangaben zugrunde liege.[13] Gegen eine so weitgehende Schlußfolgerung scheint indessen schon auf den ersten Blick der Umstand zu sprechen, daß in Makk 1 einer Reihe von Datierungen Monatsnamen des im März beginnenden jüdischen Frühlingsjahres beigegeben sind. In einigen Fällen sind sogar die Ordinalzahlen der betreffenden Monate angegeben; ihre Stelle in der Monatsfolge des jüdischen Frühlingsjahres ist damit ausdrücklich markiert. Beispielsweise ist in Makk 1,4,52 der Kislew als neunter Monat bezeichnet, in 16,24 der Schebat als elfter; in 10,21 wird das Laubhüttenfest (15.–22. Tischri) auf den siebenten Monat gelegt, in 13,51 der Einzug der Juden in die zurückgewonnene Akra auf den 23. Tag des zweiten Monats (Ijar). Die Schlußfolgerung liegt also nahe, daß hier die Jahreszählung der Seleukidischen Ära mit einem im März (= 1. Nisan) beginnenden Jahr verbunden ist.

Daß in den beiden ersten Makkabäerbüchern neben der Herbstära des Jahres 312 v.Chr. auch eine Frühlingsära der Seleukidischen Jahreszählung verwendet worden ist, scheint aus den folgenden Indizien sogar zwingend hervorzugehen[14]:

---

aus dem Vergleich von Makk 1,7,32 (49) mit 7,1 und 9,3), d.h. im letzten Monat des Winterhalbjahres 162/161 v.Chr. (= Februar/März), im Kampf mit den Aufständischen den Tod fand: vgl. dazu unten S. 25.

[11] E. Babelon, Catalogue des monnaies grecques de la Bibliothèque Ntionale. Les rois de Syrie, d'Arménie et de Commagène, Paris 1890, CXLI.

[12] Vgl. W. Kolbe, Beiträge zur syrischen und jüdischen Geschichte, BWAT NF 10, Stuttgart 1926, 60.

[13] So zuletzt E. Meyer, Ursprung und Anfänge des Christentums, $II^{4+5}$, Stuttgart 1925, 248 Anm. 1; 208 Anm. 1; 255 Anm. 3; vgl. auch die Literaturhinweise bei W. Kolbe, a.a.O. 19 und K.-D. Schunck, Die Quellen des ersten und zweiten Makkabäerbuches, Halle 1954, 16.

[14] Die Verwendung von zwei Seleukidenären in den Makkabäerbüchern wird angenommen von: U. Kahrstedt, Syrische Territorien in hellenistischer Zeit, AGWG 19,2 1926, 125ff. und vor allem von E. Bickermann, RE XIV, 781–784; Ein jüdischer Festbrief vom Jahre 124 v.Chr., ZNTW 32,

1. In Makk 1,10,1 wird das Auftreten des Usurpators Alexander Balas in das Jahr 160 S. Ä. datiert, dann wird eine Reihe darauf folgender militärischer und politischer Ereignisse erzählt, schließlich wird, in 10,21, gesagt, daß der Makkabäer Jonathan „im siebenten Monat des Jahres 160 am Laubhüttenfest" das hohepriesterliche Gewand angelegt habe. Die chronologischen Implikationen dieser Darstellung schließen, nach allgemeiner Überzeugung[15], die Annahme aus, daß die Anlegung des hohepriesterlichen Gewandes durch Jonathan nach der Herbstära des Jahres 312 v. Chr. datiert ist: Denn wenn das vom 15. bis zum 22. Tischri gefeierte Laubhüttenfest in den ersten Monat des makedonischen Herbstjahres (September/Oktober) fiel, sei es, so wird argumentiert, unmöglich, daß die in Makk 1,10,1–20 berichtete Ereignisfülle in den ersten vierzehn Tagen des makedonischen Jahres hätte stattfinden können. Diesem Adynaton sei, so lautet die Schlußfolgerung, nur durch die Annahme zu entgehen, daß Usurpation und ‚weltliche' Ereignisse nach der syrisch-makedonischen Zählweise der Seleukidischen Ära datiert seien, das ‚kirchliche' Ereignis dagegen nach einer jüdischen, die der in Babylon gebräuchlichen Datierungsweise entspreche. Demnach fiele das Laubhüttenfest des Jahres 160 S. Ä. in den Oktober des Jahres 152 v. Chr., die ‚weltlichen' Ereignisse fänden in dem vorangehenden Herbstjahr 153/152 v. Chr. hinreichend Platz.
2. In Makk 1,6,20 wird die Belagerung der Akra durch Judas Makkabaios in das Jahr 150 S. Ä. gesetzt, in Makk 2,13,1 dagegen der zweite Feldzug des Lysias, mit dem die seleukidische Seite auf die Belagerung der Akra reagierte, in das Jahr 149 S. Ä.: „Das kann, setzt man die historische Richtigkeit dieser beiden Daten voraus, nur mit der Annahme zweier verschiedener Seleukidenären erklärt werden", so lautet die auf den ersten Blick einleuchtende Interpretation dieses Befundes.[16] Unter der Voraussetzung, daß die Belagerung der Akra nach der Herbstära von 312 v. Chr., der zweite Feldzug des Lysias nach der Frühjahrsära von 311 v. Chr. datiert wäre, fielen beide Ereignisse in das Winterhalbjahr 163/162 v. Chr.

Diese Interpretation ist indessen anfechtbar. Gegen ihre Richtigkeit läßt sich eine Reihe durchschlagender Argumente geltend machen. Der Verfasser des er-

---

1933, 239–241; Gott der Makkabäer, 155 f. Auf den Grundlagen, die E. Bickermann gelegt hat, beruhen die späteren Untersuchungen zur Chronologie der Makkabäerbücher: K.-D. Schunck, a. a. O. (s. o. Anm. 13) 16–31; J. Schaumberger, a. a. O. (s. o. Anm. 6) 423–435 und R. Hanhart, Zur Zeitrechnung des I. und II. Makkabäerbuches, ZATW Beiheft 88, Berlin 1964, 49–96. Überholt ist die Auffassung von W. Kolbe, a. a. O. (s. o. Anm. 12) 22 ff., daß der Verfasser des ersten Makkabäerbuches *alle* Daten nach der Frühjahrsära von 311 v. Chr. gebe: dagegen schon U. Kahrstedt, GGA 188, 1926, 429–435. Verfehlt auch S. Zeitlin, Megillat Taanit as a Source for Jewish Chronology and History in the Hellenistic and Roman Periods, JQR NS 9, 1918/19, 71 ff.; 10, 1919/20, 49 ff.; 237 ff., der annimmt, daß den Jahresangaben des ersten Makkabäerbuches eine Herbstepoche von 313 v. Chr. zugrunde liege. Diese These ist gründlich widerlegt worden von M. B. Dagut, II Maccabees and the Death of Antiochus IV Epiphanes, JBL 72, 1953, 149–157.

15 Vgl. W. Kolbe, a. a. O. (s. o. Anm. 13) 22–25; E. Bickermann, RE XIV, 783; Gott der Makkabäer, 155; J. Schaumberger, a. a. O. (s. o. Anm. 6) 426 f.; R. Hanhart, a. a. O. (s. o. Anm. 14) 59 ff.

16 R. Hanhart, a. a. O. (s. o. Anm. 14) 58.

sten Makkabäerbuches berichtet, daß während des zweiten Feldzuges des Lysias die in Beth-Zur und im Jerusalemer Tempelbezirk eingeschlossenen Juden unter Mangel an Lebensmitteln litten, weil der Feldzug in ein Sabbatjahr fiel.[17] Gemeint ist das im Herbst 164 v. Chr. beginnende Sabbatjahr, das im Sommer 163 v. Chr. zu einem Ausfall der Ernte und damit zur Verknappung der Lebensmittel führte.[18] Der Feldzug des Lysias muß also im Sommer des Jahres 163 v. Chr. stattgefunden haben, und es gibt Indizien, die diese Schlußfolgerung erhärten.[19]

Daß das in Makk 2,13,1 für den Feldzug des Lysias angegebene Jahr 149 nicht nach der Frühjahrsära von 311 v. Chr. berechnet sein kann, läßt sich auch auf andere Weise zeigen. In Makk 2,14,1 wird die Ankunft des Demetrios in das dritte Jahr nach dem zweiten Feldzug des Lysias gesetzt. Die Ankunft des Demetrios aber, die nach Makk 1,7,1 in das Jahr 151 S. Ä. gehört, ist, wie oben dargelegt wurde, zweifellos nach der syrisch-makedonischen Zählweise datiert. Unter dieser Voraussetzung ist es notwendig, das Gleiche von dem Bezugsdatum anzunehmen, das der Datierung der Ankunft des Demetrios – im Verlauf des dritten Jahres danach – zugrunde liegt. Denn wäre das in Makk 2,13,1 angegebene Jahr 149 S. Ä. wirklich nach der Frühjahrsära von 311 v. Chr. zu errechnen (= 163/162 v. Chr.), betrüge der Zeitabstand zu der in das Herbstjahr 151 S. Ä. fallenden Ankunft des Demetrios (= 162/161 v. Chr.) nach der antiken, inklusiven Rechnungsweise nur zwei und nicht, wie in Makk 2,14,1 ausdrücklich gesagt wird, drei Jahre.

In dem Bestreben, diesem Dilemma zu entgehen, hat ein Teil der Forschung angenommen, daß die Belagerung der Akra in Makk 1,6,20 nach einer Frühjahrsära von 312 v. Chr. datiert sei (das Jahr 150 S. Ä. entspräche dann dem Frühlingsjahr 163/162 v. Chr.), der zweite Lysiasfeldzug, der in Makk 2,13,1 in das Jahr 149 S. Ä. gesetzt wird, nach der Herbstära 312 v. Chr. (= 164/163 v. Chr.).[20] Unter dieser Voraussetzung fielen beide Ereignisse in das Sommerhalbjahr 163 v. Chr. Aber die Annahme einer jüdischen, im Frühjahr 312 v. Chr. beginnenden Variante der Seleukidischen Jahreszählung ist *absolut* unvereinbar mit der chronologischen Schlußfolgerung, die aus der Datierung der Annahme der hohepriesterlichen Würde durch Jonathan (Makk 1,10,22) gezogen worden ist. Dieses Ereignis kann nicht um ein ganzes Jahr, auf den Oktober 153 v. Chr., vorverlegt werden, und damit ist der Hypothese einer jüdischen Frühjahrsära von 312 v. Chr. die Grundlage entzogen.

---

[17] Makk 1,6,49 und 53; zur Datierung der Sabbatjahre vgl. J. Jeremias, Sabbatjahr und neutestamentliche Chronologie, ZNTW 27, 1928, 98–103; W. Bousset, Die Religion des Judentums im späthellenistischen Zeitalter, Tübingen 1966 (NDr der 4. Auflage 1926) 131 f.

[18] J. Schaumberger, a. a. O. (s. o. Anm. 6) 431 und R. Hanhart, a. a. O. (s. o. Anm. 14) 68 Anm. 25 suchen die Datierung des zweiten Lysiasfeldzuges auf das Winterhalbjahr 163/162 v. Chr. mit dem Argument zu verteidigen, daß die Auswirkungen des Sabbatjahres 164/163 v. Chr. noch in diesem Winterhalbjahr zu verspüren gewesen seien. Das ist zwar richtig, berücksichtigt jedoch die Nachricht in Makk 1,6,49 und 53 nicht, der zufolge der Feldzug in das Sabbatjahr selbst fiel: so zu Recht K.-D. Schunck, a. a. O. (s. o. Anm. 13) 28.

[19] Vgl. unten S. 58 f. mit Anm. 31.

[20] So E. Bickermann, RE XIV, 784 und K.-D. Schunck, a. a. O. (s. o. Anm. 13) 28.

Tatsächlich schien E. Bickermann aus dem ersten Einleitungsbrief des zweiten Makkabäerbuches, also aus einem von der Jerusalemer Gemeinde verfaßten Dokument, der Nachweis zu gelingen, daß in Judäa wie in Babylon die Jahre der Seleukidischen Ära nach der Frühlingsepoche des Jahres 311 v. Chr. gezählt wurden.[21] Er begründete damit die gegenwärtig herrschende Auffassung.[22]

Eine Prüfung der Argumentation Bickermanns ergibt indessen, daß seine Schlußfolgerung unhaltbar ist. Ausgangspunkt und Grundlage seiner Beweisführung ist Makk 2,1,7. Dort zitieren die Jerusalemer einen Brief an die ägyptischen Juden, der „unter dem König Demetrios, im Jahre 169" geschrieben ist. Diese Formulierung zeigt, wie Bickermann mit Recht hervorhebt, daß Judäa damals nicht autonom, sondern König Demetrios II. untertan war. Unbestreitbar richtig ist auch, daß die Juden bereits im Jahre 170 S. Ä. so nicht mehr datierten. Denn auf Grund der Privilegien, die ihnen Demetrios II. verlieh, führten sie als äußeres Zeichen ihrer neu gewonnenen Freiheit eine eigene jüdische Ära ein: „im ersten Jahr Simons, des großen Hohenpriesters, Feldherrn und Fürsten der Juden".[23] Andererseits konnten sie nach Demetrios II. erst datieren, nachdem sie von ihrem früheren Oberherrn, dem Gegenkönig Antiochos VI., abgefallen waren. Bickermann glaubt nun, daß der Übertritt zu Demetrios II. in den Spätherbst des Jahres 143 v. Chr. falle und das Schreiben des Jahres 169 der Seleukidischen Ära ein Festbrief gewesen sei, der die ägyptischen Juden zur Mitfeier des im Dezember 143 v. Chr. stattfindenden Chanukkafestes aufgefordert habe. Da aber der Spätherbst des Jahres 143 v. Chr. bereits in das Jahr 170 S. Ä. der im Westteil des Seleukidenreiches offziellen Ära gehört, erscheint die Schlußfolgerung Bickermanns zwingend: „Eine frühestens Ende des Jahres 143 v. Chr. gegebene Datierung ‚Jahr 169 Sel.' ist nur dann möglich, wenn die Seleukidenära dabei von Frühjahr 311 lief."[24]

Wo der Fehler dieser Beweisführung liegt, ist indessen leicht zu sehen. Wie aus der Darstellung der Ereignisse in Makk 1,13,12–42 zu entnehmen ist, liegt er in der Annahme, daß der auf das Jahr 169 S. Ä. datierte Brief unmittelbar vor das im Dezember 143 v. Chr. gefeierte Chanukkafest und der Übergang der Juden zu Demetrios II. folglich in den Spätherbst desselben Jahres fielen. Simon konnte während der Zeit, als sein Bruder Jonathan von dem Reichsverweser und Vormund Antiochos' VI., Diodotos Tryphon, gefangengehalten wurde, schon aus Rücksicht auf die Stimmung seiner jüdischen Landsleute nicht offen auf die Seite des Demetrios II. übergehen. Diese Rücksichtnahme entfiel erst, nachdem Tryphon seinen Gefangenen im Ostjordanland (in der Galaaditis) hatte umbringen lassen. Bevor das geschah, war der Versuch Tryphons, nach Judäa einzufallen,

---

[21] E. Bickermann, Ein jüdischer Festbrief vom Jahre 124 v. Chr. ZNTW 32, 1933, 239–241.

[22] Vgl. oben Anm. 14; zuletzt hat Chr. Habicht, 2. Makkabäerbuch, 200 (Anm. b zu Makk 1,7) die Ergebnisse Bickermanns ungeprüft übernommen; nur K.-D. Schunck, a. a. O. (s. o. Anm. 13) 18 ff. hielt an der Annahme einer Frühjahrsepoche von 312 v. Chr. fest (ursprünglich neigte ihr Bikkermann selbst, wenn auch vorsichtig, zu: vgl. RE XIV, 784).

[23] Makk 1,13,42.

[24] E. Bickermann, Jüdischer Festbrief (s. o. Anm. 21) 241.

an starken Schneefällen im judäischen Gebirge gescheitert. Derartige Schneefälle sind nicht häufig und können bestenfalls im Januar und Februar auftreten, in den Monaten also, in denen in Judäa die meisten Niederschläge fallen und die Durchschnittstemperatur am niedrigsten ist.[25] Das aber bedeutet, daß der Übertritt zu Demetrios II. nicht vor Januar und auf keinen Fall im Spätherbst 143 v. Chr. stattgefunden haben kann.

Aber Simon konnte nicht einmal unmittelbar nach der Beseitigung seines Bruders den überfälligen Frontwechsel vollziehen. Er mußte der Tatsache Rechnung tragen, daß Syrien einschließlich der Strategie Koilesyrien und Phoinikien sich fast ganz unter der Kontrolle des Diodotos Tryphon befand und von dem auf Kilikien und das Zweistromland beschränkten König Demetrios II. im Ernstfall kaum eine wirksame militärische Hilfe zu erwarten war.[26] Vor dem Frontwechsel mußte er Sicherheitsvorkehrungen treffen: „Simon legte in Judäa Festungen an, umgab sie mit hohen Türmen und gewaltigen Mauern, versah sie mit Toren und Riegeln und ließ Proviant in die Festungen bringen."[27] Erst danach trat er zu Demetrios II. über. Der neue Oberherr honorierte den Übertritt durch großzügige Erteilung von Privilegien. Das diesbezügliche königliche Schreiben ist in Makk 1,13,36–40 erhalten. Demetrios II. nimmt bezug auf den Goldenen Kranz und den Palmenzweig, die ihm die Juden zum Zeichen ihrer Unterwerfung unter seine Oberhoheit geschickt hatten[28]; er erklärt seine Bereitschaft, mit ihnen einen dauernden Frieden zu schließen, und sichert ihnen eine Amnestie zu; schließlich gesteht er ihnen zu, daß die jüngst erbauten Festungen bestehen bleiben dürften. Damit aber ist erwiesen, daß der Übertritt zu Demetrios II. nicht unmittelbar nach dem Tod Jonathans, sondern erst nach dem Bau und nach der Verproviantierung der Festungsanlagen vollzogen wurde. Es liegt auf der Hand, daß diese umfangreichen Sicherheitsvorkehrungen Wochen, um nicht zu sagen, Monate in Anspruch genommen haben müssen. In einem Winterhalbjahr dürfte es ohnehin unmöglich gewesen sein, große Lebensmittelvorräte in neu angelegten Festungen anzuhäufen. Dazu bedurfte es der neuen Ernte. Nun fiel aber der Sommer 142 v. Chr. in ein Sabbatjahr.[29] Die Ernte fiel also aus. In einem solchen Jahr konnten keine Lebensmittel für die Lagerung in Festungen abgezweigt werden. Es ist ja hinlänglich bekannt, wie sehr die Kriegführung der Juden durch die Sabbatjahre behindert wurde. Im Sommer 163 v. Chr. gerieten die Verteidiger von Beth-Zur und des Jerusalemer Tempelbezirks wegen des Mangels an Lebensmitteln in äußerste Bedrängnis[30]; und im Frühjahr 135 v. Chr. mußte Hyrkanos aus dem gleichen Grund die Belagerung von Dok aufhe-

---

[25] Makk 1,13,22 f.; vgl. H. Donner, Einführung in die biblische Landes- und Altertumskunde, Darmstadt 1976, 36 f. und vor allem E. Orni & E. Efrat, Geography of Israel, Jerusalem 1973[3], 147.

[26] Vgl. W. Hoffmann, s. v. Tryphon, RE VII A 1 (1939), 718 f.

[27] Makk 1,13,33.

[28] Zur Bedeutung von Goldenem Kranz (und Palmenzweig) vgl. E. Bickermann, Les institutions des Séleucides, Paris 1938, 111 f.; vgl. insbesondere Makk 2,14,4.

[29] Das ergibt sich aus der Überlieferung, die für die Herbstjahre 164/163, 136/135 und 38/37 v. Chr. sowie 40/41 und 68/69 n. Chr. direkt oder indirekt Sabbatjahre bezeugt: vgl. oben Anm. 17.

[30] Makk 1,6,49 und 53.

ben und den Mörder seines Vaters, des Hohenpriesters Simon, entkommen lassen.[31] Die Schlußfolgerung ist unumgänglich: Die beschriebenen Ereignisse, von der Tötung Jonathans bis zum Frontwechsel Simons, können nicht in das Sabbatjahr 143/142 v. Chr. gehören.

Alle diese Schwierigkeiten entfallen unter der Voraussetzung, daß die Daten in Makk 2,1,7 und in Makk 1,13,41 f. nach der Herbstära des Jahres 312 v. Chr. gegeben sind. Der Feldzug des Tryphon gegen Judäa und die Ermordung Jonathans fielen dann in den Januar und Februar 143 v. Chr., der Bau der Festungen und die Anlage von Lebensmittelvorräten in das Frühjahr und den Sommer. Die zuletzt genannte Maßnahme gewinnt überdies eine prägnante Aussagekraft erst dadurch, daß das bevorstehende Wirtschaftsjahr 143/142 v. Chr. ein Sabbatjahr war. Vermutlich vollzog Simon den Übergang zu Demetrios II. nicht vor dem Spätsommer 143 v. Chr. In die kurze Zeitspanne der Oberherrschaft des Königs Demetrios II., also etwa in den September/Oktober 143 v. Chr., fällt der Brief des Jahres 169 S. Ä., mit Beginn des Jahres 170 S. Ä. nahmen dann die Juden einen neuen Status ein: Sie wurden ‚frei' und datierten nicht mehr nach ihren seleukidischen Oberherren.

Somit spricht das in Makk 2,1,7 erhaltene Datum des Briefes an die ägyptischen Juden für die Annahme, daß in Judäa nach der Herbstepoche des Jahres 312 v. Chr. datiert wurde. Fragwürdig erscheint bei näherer Betrachtung deshalb auch die These, daß die Juden die Jahreszählung der Seleukidischen Ära mit ihrem eigenen, mit dem 1. Nisan beginnenden Jahreskalender zu Datierungszwecken kontaminiert hätten. Es existiert meines Wissens kein einziges Dokument, das sie stützte. Schon das Fehlen einer Datierung nach Tag und Monat des jüdischen Festkalenders in Makk 2,1,7 und 10 gibt in dieser Hinsicht zu denken. Tatsächlich war der jüdische Jahreskalender mit dem babylonischen und dem makedonischen gar nicht in Übereinstimmung zu bringen. Zwar basierten alle auf einem Mondjahr, jedoch wichen sie voneinander ab, weil die Methoden, die Differenz zwischen Mond- und Sonnenjahr auszugleichen, verschieden waren. In Babylon geschah das seit dem vierten Jahrhundert v. Chr. in der Weise, daß im Verlauf eines neunzehnjährigen Zyklus sieben Monate verteilt auf die Jahre 3, 6, 8, 11, 14, 17 und 19 eingeschaltet wurden.[32] Im Unterschied zu diesem vorausberechneten, ‚starren' System war die jüdische Praxis damals flexibel. Sie beruhte auf Vorschriften des Kultgesetzes. Demnach mußte jeder Monat mit dem Erscheinen des Neumondes beginnen, der Anfang eines Kultjahres aber so liegen, daß im ersten Monat (= Nisan) das Passahfest auf den Tag des ersten Vollmondes nach dem Frühlingsäquinoktium, also jeweils nach dem 21. März, fiel. Dies war die Zeit, in der in Judäa die Gerste reifte.[33] Die Fol-

[31] Josephos, Ant. Jud. 13,234, der sich freilich mißverständlich ausdrückt: Nicht das Sabbatjahr trat im Frühjahr 135 v. Chr. ein (Simon war im Februar dieses Jahres ermordet worden), sondern seine Wirkung, die Verknappung der Lebensmittel infolge des Ausbleibens der Ernte.

[32] Der Zyklus begann im Jahre 367 v. Chr.: vgl. R. A. Parker and W. H. Dubberstein, a. a. O. (s. o. Anm. 5) 2 f. sowie E. Bickermann, Chronolgy (s. o. Anm. 5) 24.

[33] Vgl. Levit. 23,10 mit Exod. 12,2; zur jüdischen Schaltpraxis vgl. E. Schürer, History I, 593 f. mit Anm. 19.

gen der unterschiedlichen Schaltpraxis in Babylon und Jerusalem sind klar: „*The . . . precalendated calendation of Babylon must have disagreed again and again with the sighting of the new moon in Jerusalem and the growth of crops in Judaea. Thus, the religious calendar of Jerusalem became seperated from civil reckoning*".[34] Was den ‚bürgerlichen' Jahreskalender Jerusalems anbelangt, so begann er entsprechend den Bestimmungen der Thora freilich nicht im Frühjahr, sondern im Herbst mit dem 1. Tischri.[35] Wenn dieses ‚Wirtschaftsjahr' aus Gründen der praktischen Zweckmäßigkeit mit einer durchlaufenden Jahreszählung verbunden werden sollte, lag es unbeschadet der Abweichungen zwischen jüdischem und seleukidisch-makedonischem Kalender nahe, die Herbstära von 312 v. Chr. zugrunde zu legen. Dies ist tatsächlich geschehen. Wie aus rabbinischen Schriften zu ersehen ist, begann die ‚Ära der Kontrakte', *minjan schetaroth*, mit dem 1. Tischri des Jahres 312 v. Chr.[35a]

Das mit dem 1. Nisan beginnende jüdische Jahr war also ein typisches ‚Kirchenjahr'. Als solches entzog es sich der Einfügung in eines der im Vorderen Orient gebräuchlichen Datierungssysteme, und da auch das jüdische Wirtschaftsjahr nicht im Frühjahr mit dem 1. Nisan, sondern im Herbst mit dem 1. Tischri begann, war der Kalender des Kultjahres für die Zwecke des ‚bürgerlichen' Lebens selbst im innerjüdischen Verkehr ungeeignet. Und was seine eigentliche, die kultische, Zweckbestimmung anbelangt: Er konnte wegen seiner Abhängigkeit von dem Erscheinen des Neumondes in Jerusalem und dem Reifen der Gerste in Judäa dem religiösen Leben der Diaspora nur insoweit zugrunde liegen als Festboten aus Jerusalem rechtzeitig nach Ägypten und nach Mesopotamien gelangten, um den Gläubigen das Datum unmittelbar bevorstehender Feste mitzuteilen.[36] Das jüdische ‚Kirchenjahr' mit der verbreiteten überlokalen Datierung nach der Seleukidischen Ära zu verbinden, war, streng genommen, unmöglich – dies zu tun wäre auch ebensowenig sinnvoll gewesen, wie wenn gegenwärtig zu Datierungszwecken das christliche Kirchenjahr mit der Jahreszählung ‚nach Christi Geburt' verknüpft würde. Zeitangaben, die über die engen Grenzen Judäas hinaus verständlich sein sollten, mußten sich damals der in der hellenistischen Welt vorherrschenden Datierungssysteme bedienen.[37]

Zumindest soviel wird denn auch allgemein zugestanden, daß eine Gleichsetzung von jüdischem und babylonischem bzw. makedonischem Kalender wegen der unterschiedlichen Schaltpraxis mit einer Unsicherheit von etwa einem Monat behaftet sei.[38] Das könnte bedeuten, daß die in Makk 1,10,21 erwähnte An-

---

[34] E. Bickermann, Chronology (s. o. Anm. 5) 26.

[35] Vgl. Josephos, Ant. Jud. 1,81; 3,248; Exod. 12,2; Levit. 23,24; Num. 29.1.

[35a] Vgl. Ed. Mahler, Handbuch der jüdischen Chronologie, Frankfurt a. M. 1916 (NDr Hildesheim 1967), 137 ff.

[36] Vgl. E. Bickermann, Ein jüdischer Festbrief (s. o. Anm. 21) 242–244 mit Literatur.

[37] Die Zenonpapyri belegen dies für die Zeit der ptolemäischen Herrschaft: vgl. V. A. Tcherikover – A. Fuks, Corpus Papyrorum Judaicarum I, Cambridge/Mass. 1957, nr. 1,1–3; 4,6 und 18; 5,8 und 16; 6,9.

[38] Vgl. J. Schaumberger, a. a. O. (s. o. Anm. 6) 424 f.; R. Hanhart, a. a. O. (s. o. Anm. 14) 61; ähnlich schon E. Bickermann, RE XIV, 784.

nahme der hohepriesterlichen Würde durch Jonathan, die auf das Laubhüttenfest des Jahres 160 S.Ä. datiert wird, in den letzten Monat eines nach der Herbstära von 312 v.Chr. errechneten Jahres 160 S.Ä. fiel und nicht, wie allgemein angenommen wird, in den siebenten Monat eines nach der Frühjahrsepoche von 311 v.Chr. fixierten Jahres. Unter der einen wie der anderen Voraussetzung wäre das Laubhüttenfest des Jahres 152 v.Chr. gemeint. Die oben angedeutete Möglichkeit ist theoretisch unbestreitbar, jedoch erklärt sie Robert Hanhart für eine „fernliegend(e)".[39] Eine Nachprüfung der einschlägigen chronologischen Tabellen[40] zeigt demgegenüber mit einer an Sicherheit grenzenden Wahrscheinlichkeit, daß diese Möglichkeit im Jahre 152 v.Chr. tatsächlich eingetreten ist. Das Jahr 160 der Seleukidischen Herbstära reichte vom 19./20. September 153 bis zum 8./9. Oktober 152 v.Chr. Das jüdische ‚Kirchenjahr' begann im Jahre 152 v.Chr. wahrscheinlich am 14./15. März, sein siebenter Monat, der Tischri, am 6./7. September. Demnach wurde das Laubhüttenfest vom 21./22. bis zum 27./28. September gefeiert, mithin also noch im Jahre 160 der im Herbst 312 v.Chr. beginnenden Seleukidischen Ära.

Die herrschende Lehre, daß die im ersten Makkabäerbuch vorgenommenen Datierungen auf Tag, Monat und Jahr einer Frühjahrsära von 311 v.Chr. folgen, hat sich damit als anfechtbar erwiesen. Daß sie verkehrt ist, geht mit letzter Sicherheit aus der Datierung der Niederlage des Nikanor hervor. Sie ist in Makk 1,7,32 (49) in Verbindung mit 7,1 und 9,3 auf den 13. Adar (dies ist der zwölfte Monat des jüdischen Festkalenders) des Jahres 151 S.Ä. gesetzt. Sofern die herrschende Lehre recht hätte, fiele das Ereignis in die Vorfrühlingszeit (Februar/März) des Jahres 160 v.Chr.[41] Tatsächlich fiel Nikanor aber ein Jahr vorher. Das ergibt sich unwiderleglich aus folgendem: Nachdem Judas Makkabaios die Truppen Nikanors vernichtend geschlagen hatte, schickte er eine Gesandtschaft nach Rom, um den Status eines Freundes und Bundesgenossen der Römer zu erlangen.[42] Zufällig ist ein Geleitschreiben erhalten, das ein römischer Konsul den von ihrer Mission heimkehrenden jüdischen Gesandten ausgestellt hatte: Der Aussteller war C. Fannius C.f., Konsul des Jahres 161 v.Chr.[43] Die Gesandtschaftsreise fand also im Sommerhalbjahr 161 v.Chr. statt, die Niederlage des Nikanor in der Vorfrühlingszeit desselben Jahres. Das überlieferte Datum des Nikanortages, der 13. Adar des Jahres 151 S.Ä. ist also nach der Seleukidischen Herbstära von 312 v.Chr. gegeben.

Entsprechendes läßt sich für ein so grundlegendes Ereignis wie die Neueinweihung des Tempels nachweisen, die in Makk 1,4,52 auf den 25. Kislew des

---

[39] R. Hanhart, a.a.O. (s.o. Anm. 14) 61.

[40] R.A. Parker and W.H. Dubberstein, a.a.O. (s.o. Anm. 5) 41 sowie die Neumondtafeln in: E. Bickermann, Chronology (s.o. Anm. 5) 126.

[41] Vgl. J. Schaumberger, a.a.O. (s.o. Anm. 6) 429; R. Hanhart, a.a.O. (s.o. Anm. 14) 94.

[42] Vgl. Makk 1,8,17ff. und Makk 2,4,11.

[43] Josephos, Ant. Jud. 14,233; die Identität des Ausstellers mit dem Konsul des Jahres 161 v.Chr. (vgl. T.R.S. Broughton, MRR I, 443) hat B. Niese nachgewiesen: Eine Urkunde aus der Makkabäerzeit, in: Orientalische Studien, Theodor Nöldeke gewidmet, II, Gießen 1906, 817–829; besonders 822ff.

Jahres 148 S.Ä. gesetzt wird. Nach vorherrschender Überzeugung ist dieses Ereignis nach der Frühjahrsära von 311 v.Chr. datiert. Daß dies jedoch nicht richtig ist, läßt sich aus dem zeitlichen Abstand ablesen, der nach der Darstellung des ersten Makkabäerbuches zwischen der Tempelweihe am 25. Kislew des Jahres 148 S.Ä. und dem Tod Antiochos' IV. im Jahre 149 S.Ä. liegt.

Aus der Königsliste BM 35 603 ist zu entnehmen, daß der Tod des Königs zwischen dem 19./20. November und dem 18./19. Dezember des Jahres 164 v.Chr. in Babylon bekannt wurde. Dieses Datum entspricht ungefähr dem dritten Monat des Jahres 149 nach der Herbstära von 312 v.Chr. Die heute herrschende Lehre besagt, daß fast zur gleichen Zeit, d.h. am 25. Kislew des Jahres 148 nach der Frühjahrsära von 311 v.Chr., also im Dezember 164 v.Chr., der Tempel durch Judas Makkabaios neu eingeweiht worden sei.

Aber diese Annahme scheitert daran, daß in der Darstellung des ersten Makkabäerbuches zwischen Tempelreinigung und dem Tod Antiochos' IV. die Feldzüge der Makkabäer gegen die Nachbarvölker stattfanden, die sich gewiß nicht auf einige Tage zusammendrängen lassen.[44] In Makk 1,6,7 wird außerdem ausdrücklich vorausgesetzt, daß der König vor seinem Tod Kenntnis von der Eroberung und der Befestigung des Jerusalemer Tempelbezirks durch Judas Makkabaios erhalten hatte. Somit erscheint es ausgeschlossen, daß beide Ereignisse in denselben Monat desselben Jahres fallen.[45]

Das Unmögliche anzunehmen ist freilich vermeidbar – unter der Voraussetzung, daß der Tod Antiochos' IV. und die Tempelweihe im ersten Makkabäerbuch nach derselben Ära, und zwar nach der syrisch-makedonischen Jahreszählung, datiert sind. Die Neueinweihung des Tempels fiele dann in den Dezember des Jahres 165 v.Chr., und es bliebe bis zum Tod des Königs ein Zeitraum von etwa einem Jahr – die Zeit, die mit den in Makk 1,5 berichteten Nachbarkämpfen ausgefüllt war.

Gegen diese Datierung läßt sich auch nicht die Paralleldarstellung im zweiten Makkabäerbuch ausspielen.[46] Dort wird der Tod Antiochos' IV. *vor* der Tempelweihe erzählt, andererseits ist jedoch in Makk 2,10,9 ein Satz stehengeblieben, der die umgekehrte Reihenfolge beider Ereignisse voraussetzt.[47] Doch ab-

[44] Makk 1,5,1–68; zur Zeitstellung dieser Nachbarkämpfe vgl. unten S. 60ff.

[45] Dies wird jedoch von denen angenommen, die glauben, daß die Tempelweihe nach der Frühjahrsära von 311 v.Chr. datiert sei: vgl. J. Schaumberger, a.a.O. (s.o. Anm. 6) 429; R. Hanhart, a.a.O. (s.o. Anm. 14) 80f. – Das jetzt gesicherte Todesdatum Antiochos' IV. erweist übrigens auch die These als unhaltbar, daß der zweite Einleitungsbrief zum zweiten Makkabäerbuch (1,10b-2,18) ein, freilich durch Interpolationen entstelltes, echtes Schreiben der Aufständischen sei, das die ägyptischen Juden auffordere, das (Erinnerungs)fest der Tempelweihe im Dezember 164 v.Chr. mitzufeiern: so jedoch (mit unterschiedlicher Akzentuierung) A. Momigliano, Prime linee di storia della tradizione maccabaica, Rom 1930, 84–94 und J.-G. Bunge, Untersuchungen zum zweiten Makkabäerbuch, Diss. Bonn 1971, 32–152; besonders 41f. Daß diese Auffassung schon an der Chronologie scheitert, hat Chr. Habicht, 2. Makkabäerbuch, 199 mit Recht betont; vgl. auch M. Hengel, Judentum und Hellenismus, WUNT 10, Tübingen 1973² (künftig zitiert als M. Hengel, Judentum und Hellenismus) 178.

[46] So jedoch in unterschiedlicher Weise die in Anm. 45 genannten Gelehrten.

[47] Vgl. R. Laqueur, Kritische Untersuchungen zum zweiten Makkabäerbuch, Straßburg 1904,

gesehen davon: Der Verfasser des zweiten Makkabäerbuches hat irrtümlich einen Brief Antiochos' IV., der angeblich am 15. Xantikos des Jahres 148 S.Ä., wahrscheinlich aber mehrere Wochen früher, geschrieben wurde, seinem Sohn und Nachfolger, Antiochos V., zugewiesen.[48] Das impliziert, daß er den Tod Antiochos' IV. in die Zeit vor dem überlieferten Briefdatum ansetzte. In dieser Vordatierung liegt, wie noch im einzelnen zu zeigen sein wird[49], die Hauptursache für die chronologischen Unstimmigkeiten, die die geschichtliche Erzählung des zweiten Makkabäerbuches kennzeichnen. Nichts wäre irreführender als eine relative Datierung von Tempelweihe und Tod Antiochos' IV. auf die Darstellung dieser Quelle zu gründen.

Als Ergebnis der vorliegenden Untersuchung ist festzuhalten, daß in beiden Makkabäerbüchern ausnahmslos[50] nach der Jahreszählung der syrisch-makedonischen Herbstära von 312 v. Chr. datiert wird. Zu fragen bleibt aber dann, warum einzelnen Jahreszahlen Datierungen auf Tag und Monat oder Monat des jüdischen Festkalenders beigegeben sind, der doch mit dem Kalenderjahr der offiziellen Seleukidischen Ära nicht übereinstimmte. Die Antwort ist meines Erachtens in einem gemeinsamen Merkmal der so datierten Ereignisse zu suchen: Sie alle hatten als Fest- oder Trauertage eine religiöse Bedeutung und waren deshalb, wenn der Ausdruck erlaubt ist, in die jüdischen ‚Fasti' aufgenommen worden.

Dies gilt in erster Linie für die Schändung und Reinigung des Tempels, aber auch für Niederlage und Tod des Nikanor sowie für den Einzug der Juden in die Akra. Bekanntlich wurde ihr Andenken teils durch jährlich wiederkehrende Feste begangen, teils wurden sie in die Reihe der Gedenktage des jüdischen Volkes aufgenommen.[51]

In entsprechender Weise war überliefert worden, daß Jonathan zur Feier des Laubhüttenfestes das hohepriesterliche Gewand angelegt hatte. Daß schließlich festgehalten wurde, in welchem Monat des ‚Kirchenjahres' die Hohenpriester Alkimos und Simon gestorben waren[52], dürfte sich aus der Schlüsselfunktion

40f. und 78; J. Wellhausen, Über den geschichtlichen Wert des zweiten Makkabäerbuches im Verhältnis zum ersten, NGG 1905, 139f.; Ed. Meyer, a.a.O. 209 Anm. 1 (s.o. Anm. 13); W. Kolbe, a.a.O. (s.o. Anm. 12) 94f.

[48] Vgl. Makk 2,11,27–33 mit 10,10; zu Zeitstellung und Interpretation des königlichen Schreibens vgl. unten S. 45–47.

[49] Vgl. unten S. 50f und 57–59.

[50] Einzig die Datierung in Makk 1,6,20, der zufolge Judas im Jahre 150 S.Ä. die Akra belagerte, läßt sich nicht in die Jahresrechnung nach der Herbstepoche von 312 v. Chr. (freilich auch nicht in die der Frühjahrsepoche von 311) einordnen; wie bereits E. Bickermann, Gott der Makkabäer, 156f. wenigstens im Prinzip richtig erkannte, liegt hier eine fehlerhafte Zeitangabe vor: vgl. auch unten S. 58f. mit Anm. 31.

[51] Zu dem am 25. Kislew begangenen Fest der Tempelweihe vgl. Megillath Taanith § 23 (weitere Quellenstellen mit Literatur in: E. Schürer, History I, 163 Anm. 65); zum Nikanorfest: Megillath Taanith § 30 mit E. Schürer, a.a.O. 170 Anm. 30; zum Tag der Einnahme der Akra: Megillath Taanith § 5.

[52] Daß das Todesdatum des Hohenpriesters Jonathan nicht angegeben wird, dürfte auf den Umstand zurückzuführen sein, daß dieser von Diodotos Tryphon in der Galaaditis, östlich des Jordans,

erklären, die dem Hohenpriester im Kult zufiel. Dagegen stammt die Nachricht, daß Judas Makkabaios, der Glaubensheld der Hasmonäer, im ersten Monat des jüdischen Festkalenders gefallen war, möglicherweise aus makkabäischer Familientradition. Der Verfasser des ersten Makkabäerbuches, der Chronist der Hasmonäerdynastie, hatte gewiß Zugang zu solchen Nachrichten.

Diese überlieferten, auf das jüdische ‚Kalenderjahr' bezüglichen Daten hat der Verfasser des ersten Makkabäerbuches oder besser: seine Quelle mit den zugehörigen Jahreszahlen der westlich des Euphrats gebräuchlichen Seleukidischen Ära kontaminiert. Die Fähigkeit, die Daten des jüdischen Kalenders in solche des makedonischen umzurechnen, besaß er wegen des Fehlens entsprechender Hilfsmittel nicht, und er hätte gewiß auch kein Interesse für derartig feine chronologische Untersuchungen gehabt. Wahrscheinlich ging er sogar fälschlicherweise davon aus, daß der jüdische mit dem Nisan beginnende Jahreskalender sich bruchlos in die Jahreszählung nach der Herbstära von 312 v.Chr. einfüge. Denn in Makk 1,7,50 ist zwischen dem 13. Adar des Jahres 151 S.Ä. (letzter Monat des jüdischen ‚Kirchenjahres' = Februar/März 161 v.Chr.) – dem Tag, an dem Nikanor fiel – und dem Feldzug des Bakchides „im ersten Monat" des folgenden Jahres 152 S.Ä. eine Frist von nur wenigen Tagen angesetzt: καὶ ἡσύχασεν ἡ γῆ Ιουδα ἡμέρας ὀλίγας. Jedoch desavouiert der Verfasser des ersten Makkabäerbuches diese Aussage durch seine eigene Darstellung, indem er zwischen den Tod des Nikanor und den Feldzug des Bakchides die in den Sommer 161 v.Chr. fallende jüdische Gesandtschaftsreise nach Rom einordnet (vgl. oben Anm. 43). Tatsächlich gibt es gute Gründe für die Annahme, daß zwischen der Niederlage des Nikanor und dem Feldzug des Bakchides ein volles Jahr lag.[53]

Mit dem Nachweis, daß *alle* im ersten Makkabäerbuch überlieferten Jahresdaten nach der Herbstära von 312 v.Chr. gegeben sind, darf ein altes, verwirrendes Problem der antiken Chronologie als gelöst betrachtet werden. Damit ist es aber auch möglich, die auf den 15. bzw. 25. Kislew des Jahres 145 S.Ä. datierte Tempelschädnung und die Verfolgung des Judentums in den pragmatischen Ereignis- und Motivationszusammenhang einzusetzen, in den das epochemachende Ereignis zu stehen kam. Im Gegensatz zu der heute herrschenden Auffassung fanden die Schändung des Tempels und das Verbot der jüdischen Religion nicht im Dezember 167 v.Chr., sondern 168 v.Chr., unmittelbar im Anschluß an den letzten ägyptischen Feldzug Antiochos' IV., statt. Wie sich im folgenden Kapitel zeigen wird, bestätigt die Analyse der Überlieferung dieses aus der chronologischen Untersuchung gewonnene Ergebnis in vollem Umfang.

---

umgebracht worden war und der genaue Zeitpunkt seines Todes für die Juden nicht mehr zu ermitteln war.

[53] Vgl. B. Bar-Kochva, The Seleucid Army. Organization & Tactics in the Great Campaigns, Cambridge 1979², 14 mit Anm. 29 (210f.)

# II. Die Überlieferung

## 1. *Das Verbot der jüdischen Religion*

Im November 170 v. Chr. begann Antiochos IV. einen Präventivkrieg gegen Ägypten, das unter der vormundschaftlichen Regierung des Lenaios und Eulaios die Wiedereroberung der an Antiochos III. verlorenen Strategie Koilesyrien und Phoinikien vorbereitete.[1] Die Auswirkungen dieser kriegerischen Verwicklung trafen auch Judäa, das ohnehin im Spannungsfeld der ptolemäisch-seleukidischen Rivalität lag. Antiochos IV. legte während des Krieges Hand auf die Schätze des Tempels und ließ nach einem endgültigen Rückzug aus Ägypten Jerusalem nach Kriegsrecht bestrafen: Dort hatte der abgesetzte Hohepriester Jason, vermutlich im Einverständnis mit der ptolemäischen Regierung, einen Bürgerkrieg entfacht, den der König als Abfall der Stadt auffaßte.

Die Chronologie der ägyptischen Feldzüge Antiochos' IV. sowie der Ereignisse in Judäa war in der älteren Forschung umstritten. Indessen besteht, Christian Habicht zufolge, „heute weitgehend Übereinstimmung, daß der König zwei (und nicht drei) Feldzüge nach Ägypten unternommen hat (vgl. Dan 11,25–26), den ersten von November 170 bis zum Herbst 169, den zweiten 168, und daß er, wie auch Dan 11,28 und 11,30 erkennen läßt, zweimal in Jerusalem gewesen ist, 169 und 168, daß er beim ersten Besuch von Menelaos dem amtierenden Hohenpriester geleitet, den Tempel betreten und beraubt, beim zweiten die Stadt nach Kriegsrecht behandelt hat, da er in dem mit Jasons Überfall verbundenen Bürgerkrieg Aufruhr und Abfall sah, wie Makk 2,5,11 sagt".[2]

Nach dieser, der gegenwärtig vorherrschenden Auffassung hängt die Bestrafung des aufrührerischen Jerusalems weder chronologisch noch pragmatisch mit der Schändung des Heiligtums, dem Verbot der jüdischen Religion und der Einführung eines heidnischen Kultes zusammen. Diese Ereignisse werden allgemein in den Dezember 167 v. Chr. gesetzt, und sie wären demnach durch ein volles Jahr von dem Ende des zweiten ägyptischen Feldzugs und dem angeblich zweiten Besuch des Königs in Jerusalem getrennt. Was sich während dieser Frist in Judäa ereignete und was den König zu dem gravierenden Eingriff in die religiöse Lebensform des jüdischen Volkes veranlaßte, erhellt demnach keine Überlieferung. Dem gelehrten Scharfsinn eröffnet sich auf diese Weise ein reiches Betätigungsfeld – eine tabula rasa. Den konstruktiven Hypothesen folgte unweigerlich die destruktive Kritik; dann stellte sich Resignation ein, die offen erklärte

[1] Vgl. hierzu O. Mørkholm, Antiochus IV of Syria, Classica et Medaevalia. Dissertationes VIII, Kopenhagen 1966, 64 ff. (künftig zitiert als O. Mørkholm, Antiochous IV).

[2] Chr. Habicht, 2. Makkabäerbuch, 224 (Anm. a zu Makk 2,5,1) mit Hinweisen auf die Literatur.

Kapitulation vor dem unlösbar erscheinenden Problem: „*The precise sequence of events which led to this drastic step* [sc. dem Verbot der jüdischen Religion], *the identity of the person or persons, from whom the initiative came, and their motives, remain a matter of controversy.*"[3]

Es ist jedoch fraglich, ob die Datierung des Religionsverbotes in den Dezember 167 v. Chr. – gewissermaßen Ausgangspunkt und Grundlage der unbefriedigenden Forschungslage – unverrückbar feststeht. Der betreffende Zeitansatz ruht auf zwei Pfeilern – auf der Annahme, daß im ersten Makkabäerbuch die Ereignisse der jüdischen Geschichte nach einer Frühjahrsära von 311 v. Chr. datiert seien und auf einer entsprechenden Interpretation der die Ereignisgeschichte erzählenden Quellen. Oben ist bereits nachgewiesen worden, daß der Verfasser des ersten Makkabäerbuches seinen Zeitangaben *durchgehend* die im Westteil des Seleukidenreiches gebräuchliche Jahreszählung nach der Herbstepoche von 312 v. Chr. zugrundegelegt hat. Der eine der beiden Pfeiler, auf denen die heute übliche Datierung des Religionsverbotes ruhen, ist damit zusammengebrochen. Um so aufmerksamer muß geprüft werden, wie es um die Belastbarkeit des zweiten bestellt ist.

Drei auf das zweite Jahrhundert v. Chr. zurückgehende Quellentexte ordnen den von Antiochos IV. verhängten Glaubenszwang in eine fortlaufende Erzählung der geschichtlichen Ereignisse ein: Dan 11,28–31; Makk 1,1,16–59 und Makk 2,5,1–6,7.[4] Ungeachtet der Abweichungen im einzelnen geht aus den drei Versionen eines mit Sicherheit hervor: daß zwischen der Bestrafung des aufrührerischen Jerusalem im Herbst 168 v. Chr. und dem Religionsverbot kein volles Jahr gelegen haben kann.

Der älteste historische Bericht ist Dan 11,28–31, geschrieben in der Zeit der Religionsverfolgung, noch bevor Judas Makkabaios das geschändete Heiligtum zurückgewann und neu weihte.[5] Die fraglichen Verse sind Teil einer als Weissagung verfremdeten Darstellung der damaligen Zeitgeschichte. Diese ist, was die Folge der Ereignisse anbelangt, völlig zuverlässig, und sie mußte es sein, wenn die Prophezeiungen über das Ende des Verfolgerkönigs und den Anbruch des Reiches Gottes den Bedrängten, die unter der Verfolgung litten, glaubwürdig erscheinen sollten. Die Zuverlässigkeit der zeitgeschichtlichen Teile des Buches

---

[3] E. Schürer, History I, 152; im gleichen Sinn F. Millar, The Background of the Maccabean Revolution: Reflections on Martin Hengel's „Judaism and Hellenism", JJS 29, 1978, 16 f.: „*It is best to confess, however, that there seems no way of reaching an understanding of how Antiochus came to take a step so profoundly at variance with the normal assumptions of government of his time.*"

[4] Zu der späten, aus vorgeformten historiographischen Quellen abgeleiteten Überlieferung bei Josephos vgl. unten S. 38 f.

[5] Vgl. E. Bickermann, Gott der Makkabäer, 143 f. und ders., Four Strange Books of the Bible, New York 1967, 113 ff.: Die Weissagung, daß Antiochos IV. ein drittes Mal nach Ägypten einfallen werde (Dan 11,40 ff.), ist bekanntlich niemals eingetroffen. Tatsächlich brach der König, wahrscheinlich im Frühjahr 165 v. Chr., zu einem Feldzug in den Osten seines Reiches auf. Da der Seher des Buches Daniel davon nichts zu wissen scheint, anderseits aber auf die Anfänge des Makkabäeraufstandes bezug nimmt (11,34), dürfte seine Prophezeiung ungefähr im Jahre 166 v. Chr. entstanden sein.

Daniel hat bereits im dritten Jahrhundert n. Chr. Porphyrios unter Heranziehung seitdem verlorengegangener Werke der griechischen Historiographie nachgewiesen.[6] Es besteht deshalb heute prinzipiell Übereinstimmung darin, daß Dan 11,28–31 die Grundlage für die Rekonstruktion der Ereignisfolge – von der Plünderung des Tempels bis zur Verhängung des Glaubenszwanges – darstellt.

Die betreffenden Verse des Buches Daniel lauten in Übersetzung[7] wie folgt:

> „Und er [Antiochos IV.] kehrt [aus Ägypten] zurück in sein Land mit großer Habe, sein Herz gegen den Heiligen Bund gerichtet, und er handelt und kehrt zurück in sein Land (28).
> Zur Frist fällt er wieder ein in das Südland, aber es geht nicht das zweite Mal wie das erste Mal (29).
> Und es kommen gegen ihn kittäische Schiffe, und er verzagt, und er kehrt um, voller Groll gegen den Heiligen Bund, und er handelt, und er kehrt um und gibt acht auf die, die den Heiligen Bund verlassen (30).
> Und (bewaffnete) Kräfte von ihm treten auf und entweihen das Heiligtum, die Burg, und sie entfernen das tägliche Opfer, und sie stellen auf den Greuel der Verwüstung (31)."

Wie Porphyrios gesehen hat, ist in Vers 28 auf die Plünderung des Tempels nach dem ersten ägyptischen Feldzug Bezug genommen.[8] Die Datierung der Ereignisse wird durch Makk 1,1,16 ff. bestätigt. Dort ist die Plünderung des Tempels in das Jahr 143 S. Ä., in die Zeit nach dem Sieg über Ägypten, gesetzt. Sie fand ungefähr im September des Jahres 169 v. Chr. statt.[9]

In Vers 29 ist auf den zweiten ägyptischen Feldzug, den des Jahres 168 v. Chr., angespielt, im ersten Teil des Verses 30 auf die Intervention des römischen Legaten C. Popilius Laenas, der Antiochos IV. im Juli 168 v. Chr. zum Rückzug aus Ägypten zwang.[10] Die biblisch verfremdete Bezeichnung „kittäische Schiffe", nach Bileams Spruch in Num. 24,24, meint die auf dem Seeweg nach Ägypten gelangte römische Gesandtschaft; entschlüsselt ist sie bereits in der Septuaginta: „Und es kommen Römer und verdrängen ihn."

Im zweiten Teil des Verses 30 wird eine weitere Aktion des Königs gegen den Heiligen Bund erwähnt und in die Zeit seiner Rückkehr vom zweiten ägyptischen Feldzug gesetzt. Schließlich sind in Vers 31 unmißverständlich das Verbot des jüdischen Opferdienstes und die Einführung eines heidnischen Kultes erwähnt. Ob in den beiden Versen dieselbe Aktion oder zwei zeitlich und sachlich

---

[6] FGrHist. 260 F 35 und 36 mit dem Komm. von F. Jacoby.

[7] Die Übersetzung folgt A. Bentzen, Daniel, HAT 1. Reihe Bd. 19, Tübingen 1952, 82; eingesehen wurden auch die kommentierten Übersetzungen von E. Bickermann, Gott der Makkabäer, 170 f. und N. W. Porteous, Das Danielbuch, Das Alte Testament Deutsch, Bd. 23, Göttingen 1962, 123.

[8] FGrHist 260 F 50.

[9] Vgl. O. Mørkholm, Antiochus IV, 86 mit Anm. 87.

[10] Polybios 29,27; Diodor 31,1; Livius 45,12, 3–6; Porphyrios, FGrHist 260 F 50; zum Datum vgl. O. Mørkholm, Antiochus IV, 93 f.

verschiedene gemeint sind, ist umstritten. E. Bickermann hat sich für die zweite Möglichkeit entschieden.[11] Jedoch liegt in dieser Entscheidung eine *petitio principii*. Sie ist durch die Annahme präjudiziert, daß die überlieferten Daten der Tempelschändung, der 15 und 25. Kislew des Jahres 145, nach einer Frühjahrsära von 311 v.Chr. gegeben seien, das Ereignis also in den Dezember 167 v.Chr. gehöre. Da aber in Vers 30 (zweite Hälfte) eine Aktion des Königs erwähnt und in die Zeit seiner Rückkehr vom zweiten ägyptischen Feldzug gesetzt ist, blieb für Bickermann nur der Ausweg, diese Aktion von dem Verbot der jüdischen Religion zu trennen und mit der Bestrafung des aufrührerischen Jerusalem zu identifizieren, die Makk 2,5,11ff. zufolge unmittelbar nach dem zweiten ägyptischen Feldzug stattfand.

Diese Interpretation von Dan 11,30–31 steht in Widerspruch zu der Feststellung des Porphyrios, daß Antiochos IV. ein Jahr nach der Plünderung des Tempels das Tagesopfer einstellen und den „Greuel der Verwüstung" aufrichten ließ: *volunt autem eos significari qui ab Antiocho missi sunt post biennium quam templum exspoliaverat, ut tributa exigerent a Iudaeis et auferrent cultum dei* ...[12] Porphyrios hat die Anspielungen in Dan 11,31 offensichtlich mit Hilfe des historischen Berichts in Makk 1,1,29–59 erläutert. Dort ist gesagt, daß der König „im Verlauf des zweiten Jahres", d.h. ein Jahr nach Plünderung des Tempels, Jerusalem durch einen ἄρχων φορολογίας nach Kriegsrecht plündern und eine befestigte Militärsiedlung in der Stadt, die sogenannte Akra, anlegen ließ. Der rätselhafte Titel des Offiziers – Befehlshaber der Steuererhebung – ist, wie längst gesehen worden ist, durch ein naheliegendes Versehen bei der Übersetzung des hebräischen Originals ins Griechische entstanden.[13] In Makk 2,5,24 sind Titel und Name des seleukidischen Offiziers korrekt überliefert. Es handelt

---

[11] E. Bickermann, Gott der Makkabäer, 161 und 170f. Nach seiner Auffassung bezieht sich Vers 30 (zweite Hälfte) auf die im Jahre 168 erfolgte Einnahme der Stadt durch Apollonios (s. unten), Vers 31 auf das gegen Ende des Jahres 167 v. Chr. erfolgte Religionsverbot. Bickermanns Interpretation von Vers 30 ist modifiziert worden durch V. Tcherikover, Hellenistic Civilization and the Jews, 86 mit 473f. Anm. 20, der die fragliche Aussage nicht auf die Mission des Apollonios, sondern auf eine zweite Heimsuchung Jerusalems durch den König bezieht. Diese Auffassung ist nach Christian Habicht die richtige (vgl. Anm. 2).

[12] F. Jacoby entnimmt der Zeitangabe in FGrHist 260 F 51 *post biennium quam* fälschlicherweise, daß das Religionsverbot im Jahre 167 v. Chr. erfolgte. Diese Auffassung wird durch F 50 widerlegt, wo der Abstand zwischen erstem und zweiten ägyptischen Feldzug – 169 und 168 v. Chr. – ebenfalls durch *post biennium quam* (= ein Jahr später) bezeichnet wird: In diesem Falle versteht F. Jacoby die Zeitangabe richtig.

[13] Vgl. J. Wellhausen, Über den geschichtlichen Wert des zweiten Makkabäerbuches im Verhältnis zum ersten, NGG 1905, 156; 161. Der Versuch von A. Mittwoch, Tribute and Land-Tax in Seleucid Judaea, Biblica 36, 1955, 356 die Version des ersten Makkabäerbuches als ursprünglich und μυσάρχης als sekundär zu erweisen, ist verfehlt, auch wenn ihr O. Mørkholm, Antiochous IV, 146 und E. Schürer, History I, 146 folgen. Vgl. Chr. Habicht, 2. Makkabäerbuch, 228 (Anm. a zu 5,24): „Durchschlagend ist Wellhausens Hinweis (S. 161), daß 1 Makk aus dem Hebräischen übersetzt, 2 Makk dagegen eine originalgriechische Schrift ist." Dieser Erkenntnis folgend haben die Herausgeber der Jerusalemer Bibel den Übersetzungsfehler in Makk 1,1,29 getilgt und „Befehlshaber der Steuererhebung" durch „Anführer der Myser" ersetzt: vgl. die deutsche Ausgabe, Freiburg 1968[12], 661.

sich um den μυσάρχης Apollonios, also den Befehlshaber des mysischen Söldnerkorps. Makk 1,1,29ff. und 31ff. sowie Makk 2,5,24ff. und 6,1ff. stimmen in dem einen Punkte völlig überein, daß die Plünderung Jerusalems und die Religionsverfolgung im Anschluß an den zweiten ägyptischen Feldzug stattfanden. In Makk 2,6,1 ist ausdrücklich gesagt, daß das Religionsverbot der Plünderung der Stadt „nach nicht langer Zeit" folgte. Aus der Darstellung des ersten Makkabäerbuches ist darüber hinaus zu entnehmen, daß die Aktion des Mysarchen Apollonios im Jahre 144 S. Ä. stattfand, das Religionsverbot unmittelbar nach der von ihm veranlaßten Erbauung der Akra erging und daraufhin die Entweihung des Tempels und der Beginn des heidnischen Opferdienstes am 15. und 25. Kislew des Jahres 145 S. Ä. stattfanden. Demnach sind die Plünderung der Stadt durch Apollonios ungefähr in den August oder September 168 v. Chr. (*terminus post quem* ist der ‚Tag von Eleusis' im Juli dieses Jahres, an dem C. Popilius Laenas den König zum Rückzug aus Ägypten zwang), die Anlage der Akra in den Herbst und die Entweihung des Heiligtums in den Dezember zu datieren.

Auch der Seher des Buches Daniel hat das durch den König veranlaßte Vorgehen gegen die jüdische Religion unverkennbar in die Zeit seiner Rückkehr vom zweiten ägyptischen Feldzug gesetzt. Dan 11,30 zufolge kehrte der König voller Groll gegen den Heiligen Bund aus Ägypten zurück und handelte entsprechend. Diese Aussage kann nicht auf eine die jüdische Religion außer Betracht lassende Bestrafung des aufrührerischen Jerusalem bezogen werden, sie ist vielmehr auf das in Vers 31 erwähnte Verbot des Jahwekultes und die Aufstellung des „Greuels der Verwüstung" im Heiligtum bezogen. Denn der Begriff Heiliger Bund bedeutet im frühen zweiten Jahrhundert v. Chr. soviel wie den auf göttlicher Stiftung beruhenden Jahwekult, der den Priestergeschlechtern zur Verwaltung übergeben war.[14] In diesem Sinne ist in Dan 11,22 der Hohepriester (Onias III.) als „Fürst des Bundes" bezeichnet. Die bloße Bestrafung von Aufrührern in Jerusalem bedeutete an sich noch keinen Übergriff gegen den Jahwekult. Also kann die Aussage, daß der König bei seiner Rückkehr vom zweiten ägyptischen Feldzug voller Groll gegen den Heiligen Bund vorging, sich nur auf die in Vers 31 erwähnte Einstellung des täglichen Brandopfers und die Errichtung des „Greuels der Verwüstung" beziehen.

Diese Interpretation wird gestützt durch Vers 28, wo auf den Tempelraub nach dem ersten ägyptischen Feldzug formal in ähnlicher Weise wie auf das Verbot der jüdischen Religion angespielt ist. Durch die Plünderung des Heiligtums war der Kult Jahwes, der Heilige Bund, tief in Mitleidenschaft gezogen. Nicht nur, daß schon der Tempelraub als solcher ein unsägliches Verbrechen, ein Sakrileg, bedeutete: Der König hatte es sogar gewagt, das Allerheiligste, den Ort, wo Gott im Verborgenen wohnte, zu betreten und die Kultgeräte aus dem Vorraum entfernen zu lassen.[15] Es gibt gute Gründe für die Annahme, daß seitdem ein Teil des gesetzlich vorgeschriebenen Opferdienstes eingestellt wurde

---

[14] Vgl. J. C. H. Lebram, Apokalyptik und Hellenismus im Buche Daniel, VT 20, 512–515 unter Hinweis auf Ben Sirah 45, 15; 24 (vgl. Makk 1,2,54).

[15] Makk 1,1,21f.; Makk 2,5,15f.

und nur das tägliche Brandopfer, wenigstens bis zum 15. Kislew des Jahres 145 der Seleukidischen Ära, weitervollzogen werden konnte.[16]

Demnach bezieht sich Dan 11,31 auf dieselbe Aktion wie Vers 30 (zweiter Teil). Diese Auffassung wird durch die Struktur des Textes erhärtet. Die Aussage des Verses 30: „und er kehrt um, voller Groll gegen den Heiligen Bund, und er handelt" ist in Vers 31 nach zwei Gesichtspunkten erläutert: daß Antiochos IV. im Einverständnis mit jüdischen Renegaten handelte, „die den Heiligen Bund verlassen", und daß unter Einsatz militärischer Gewalt das Heiligtum entweiht, der jüdische Opferdienst verboten und ein heidnischer Kult eingeführt wurde. Diese Interpretation ergibt sich zwingend aus der doppelten Verwendung der Formel „und er kehrt um" in Vers 30. Sie bezieht sich auf dasselbe Ereignis: auf die von den Römern erzwungene Umkehr im Juli des Jahres 168 v. Chr., und zeigt somit unwiderleglich, daß in den Versen 30–31 nur von einer einzigen zusammenhängenden Aktion gegen den Heiligen Bund die Rede ist und daß diese Aktion in die Zeit nach der Rückkehr des Königs vom zweiten ägyptischen Feldzug gehört.

Daß Dan 11,30–31 auf die Mission des Apollonios und auf die Verhängung des Glaubenszwanges zu beziehen ist, wird neuerdings gegen die von Elias Bikkermann vertretene Auffassung mit Recht hervorgehoben; zu Unrecht werden jedoch beide Ereignisse um ein volles Jahr, auf 167 v. Chr., herabdatiert.[17] Das steht in eklatantem Widerspruch zu der eindeutigen Aussage des Buches Daniel, daß das Vorgehen des Königs gegen den Heiligen Bund in die Zeit seiner (endgültigen) Rückkehr aus Ägypten fiel. Daß ein solcher Widerspruch überhaupt in Kauf genommen wurde, kann nur damit erklärt werden, daß die Jahre 144 und 145 S. Ä., in die das erste Makkabäerbuch die betreffenden Ereignisse setzt, nach einer jüdischen Frühjahrsära von 311 v. Chr. gezählt werden. Aber wie oben gezeigt wurde, ist die herrschende Auffassung über die Zeitrechnung der Makkabäerbücher falsch. Sobald erkannt ist, daß das erste Makkabäerbuch ebenso wie das zweite nach der im Westteil des Seleukidenreiches offiziellen Herbstära von 312 v. Chr. datiert, lassen die überlieferten Zeitangaben und die Darstellung der Ereignisfolge in Dan 11,30–31 und Makk 1,1,29 ff. einen in sich geschlossenen, von Hochsommer bis zum Dezember des Jahres 168 v. Chr. reichenden Ereigniszusammenhang erkennen.

Freilich ist vor kurzem eine Hypothese aufgestellt worden, die, wenn sie sich erhärten ließe, die übliche Datierung des Religionszwanges in den Dezember 167 v. Chr. sicherte. Jochen Gabriel Bunge verknüpft den Judäa aufgezwungenen heidnischen Kult mit der berühmten Pompe von Daphne, der gewaltigen Machtdemonstration, mit der Antiochos IV. im Sommer oder möglicherweise im September 166 v. Chr. seinen Sieg über Ägypten feierte und einen bleibenden

---

[16] Vgl. hierzu unten S. 126.

[17] E. Schürer, History I, 152 mit Anm. 37 (152 f.); demgegenüber ordnet J. G. Bunge, Untersuchungen zum zweiten Makkabäerbuch, Diss. Bonn 1971, 461–468 die Einnahme Jerusalems durch Apollonios unmittelbar nach dem zweiten ägyptischen Feldzug ein und setzt zwischen diesem Ereignis und dem Religionszwang eine Zeitspanne von mehr als einem Jahr an.

Eindruck in der griechischen Welt hinterließ.[18] Nach Bunges Auffassung hätte der König im Winter 167/166 v. Chr. auch die Juden eingeladen, mit einer Festgesandtschaft an der Pompe von Daphne teilzunehmen: Über die Frage, ob der Einladung Folge zu leisten sei, sei es in Jerusalem zu einem Konflikt gekommen, und dieser habe zu einer „totale(n) Machtergreifung der Hellenistenpartei" geführt; die radikalen hellenistischen Reformer hätten vom Tempel Besitz ergriffen, und auf Verlangen der vom König geschickten Festboten am 25. Kislew 167 v. Chr., angeblich am Geburtstag Antiochos' IV.[19], zum ersten Mal ein Loyalitätsopfer zu Ehren des Epiphanes dargebracht. Dieser überraschende Brückenschlag zwischen dem Religionszwang in Judäa und der Pompe von Daphne ruht auf zwei Pfeilern: auf Makk 1,1,41 und 44. Die erste Stelle lautet: „Und der König schrieb seinem ganzen Reiche vor, alle sollten ein Volk sein" und soll sich, Bunge zufolge, auf die Einladung „aller Völker" zur Pompe von Daphne beziehen: „Besser und kürzer kann man die spätere Vereinigung aller Götter [sc. -bilder: Zusatz des Verf.] in Daphne, die in gewisser Weise eine Vereinigung aller Völker des Reiches darstellte, nicht beschreiben."[20] Bunge gelangt zu dieser paradoxen Interpretation, indem er den Halbsatz in Makk 1,1,41 in methodisch anfechtbarer Weise durch einen anderen Autor, und zwar Polybios 30,25,13[21], erläutert und darüber hinaus dem Verfasser des ersten Makkabäerbuches unterstellt, daß er die Polybiosstelle in der von dem Interpreten vorgenommenen metaphorischen Umdeutung verstanden hätte. Aber nicht nur, daß dem Wortlaut von Makk 1,1,41 nicht zu entnehmen ist, was Bunge ihm abgewinnt: Seine Interpretation wird durch den erläuternden zweiten Halbsatz in Vers 42 (den er nicht zitert) als falsch erwiesen: καὶ ἔγραψεν ὁ βασιλεὺς πάσῃ τῇ βασιλείᾳ αὐτοῦ εἶναι πάντας εἰς λάον ἕνα (42) καὶ ἐγκαταλιπεῖν ἕκαστον τὰ νόμιμα αὐτοῦ (42). Der – angebliche – Befehl des Königs, daß alle zu einem Volk werden sollten[22], ist also in dem Sinne zu verstehen, daß jedermann oder jedes Volk seine Sonderbräuche aufzugeben habe.

Entsprechendes gilt auch für Vers 44, von dem Bunge wiederum nur die erste Hälfte zitiert, um dann das zitierte Satzfragment auf eine Festgesandtschaft zu beziehen, die nach seiner Auffassung die Juden zur Teilnahme an der Pompe von Daphne eingeladen habe: καὶ ἀπέστειλεν ὁ βασιλεὺς βίβλια ἐν χειρὶ ἀγγέλων εἰς Ιερουσαλημ καὶ τὰς πόλεις Ιουδα ... Wie diese Worte tatsächlich zu verstehen sind, zeigt der nichtzitierte Satzteil: πορευθῆναι ὀπίσω νομίμων ἀλλο-

[18] J. G. Bunge, a. a. O. (s. o. Anm. 17) 467 ff. und ders.: Die Feiern Antiochos' IV. Epiphanes in Daphne im Herbst 166 v. Chr., Chiron 6, 1976, 64 ff.

[19] Die Behauptung ist völlig unverbindlich. Bunge kontaminiert das überlieferte Datum des ersten heidnischen Opfers im Tempel mit der Nachricht in Makk 2,6,7, daß die Juden allmonatlich am Geburtstag des Königs zu Opfermahlzeiten gezwungen wurden, und gelangt so dazu, den Geburtstag des Königs auf den 25. Tag des Monats zu legen.

[20] J. G. Bunge, a. a. O. (s. o. Anm. 17) 473.

[21] Τὸ δὲ τῶν ἀγαλμάτων πλῆθος οὐ δυνατὸν ἐξηγήσασθαι · πάντων γὰρ τῶν παρ' ἀνθρώποις λεγομένων ἢ νομιζομένων θεῶν ἢ δαιμόνων, προσέτι δέ ἡρώων εἴδωλα διήγετο ...

[22] Zur Historizität des Befehls und zur Bedeutung, die ihm in der Darstellung des ersten Makkabäerbuches zukommt, vgl. unten S. 103 und 146 f.

τρίων τῆς γῆς καὶ κωλῦσαι ὁλοκαυτώματα ... Demnach ist die Kommission gemeint, die im Auftrag des Königs die jüdische Religion verbot und den Juden eine heidnische Gottesverehrung aufzwang. In Makk 2,6,1 ist sogar der Name des Leiters dieser Kommission überliefert: Es war der Athener Geron.[23] Mit Festgesandten, die zur Teilnahme an der Pompe von Daphne einluden, hatte sie gewiß nichts zu schaffen.

Die Pfeiler, auf die Bunge seine Hypothese gestützt hat, sind also nicht tragfähig. Für die ohnehin paradoxe Annahme, daß der Glaubenszwang aus einem innerjüdischen Streit um die Teilnahme an der Pompe von Daphne hervorgegangen sei, fehlt in den Quellen der geringste Anhaltspunkt. Das aber bedeutet, daß der verfehlten Hypothese Bunges auch keine Stütze für die übliche Datierung des Religionszwanges in den Dezember 167 v. Chr. entlehnt werden kann.

Auch dem zweiten Makkabäerbuch kann ernstlich nicht entnommen werden, daß Antiochos IV. nach dem zweiten ägyptischen Feldzug Jerusalem betreten und für den Abfall nach Kriegsrecht bestraft habe und daß die Mission des Mysarchen Apollonios und das Religionsverbot ein volles Jahr später anzusetzen seien. In Makk 2,5,1 ff. ist, wie längst gesehen worden ist[24], die Strafaktion des Jahres 168 mit der Tempelplünderung des Jahres 169 v. Chr. kontaminiert worden. Auf diese Weise ist im zweiten Makkabäerbuch eine Dublette zustande gekommen. Die Bestrafung Jerusalems wird zweimal erzählt: das erste Mal in Verbindung mit der in das vorangehende Jahr gehörenden Plünderung des Tempels (Makk 2,5,11–23), das zweite Mal in Verbindung mit dem erzwungenen Glaubenswechsel (Makk 2,5,24–6,7), und zwar so, daß beide Teile wie ein zeitlich und sachlich zusammengehörender Ereigniskomplex erscheinen. Die tatsächliche Folge der Ereignisse ist auf diese Weise nicht berücksichtigt[25], gewonnen wird jedoch eine effektvolle Gruppierung des Stoffes. In der Art der sogenannten dramatischen Geschichtsschreibung des Hellenismus[26] werden die einzelnen Phasen des Judäa treffenden Unglücks zu einer einzigen gewaltigen Katastrophe zusammengeballt, und diese ist ausdrücklich in die Zeit nach dem

---

[23] Makk 2,6,1: vgl. Chr. Habicht, 2. Makkabäerbuch, 229 (Anm. a zu 6,1) mit Literatur.

[24] Vgl. O. Mørkholm, Antiochus IV., 69 ff. mit der älteren Literatur; Ed. Will, Histoire politique du monde hellénistique, Bd. II, Nancy 1967, 262 ff.; 275 ff.; M. Hengel, Judentum und Hellenismus, 510 ff.

[25] Wie unbekümmert der Verfasser zeitlich getrennte Vorgänge nebeneinanderstellt, geht aus Makk 2,6,2 hervor. Dort wird die Umbenennung des Heiligtums der Samaritaner in einen Tempel des „Gastlichen Zeus" zusammen mit der des Jerusalemer Tempels erwähnt. Doch ist aus der erhaltenen Eingabe der Samaritaner an den König (Josephos, Ant. Jud. 12,258–261) ersichtlich, daß die Umbenennung des Heiligtums auf dem Garizim erheblich später als die Entweihung des Jerusalemer Tempels stattfand; sie gehört in die Zeit, als hohe seleukidische Funktionäre die Anfänge des Makkabäeraufstandes zu unterdrücken versuchten, und zwar in das Herbstjahr 167/166 v. Chr. (Ant. Jud. 12,264): vgl. unten S. 142 f.

[26] E. Bickermann, Gott der Makkabäer, 147 nennt das zweite Makkabäerbuch zu Recht „dieses singuläre Denkmal der pathetischen hellenistischen Historiographie". Eine eingehende Untersuchung des Werkes unter diesem Gesichtspunkt scheint, trotz Bickermanns Hinweis, noch immer zu fehlen.

zweiten ägyptischen Feldzug[27] gesetzt. Durch diesen Kunstgriff gelingt es dem Verfasser des zweiten Makkabäerbuches das komplexe Geschehen auf eine einzige innerweltliche Motivation zurückzuführen: auf den rasenden Zorn des Königs über den Abfall Judäas.[28] Entsprechend dieser Sehweise wird sein Abzug aus Ägypten nicht der Intervention der Römer, sondern der „tierischen Wut" über die Rebellion der Juden zugeschrieben: προσπεσόντων δὲ τῷ βασιλεῖ περὶ τῶν γεγονότων διέλαβεν ἀποστατεῖν τὴν Ιουδαίαν ὅθεν ἀναξεύξας ἐξ Αἰγύπτου τεθηριωμένος τῇ φυχῇ ἔλαβεν τὴν μὲν πόλιν δοριάλωτον (Makk 2,5,11)...

Die Plünderung des Tempels, die Antiochos IV. schon im Jahre 169 v. Chr., in der Absicht, sich die für den Krieg notwendigen Mittel zu beschaffen, vorgenommen hatte, wird in Makk 2,5,15 in anachronistischer Weise als eine der wütenden Reaktionen auf den Abfall des Jahres 168 v. Chr. ausgegeben: οὐκ ἀρκεσθεὶς δὲ τούτοις κατετόλμησεν εἰς τὸ πάσης τῆς γῆς ἁγιώτατον ἱερὸν εἰσελθεῖν ... Aber angeblich genügten ihm nicht einmal das Betreten des Allerheiligsten und die Plünderung des Tempels: Bei seinem Aufbruch setzte er noch, so wird berichtet, den Phryger Philippos und den Hohenpriester Menelaos zu Aufsehern über die Juden ein. Von ihnen wird ausdrücklich gesagt, daß der eine den König noch an Brutalität übertraf, der Hohepriester aber sich am schlimmsten an seinen Mitbürgern verging. Darüber hinaus soll er noch „aus haßerfüllter Gesinnung gegenüber den Juden"[29] den Mysarchen Apollonios mit dem Auftrag geschickt haben, die Stadt zu verheeren: ἔπεμψεν δὲ τὸν μυσάρχην 'Απολλώνιον μετὰ στρατεύματος... προστάξας τοὺς ἐν ἡλικίᾳ πάντας κατασφάξαι, τὰς δὲ γυναῖκας καὶ τοὺς νεωτέρους πωλεῖν (Makk 2,5,24). Der König hätte demnach Apollonios aufgetragen, dasselbe zu tun, was er nach Makk 2,5,12–14 bereits selber ausgiebig besorgt hatte. Es liegt auf der Hand, daß hier keine zuverlässige Darstellung der Ereignisfolge vorliegt. Worum es dem Verfasser des zweiten Makkabäerbuches geht, ist die Illustration der „tierischen Wut", der „haßerfüllten Gesinnung" und der „Selbstüberhebung" des Königs, der sich dazu verstieg, seine Hand selbst gegen Gott zu erheben. Zu diesem Zweck bedient sich der Verfasser des Prinzips der Reihung und Steigerung. In seiner Darstellung folgt ein Übergriff dem anderen, und am Ende stehen das Verbot der väterlichen Religion, die Schändung des Heiligtums und die Einführung eines heidnischen Gottesdienstes: μετ' οὐ πολὺν χρόνον ἐξαπέστειλεν ὁ

---

[27] Weil die literarischen Prinzipien, auf denen die Darstellung des zweiten Makkabäerbuches beruht, nicht erkannt oder nicht berücksichtigt worden sind, hat der Hinweis in Makk 2,5,1 auf den zweiten Einfall nach Ägypten heillose Verwirrung gestiftet: J. G. Bunge, a. a. O. (s. o. Anm. 17) 623 und 643–645 setzt ihn mit dem ersten des Jahres 170/169 v. Chr. gleich; er ist deshalb genötigt, einen „ersten ägyptischen Feldzug" für das Jahr 174/173 v. Chr. zu erfinden. Vgl. auch E. Schürer, History I, 153 (Anm. 37), der annimmt, mit dem zweiten Feldzug sei eine zweite Phase des ersten gemeint.

[28] Für die Annahme, daß diese Darstellung einer ‚seleukidischen' Version folge (so E. Bickermann, Gott der Makkabäer, 164–167), besteht kein stichhaltiger Grund: vgl. V. Tcherikover, Hellenistic Civilization and the Jews, 385 f.

[29] Zum Text (Makk 2,5,23 f.) vgl. F.-M. Abel, Les livres des Maccabées, Paris 1949², 356.

βασιλεὺς Γέροντα 'Αθηναῖον ἀναγκάζειν τοὺς Ιουδαίους μεταβαίνειν ἀπὸ τῶν πατρίων νόμων καὶ τοῦ θεοῦ νόμοις μὴ πολιτεύεσθαι (Makk 2,6,1)...

Im zweiten Makkabäerbuch sind somit die Plünderung des Tempels durch Antiochos IV. und die Bestrafung Jerusalems durch den Mysarchen Apollonios der historischen Wahrheit zuwider zu einem Ereigniskomplex zusammengezogen und in die Zeit unmittelbar nach dem zweiten ägyptischen Feldzug gesetzt. Anläßlich der Tempelplünderung im Jahre 169 v. Chr. war der König persönlich in Jerusalem. Da aber im zweiten Makkabäerbuch dieses Ereignis fälschlicherweise in das folgende Jahr, d.h. unmittelbar nach den zweiten ägyptischen Feldzug, gesetzt ist, darf aus Makk 2,5,11 ff. nicht die Schlußfolgerung gezogen werden, daß Antiochos IV. auch bei der Strafaktion des Jahres 168 v. Chr. persönlich zugegen war. Ebensowenig geht dies aus Dan 11,30 hervor.[30]

Hiervon abgesehen, bestätigt auch die Darstellung des zweiten Makkabäerbuches, daß die Strafaktion des Apollonios und die Verhängung des Glaubenszwanges im Anschluß an die Rückkehr des Königs vom zweiten ägyptischen Feldzug stattfanden. Insoweit stützt sie, richtig interpretiert, das Ergebnis, das aus der Analyse von Dan 11,30–31 und Makk 1,1,27 ff. gewonnen worden ist.

Darüber hinaus wird dem zweiten Makkabäerbuch die wertvolle Nachricht verdankt, daß die Strafaktion des Jahres 168 v. Chr. eine Reaktion des Königs auf einen jüdischen Aufstand war, der im Sommer desselben Jahres dem Parteigänger des Königs, dem Hohenpriester Menelaos, vorübergehend die Herrschaft gekostet hatte. Sie erlaubt in Verbindung mit Dan 11,30 auch die Schlußfolgerung, daß die Verfolgung der jüdischen Religion und der Glaubenszwang im Einvernehmen mit dem amtierenden Hohenpriester erfolgten.[31]

Nicht ganz ohne Wert für die Rekonstruktion der geschichtlichen Zusammenhänge ist schließlich auch die späte, abgeleitete Überlieferung bei Josephos, Bell. Jud. 1,31–33 und Ant. Jud. 12,246–254. Zwar ist in Bell. Jud. 1,31 ff. der abgesetzte Hohepriester Jason, der im Sommer 168 v. Chr. den erfolgreichen Aufstand gegen den königstreuen Menelaos auslöste, mit Onias IV., einem Bruder Jasons, verwechselt, und die Darstellung der Ereignisse selbst ist verkürzt und verworren. Aber überliefert wird doch auch die wertvolle Nachricht, daß die dem Jerusalemer Aufstand folgende Strafaktion die Parteigänger der Ptolemäer in Jerusalem traf: καὶ πολὺ πλῆθος τῶν Πτολεμαίῳ προσεχόντων ἀναιρεῖ. In diesem Sinne sind auch die Worte πολλοὺς ἀπέκτεινε τῶν τἀναντία φρονούντων in Ant. Jud. 12,246 aufzufassen. Diese Aussagen, die Licht auf die Verflechtung der innerjüdischen Parteikämpfe mit der Machtrivalität zwischen Ptolemäern und Seleukiden werfen, erfahren ihre Bestätigung und ihre prägnante Bedeutung durch die aus Makk 2,5,1 ff. bekannte Tatsache, daß der Jerusalemer Aufstand während des zweiten ägyptischen Feldzugs Antiochos' IV. stattfand und der König diesen Aufstand, der seine Rückzugslinie bedrohte, als Abfall interpretierte.

Was die verhältnismäßig ausführliche Darstellung der Ereignisfolge in den

[30] Vgl. E. Schürer, History I, 152 Anm. 37.
[31] Vgl. hierzu unten S. 130–132.

*Antiquitates Judaicae* anbelangt, so ist auch sie verworren und trägt Züge einer unkritischen Kontamination verschiedener Überlieferungselemente.[32] Dem ersten Makkabäerbuch sind zwei Daten der Seleukidischen Ära, das Jahr 143 und der 25. Kislew 145 entlehnt. Aber während nach Makk 1,1,20ff. Antiochos IV. im Jahre 143 den Tempel plünderte, hätte der König, der Darstellung des Josephos zufolge, in diesem Jahr Jerusalem eingenommen, um die politische Opposition zu vernichten. Und während nach Makk 1,1,59 der 25. Kislew 145 S.Ä. der Tag war, an dem in dem entweihten Heiligtum das erste heidnische Opfer vollzogen wurde, setzt Josephos auf dieses Datum eine ganze Kette von Ereignissen: eine zweite Einnahme der Stadt, die Plünderung des Tempels, das Verbot des Tagesopfers, die Plünderung der Stadt, die Anlage der Akra und die Aufstellung des heidnischen Altarsteins auf dem alten Brandopferaltar... Es liegt auf der Hand, daß hier Verkehrtes, ja Unmögliches berichtet wird. Und doch steckt in diesem fehlerhaften, aus verschiedenen Quellen gespeisten Bericht ein klar erfaßbares gestalterisches Prinzip. Josephos löst die aus der Darstellung des zweiten Makkabäerbuches bekannte Verknüpfung zwischen der politisch motivierten Strafaktion und dem jedes Maß übersteigenden Affekt des Königs auf, um das Vorgehen gegen die jüdische Religion noch einseitiger auf den Wahnsinn des Epimanes, dieses karikierten Epiphanes,[33] zurückführen zu können. In seiner Darstellung steigerte sich die Geldgier des Königs, seine πλεονεξία, zu dem vermessenen Angriff auf Gott – Antiochos wurde von einer ἀκρασία παθῶν getrieben (Bell. Jud. 1,34). Josephos hat also die durch die gute Überlieferung gesicherte Folge der Ereignisse und deren pragmatische Verknüpfung preisgegeben, damit das Ungeheuerliche als das Werk eines ins Maßlose gesteigerten Affekts erscheine. Auch er steht in der Tradition der dramatischen Geschichtsschreibung des Hellenismus, und er bediente sich ihrer Gestaltungsprinzipien noch weit unbefangener als der Verfasser des zweiten Makkabäerbuches. Die tatsächliche Ereignisfolge und ihre relative Zeitstellung (im Verhältnis zu den ägyptischen Feldzügen) sind dort, noch einigermaßen kenntlich, in der Darstellung des Josephos sind sie bis zur Unkenntlichkeit entstellt.

Wie die Analyse der Überlieferung ergeben hat, steht das Verbot der jüdischen Religion in folgendem Ereigniszusammenhang:

– Antiochos IV. plünderte bei seiner Rückkehr vom ersten ägyptischen Feldzug, ungefähr im September 169 v.Chr., den Tempel.
– Während des zweiten ägyptischen Feldzugs, im Sommer 168 v.Chr., unternahm der abgesetzte Hohepriester Jason einen Anschlag auf Jerusalem, der die Stadt mit Ausnahme der Zitadelle zeitweise in die Hand einer ptolemäerfreundlichen Partei brachte.

[32] Es wird allgemein angenommen, daß neben dem ersten Makkabäerbuch wahrscheinlich das Geschichtswerk des Nikolaos von Damaskos herangezogen worden ist: vgl. A. Momigliano, Prime linee di storia della tradizione maccabaica, Rom 1930, 20ff.; E. Bickermann. Gott der Makkabäer, 163; V. Tcherikover, Hellenistic Civilization and the Jews, 392ff.

[33] Die spöttische Verkehrung des Kultnamens Epiphanes in Epimanes – der „Wahnsinnige" – überliefert Athenaios (45c; 193d und 439a) nach Polybios. Der abschätzige Beiname bezieht sich auf bestimmte irritierende Züge in dem zwiespältigen Charakterbild des Königs: vgl. unten S. 136–138.

- Der König faßte das verständlicherweise als einen unter den gegebenen Umständen hochgefährlichen Parteiwechsel auf und ließ die Stadt nach seiner durch die Römer erzwungenen Rückkehr aus Ägypten (Juli 168 v. Chr.) im August oder September durch den Mysarchen Apollonios nach Kriegsrecht hart bestrafen.
- Dann folgte im Interesse der Sicherung Judäas die Anlage einer seleukidischen Militärkolonie in Jerusalem.
- Schließlich ließ der König im Einvernehmen mit seinen Parteigängern, zu denen auch der Hohepriester Menelaos gehörte, die jüdische Religion verbieten und einen heidnischen Kult zwangsweise einführen. Am 15. Kislew des Jahres 145 wurde im Heiligtum ein heidnischer Altarstein, der „Greuel der Verwüstung", errichtet, am 25. Kislew (d.h. im Dezember 168 v. Chr.) auf ihm das erste heidnische Opfer vollzogen.

## 2. *Das Ende der Religionsverfolgung*

Der Darstellung des ersten Makkabäerbuches zufolge[1] unternahm der Kanzler Lysias, dem Antiochos IV. bei seinem Aufbruch nach den Oberen Satrapien seinen unmündigen Sohn und die Regierung im Westteil des Reiches anvertraut hatte, im Herbst des Jahres 165 v. Chr.[2] den Versuch, den Makkabäeraufstand niederzuwerfen. Aber er scheiterte ebenso, wie die hohen Offiziere Gorgias und Nikanor im vorangegangenen Sommerfeldzug des Jahres 165 v. Chr. gescheitert waren. Judas Makkabaios behauptete sich; ja, er gewann sogar die Initiative, eroberte Jerusalem mit Ausnahme der Akra und den Tempelbezirk zurück und ließ im Dezember 165 v. Chr. den Opferdienst nach jüdischem Ritus in dem neu geweihten Heiligtum wieder aufnehmen. Anschließend fiel er in benachbarte Gebiete ein, um bedrängten jüdischen Minderheiten Rettung und Hilfe zu bringen. Alle diese Ereignisse fanden nach der in sich schlüssigen Darstellung des ersten Makkabäerbuches noch zu Lebzeiten Antiochos IV., also noch vor November/Dezember 164 v. Chr., statt.

Demgegenüber bietet das zweite Makkabäerbuch eine andere Version.[3] Es läßt den fraglichen Feldzug des Lysias nicht auf die gescheiterte Expedition des Gorgias und Nikanor, sondern auf eine Reihe von Nachbarkämpfen folgen, die ihrerseits schon in die Regierungszeit Antiochos' V. Eupator gesetzt werden. Nach seiner Niederlage soll Lysias, Makk 2,11,14f. zufolge, Verhandlungen

---

[1] Makk 1,3,31–4,35; die Historizität des ersten Feldzugs des Lysias ist angezweifelt worden von W. Kolbe, Beiträge zur syrischen und jüdischen Geschichte, BWAT 35 (NF 10), Stuttgart 1926, 79–81; vgl. O. Mørkholm, Antiochus IV, 152–154; die Zweifel sind indes gegenstandslos: vgl. E. Schürer, History I, 160 Anm. 59.

[2] Die Chronologie ergibt sich aus den in Makk 1,3,37; 4,28 und 4,52 angegebenen Daten, die, wie oben nachgewiesen worden ist, nach der Seleukidischen Herbstepoche von 312 v. Chr. gegeben sind.

[3] Makk 2,10,14–11,38.

mit den Aufständischen angeknüpft und auf der Grundlage ihrer Forderungen mit königlicher Bewilligung Frieden geschlossen haben. Diese von der Darstellung des ersten Makkabäerbuches abweichende Version beruht auf entsprechender Interpretation von vier im Wortlaut mitgeteilten Urkunden.[4] An diesen Dokumenten müssen die Stichhaltigkeit der ihnen gewidmeten Auslegung sowie die Zuverlässigkeit der auf dieser Auslegung gründenden Berichterstattung des zweiten Makkabäerbuches überprüft werden.

Die vier Urkunden lauten in der Übersetzung von Christian Habicht[5] wie folgt:

„Lysias grüßt die Menge der Juden (16). Johannes und Absalom, die von Euch geschickt wurden, haben das unten abgeschriebene Aktenstück übergeben und hinsichtlich der in ihm bezeichneten Punkte einen Bescheid verlangt (17). Was nun davon auch dem König vorgelegt werden muß, habe ich bezeichnet; was innerhalb meiner Kompentenz lag, habe ich zugestanden (18). Wenn Ihr nun die Loyalität gegenüber dem Reich bewahrt, so werde ich auch in Zukunft versuchen, Urheber von Wohltaten für Euch zu werden (19). Hinsichtlich der Einzelheiten habe ich sowohl diesen wie Leuten aus meinem Stabe aufgetragen, mit Euch zu verhandeln (20). Lebt wohl! Im Jahre 148, am 24. des Monats ... Dioskorinthios ... (21).“

„König Antiochos grüßt seinen Bruder Lysias (22). Nachdem unser Vater sich zu den Göttern begeben hat, haben wir, in dem Wunsch, daß die Menschen im Königreich sich ohne Beunruhigung ihren eigenen Angelegenheiten widmen können (23), sowie auf die Kunde hin, daß die Juden der von unserem Vater verfügten Umstellung auf die griechische Lebensweise nicht zustimmen, sondern ihre eigenen Lebensformen vorziehen und verlangen, daß ihnen das Herkömmliche zugestanden werde (24), endlich von dem Vorsatz bestimmt, daß auch diese Nation ohne Beunruhigung sein soll, verfügt, daß ihnen das Heiligtum wiederhergestellt werde und daß sie ihr Leben gemäß den zur Zeit ihrer Vorväter bestehenden Sitten gestalten (25). Du wirst mithin gut daran tun, wenn Du zu ihnen schickst und ihnen Garantien gibst, damit

---

[4] Makk 2,11,16–38. Den vier Urkunden sind zahlreiche Untersuchungen gewidmet worden; die wichtigsten sind: B. Niese, Kritik der beiden Makkabäerbücher nebst Beiträgen zur Geschichte der makkabäischen Erhebung, Hermes 35, 1900, 476–491; R. Laqueur, Kritische Untersuchungen zum zweiten Makkabäerbuch, Straßburg 1904, 30–51; J. Wellhausen, Über den geschichtlichen Wert des zweiten Makkabäerbuches im Verhältnis zum ersten, NGG 1905, 141–145; W. Kolbe, a. a. O. (s. O. Anm. 1) 74–107; R. Laqueur, Griechische Urkunden in der hellenistisch-jüdischen Literatur, HZ 136, 1927, 229–252; V. Tcherikover, Hellenistic Civilization and the Jews, 213–219; O. Mørkholm, Antiochus IV, 162–165; M. Zambelli, La composizione del secondo libro dei Maccabei e la nuova cronologia di Antioco Epifane, in: Miscellanea greca e romana, Rom 1965, 213–234; J. G. Bunge, Untersuchungen zum zweiten Makkabäerbuch, Diss. Bonn 1971, 386–400 sowie jetzt vor allem Chr. Habicht, 2. Makkabäerbuch, 178–185 und ders., The Royal Documents in Maccabees II, HSPh 80, 1976, 7–18. – Allgemein zu den Echtheitskriterien der in den beiden Makkabäerbüchern und in Josephos' *Antiquitates Judaicae* überlieferten Dokumente vgl. E. Bikkermann, Une question d'authenticité: Les privilèges juifs, AIPhO 13, 1953, 11–34, besonders 26–31.

[5] Chr. Habicht, 2. Makkabäerbuch, 256–260.

sie in Kenntnis unserer Einstellung wohlgemut sind und sich gern zur Handhabung ihrer eigenen Angelegenheiten wenden (26)."

„König Antiochos grüßt den Ältestenrat der Juden und die übrigen Juden (27). Wenn Ihr bei guter Gesundheit seid, so entspricht dies unserem Wunsch. Auch wir selbst sind gesund (28). Menelaos hat uns eröffnet, daß Ihr zurückkehren und Euch Euren eigenen Angelegenheiten widmen wollt (29). Diejenigen nun, die bis zum 30. Xantikos zurückkehren, werden die Sicherheit der Straflosigkeit haben (30). Die Juden sollen ihrer eigenen Lebensweise[6] und ihren Gesetzen folgen sowie auch früher, und keiner von ihnen wird, auf welche Weise auch immer, wegen begangener Verfehlungen[7] belästigt werden (31). Ich habe aber auch Menelaos geschickt, der Euch Zuspruch geben soll (32). Lebt wohl! Im Jahre 148, am 15. Xantikos (33)."

„Quintus Memmius, Titus Manius, die Gesandten der Römer, grüßen das Volk der Juden (34). Hinsichtlich der Punkte, die Lysias, des Königs ‚Verwandter', Euch zugestanden hat, sind auch wir einverstanden (35). Was er aber dem König vorzulegen entschieden hat, so beratet hierüber und sendet sofort jemanden, damit wir auseinandersetzen können, was Euch frommt. Denn wir sind auf dem Wege nach Antiocheia (36). Daher beeilt Euch und sendet einige, damit auch wir erfahren, welches Euer Standpunkt ist (37). Bleibt gesund! Im Jahre 148, am 15. Xantikos (38)."

Wie leicht zu sehen ist, irrt der Verfasser des zweiten Makkabäerbuches in zwei Punkten: Keine der vier Urkunden bezeugt den von ihm behaupteten Abschluß eines rechtskräftigen Friedens mit den Aufständischen, und nur der zweite Brief stammt von der Hand Antiochos V.; die übrigen sind, wie die Daten der *subscriptio* zeigen, noch während der Regierungszeit Antiochos' IV. geschrieben; den dritten Brief hat der König selbst verfaßt.

Richtig ist, daß der Kanzler Lysias im Jahre 148 S.Ä. (= Herbst 165/164 v.Chr.) mit den aufständischen Juden Verhandlungen anknüpfte und Antiochos IV. für einen Frieden mit ihnen zu gewinnen suchte (Brief Nr. 1). Andererseits geht aus dem Schreiben Antiochos' V. (Nr. 2) hervor, daß die von Lysias angestrebte Friedensregelung zu Lebzeiten seines Vaters nicht zustande gekommen ist; denn der neue König sah sich veranlaßt, seinen Vormund und Kanzler anzuweisen, den Juden Garantien zu geben, daß ihnen das Heiligtum mit allen Privilegien restituiert werde.[8] Was den Brief der römischen Gesandten anbelangt

---

[6] Das überlieferte, im Zusammenhang sinnlose δαπανήμασιν hat A. Wilhelm, AAWW 1920, 44 (vgl. a.a.O. 1937, 22–25) durch das evident richtige διαιτήμασιν ersetzt; vgl. auch Chr. Habicht, 2. Makkabäerbuch, 259 (Anm. a zu 11,31).

[7] Chr. Habicht übersetzt hier den Ausdruck περὶ τῶν ἠγνοημένων mit „wegen Verfehlungen, die in Unkenntnis begangen wurden". Dies entspricht dem Sinn des Textes jedoch nicht. Die Juden, die sich wegen des Religionsediktes gegen den König erhoben hatten, taten dies nicht aus Unkenntnis; περὶ τῶν ἠγνοημένων bedeutet hier soviel wie „wegen (begangener) Verfehlungen". Diese Bedeutung ist für die hellenistische Zeit mehrfach belegt; vgl. Polybios 1,67,5; 5,11,5; Septuaginta Sir. 5,15,2; Pap. Tebt. 23,12 (II 5).

[8] Zu der diesbezüglichen Bedeutung von ἀποκατασταθῆναι vgl. Chr. Habicht, 2. Makkabäer-

(Nr. 4), so setzt er voraus, daß die Friedensinitiative des Lysias zur Zeit seiner Niederschrift noch zu keinem definitiven Ergebnis geführt hatte.

Woran der von Lysias befürwortete Friedensschluß mit den Aufständischen scheiterte, läßt sich aus dem Schreiben Antiochos' IV. (Nr. 3) erschließen. Es ist an die Gerusia, d.h. den Ältestenrat des jüdischen Ethnos[9], und indirekt, durch die Gewährung einer befristeten Amnestie, auch an die Aufständischen gerichtet; offensichtlich war eine Intervention des abtrünnigen Hohenpriesters Menelaos die Ursache dieses Briefes. Der König widerruft zwar darin das Verbot der jüdischen Religion, aber er vermeidet es doch auch, hinsichtlich des Heiligtums irgendwelche Zusagen zu machen. Vor allem aber: Seinem Schreiben ist zu entnehmen, daß er nicht bereit war, Menelaos fallenzulassen. Vielmehr ließ er dem Ältestenrat, dem Organ der jüdischen Loyalisten, die sich dem Glaubenszwang gebeugt hatten, durch Menelaos mündlich ermutigende Zusicherungen geben. Sie können nach Lage der Dinge nur in dem Versprechen bestanden haben, daß er sie nicht einer Friedensregelung mit den Aufständischen opfern werde. Im Einvernehmen mit Menelaos hat also Antiochos IV., übrigens ohne viel Aufhebens davon zu machen, das Religionsverbot zurückgenommen, aber doch an der Herrschaft seines Parteigängers, der die Mitverantwortung für Glaubenszwang und Makkabäeraufstand trug[10], bis an sein Lebensende festgehalten. Auf diese Weise aber war der Weg zu einer Friedensregelung, wie Lysias sie anstrebte, begreiflicherweise verbaut. Denn mit der Herrschaft des Menelaos, des „Verräters an den Gesetzen und an seinem Vaterland"[11] konnten sich die Frommen niemals abfinden. Erst der Tod Antiochos' IV. gab Lysias die Möglichkeit, seinen Friedensplan weiterzuverfolgen. Das Schreiben Antiochos' V. (Nr. 2), das unmittelbar nach dem Thronwechsel abgefaßt sein muß[12], dokumentiert den vollzogenen Kurswechsel.

Was die übrigen, auf das Jahr 148 S.Ä. datierten Schriftstücke anbelangt, so ist ihre relative und absolute Zeitstellung innerhalb des Herbstjahres 165/164 v.Chr. umstritten. Die vorherrschende Meinung geht dahin, daß der dritte Brief später sei als der erste (und als der auf den ersten folgende vierte Brief).[13] Sie beruhte auf der Annahme, daß im dritten Brief die Entscheidung des Königs vorliege, die Lysias laut erstem Schreiben herbeiführen wollte. Demgegenüber hat

---

buch, 258 (Anm. a zu 11,25); der Ausdruck bezieht sich hier auf die rechtliche Restitution; faktisch war der Tempelbezirk ja schon seit Dezember 165 v.Chr. in Besitz der Aufständischen.

[9] So der Verfasser des zweiten Makkabäerbuches in dem die Urkunde einführender Satz (11,27). Zu der Frage, ob Jerusalem damals die Verfassung einer Polis besaß, vgl. unten S. 84ff.

[10] Vgl. hierzu unten S. 124ff.

[11] So charakterisiert den Hohenpriester Makk 2,5,15.

[12] Vgl. E. Schürer, History I, 164; Chr. Habicht, 2. Makkabäerbuch, 184 und ders., Royal Documents (s.o. Anm. 4), 16f.

[13] So B. Niese, a.a.O. (s.o. Anm. 4), 484; W. Kolbe, a.a.O. (s.o. Anm. 4) 84; R. Laqueur, Griechische Urkunden (s.o. Anm. 4) 229ff.; E. Bickermann, Gott der Makkabäer, 179–181; F.-M. Abel, Les livres des Maccabées, Paris 1949², 430; V. Tcherikover, Hellenistic Civilization and the Jews, 215; O. Mørkholm, Antiochus IV, 155f.; J.G. Bunge, a.a.O. (s.o. Anm. 4) 386–400, der freilich nur Nr. 1 und 4 während der Regierungszeit Antiochos' IV. geschrieben sein läßt und neben Nr. 2 fälschlicherweise auch Nr. 3 Antiochos V. zuweist.

Christian Habicht mit Recht darauf hingewiesen, daß ein solcher Zusammenhang zwischen beiden Schreiben nicht besteht; Habicht nimmt seinerseits an, daß der dritte Brief der früheste sei[14]: Darin habe Antiochos IV. den Aufständischen eine Amnestie gewährt, sofern sie bis zum 30. Xantikos des Jahres 148 S.Ä. d.h. bis Ende März 164 v.Chr., die Waffen niederlegten und zurückkehrten. Nach Ablauf dieser Frist habe Lysias mit Waffengewalt versucht, der Rebellion ein Ende zu bereiten. Nach dem Scheitern dieses Versuches habe der Kanzler im Spätsommer oder Frühherbst 164 v.Chr. Verhandlungen mit den aufständischen Juden angeknüpft. In diese Zeit gehörten demnach der erste und der vierte Brief. Habicht meint, daß sich nur so „ein plausibler Zusammenhang und ein verständlicher Anlaß für den Feldzug des Lysias" ergebe.[15]

Diese Behauptung ist jedoch nicht stichhaltig. In der Darstellung des ersten Makkabäerbuches ist die Ursache des fraglichen Feldzugs des Lysias die Niederlage, die Gorgias und Nikanor im Sommer 165 v.Chr. gegen die Aufständischen erlitten hatten.[16] Zweifellos ist auch dies ein verständlicher Anlaß, und die Entscheidung, ob der Hypothese Christian Habichts oder der Darstellung des ersten Makkabäerbuches zu folgen ist, hinge von einer möglichst exakten Datierung des Briefes ab, den Lysias im Anschluß an seinen Feldzug im Jahre 148 S.Ä. an die Aufständischen richtete (Nr. 1). Unglücklicherweise ist der Monatsname in der *subcriptio* korrupt überliefert. Die Handschriften bieten Διὸς Κορινθίου, Dioscori, Dioscordi, Dioscoridi(s), Deoscolori. Hinter diesen unverständlichen Namensformen kann sich, da das Schreiben in der Kanzlei des seleukidischen Kanzlers abgefaßt wurde, nur ein makedonischer Monatsname verbergen. Wie Christian Habicht hervorhebt, kommt am ehesten der Δίος, der erste Monat des makedonischen Kalenders, in Betracht.[17] Der 24. Dios 148 S.Ä. aber fiel ungefähr in die zweite Oktoberhälfte des Jahres 165 v.Chr. Dieses Datum ist mit der Hypothese Habichts, der zufolge der Lysiasbrief im Hochsommer oder Frühherbst 164 v.Chr. geschrieben sein soll, absolut unvereinbar. Dagegen fügt es sich ohne Schwierigkeiten in die Darstellung des ersten Makkabäerbuches ein, wonach Lysias zum Beginn des Jahres 148 S.Ä., d.h. im September/Oktober 165 v.Chr., in Judäa einfiel und eine Schlappe hinnehmen mußte. Demnach ist davon auszugehen, daß der Lysiasbrief das früheste der vier Schriftstücke ist und wenigstens insoweit die von Christian Habicht in Zweifel gezogene ältere Forschungsmeinung recht hat.

Als Lysias erkennen mußte, daß er mit Waffengewalt des Aufstandes nicht Herr werden konnte, trat er unverzüglich in Verhandlungen mit den Aufständischen ein. Wie der Wortlaut seines Schreibens zeigt, war er durchaus bereit, auf

---

[14] Chr. Habicht, 2. Makkabäerbuch, 181f. und Royal Documents (s.o. Anm. 4), 14f.; daß der dritte Brief der früheste sei, nimmt auch M. Zambelli, a.a.O. (s.o. Anm. 4) 213–234 an; zu seiner verkehrten Datierung der Briefe Nr. 1 und 4 in die Regierungszeit Antiochos' V. vgl. Chr. Habicht, Royal Documents, 14 Anm. 28.

[15] Chr. Habicht, 2. Makkabäerbuch, 182.

[16] Makk 1,4,26ff.

[17] Chr. Habicht, 2. Makkabäerbuch, 257 (Komm. a zu 11,21); E. Schürer, History I, 162.

ihre Forderungen einzugehen. Aber er konnte wegen seiner begrenzten Vollmachten nur bestimmten Interimsregelungen zustimmen, vermutlich einem Austausch von Gefangenen und einem Waffenstillstand auf der Grundlage des *status quo*. Eine endgültige Friedensregelung war dem König vorbehalten. Doch Lysias sicherte seinen Verhandlungspartnern zu, sich für deren Forderungen bei dem sich in den Oberen Satrapien aufhaltenden König einzusetzen. Worin diese Forderungen bestanden, ist nicht überliefert. Aber es kann keinem begründeten Zweifel unterliegen, daß die Aufständischen ihre Rückkehr zur Loyalität vom Widerruf des Religionsverbots, von der Restitution des Heiligtums und der Einsetzung eines Hohenpriesters abhängig machten, der auch den Frommen genehm sein würde.

Eine in diesem Sinne friedliche Beilegung des Religionskrieges aber bedeutete für den regierenden Hohenpriester und seine Anhänger eine tödliche Bedrohung. Die Renegaten liefen Gefahr, der von Lysias angestrebten Verständigung mit den Aufständischen geopfert zu werden. Diese Lage bildet die Voraussetzung zum Verständnis des Briefes, den Antiochos' IV. an den jüdischen Ältestenrat richtete (Nr. 3). Aus ihm geht hervor, daß der Hohepriester Menelaos den König, der sich im Winter 165/164 v. Chr. im südlichen Mesopotamien aufhielt[18], persönlich aufgesucht und die Rücknahme des Religionsverbots erwirkt hat. Durch Menelaos ließ der König dem Ältestenrat ermutigende Zusicherungen machen. Das setzt voraus, daß dieser tief beunruhigt war. Der Umstand, daß der Hohepriester Menelaos Jerusalem verlassen hatte und dem König in die Oberen Satrapien nachgereist war, ist ebenfalls in diesem Sinne zu deuten. Ohne triftigen Grund wird der Hohepriester den Kanzler, der den König damals im Westteil des Reiches vertrat, nicht übergangen und sich direkt an Antiochos IV. gewandt haben. Dieser Grund kann nur in dem politischen Kurs des Lysias gelegen haben, der Menelaos und dessen Anhänger als Hindernis für einen friedlichen Ausgleich mit den Aufständischen betrachtete.[19]

Der dritte Brief setzt also den ersten voraus, d.h. er muß nach dem 24. Dios geschrieben sein. Der 15. Xantikos 148 S.Ä. (= März 164 v. Chr.) würde diese Bedingung erfüllen, jedoch sind Tag und Monat schwerlich korrekt überliefert. Denn in diesem Brief wird eine auf den 30. dieses Monats begrenzte Amnestie gewährt, und da der 30. Xantikos – er schließt das makedonische Winterhalbjahr ab – auch sonst als Endtermin einer gesetzten Frist genannt wird[20], dürfte

---

[18] O. Mørkholm, Antiochus IV, 167–170.

[19] Vgl. Makk 2,13,4 und Josephos, Ant. Jud. 12,284; s. hierzu unten S. 61.

[20] In einer namens der makedonischen Könige Philipps III. Arrhidaios' und Alexanders IV. verkündeten Proklamation befahl Polyperchon im Jahre 319 v. Chr. den griechischen Städten, die Verbannten bis zum 30. Xantikos (des Jahres 318 v. Chr.) wiederaufzunehmen: Diodor 18, 56,5. Weder hier noch in Makk 2,11,30 gibt es einen Hinweis darauf, daß dieser Termin deshalb genannt sei, weil er die für militärische Operationen geeignete Jahreszeit eröffnete: so jedoch Chr. Habicht, 2. Makkabäerbuch, 259 (Anm. b zu 11,30) in der Annahme, daß der Lysiasfeldzug nach Ablauf der auf den 30. Xantikos begrenzten Frist stattgefunden habe. Im palästinensichen Raum war Kriegführung ohnehin auch im Winterhalbjahr möglich, wie die folgenden Beispiele belegen: Antiochos IV. begann seinen Krieg gegen Ägypten im November 170 v. Chr.: vgl. O. Mørkholm, Antiochus IV, 74;

dieses Datum richtig überliefert sein. Dann aber ist die Zeitspanne zwischen dem angeblichen Ausstellungsdatum, dem 15. Xantikos, und dem Endtermin der Indemnitätsgarantie so knapp bemessen, daß ihre Nutzung praktisch unmöglich gewesen wäre. So bleibt nur der Ausweg, daß das Ausstellungsdatum nicht ursprünglich ist.[21] Wahrscheinlich ist es in mechanischer Weise von dem vierten Brief, der ebenfalls auf den 15. Xantikos des Jahres 148 S.Ä. datiert ist, auf den dritten übertragen worden.[22] Dieser muß also zu einem früheren Zeitpunkt geschrieben sein.

Tatsächlich kann der *terminus ante quem* noch erschlossen werden. Menelaos hatte, wie aus dem Brief hervorgeht, dem König eröffnet, daß Teile der aufständischen Juden bei Gewährung von Religionsfreiheit und Straflosigkeit bereit seien, die Waffen niederzulegen und ‚zurückzukehren'. Auf diese Eröffnung hin gewährte der König eine befristete Amnestie und sicherte den an der väterlichen Religion festhaltenden Juden zu, daß sie ihrer eigenen Lebensweise und ihren Gesetzen folgen könnten wie früher. Da ein Leben nach dem Gesetz aber damals ohne den Jahwekult im Jerusalemer Heiligtum undenkbar war, so ist in der königlichen Zusicherung impliziert, daß das Heiligtum wieder die Stätte des jüdischen Opferdienstes sein sollte. Somit setzt Antiochos IV. in seinem Schreiben stillschweigend voraus, daß der Tempel noch in Besitz des Hohenpriesters Menelaos und der ihn schützenden seleukidischen Besatzung war. Von der Rückeroberung des Tempels durch Judas Makkabaios wußte er demnach nichts. Das bedeutet, daß der Brief nicht später als im Dezember des Jahres 165 v. Chr., dem Datum der Neueinweihung des Tempels, geschrieben sein kann. Da er andererseits die Verhandlungen voraussetzt, die Lysias mit den Aufständischen angeknüpft hatte, kann er frühestens im November verfaßt sein. Mit dieser Datierung wird auch die Begrenzung der verkündeten Amnestie auf das Ende des Winterhalbjahres, auf den 30. Xantikos des Jahres (= März 164 v. Chr.), sinnvoll und verständlich.

Menelaos war es somit im Winter 165/164 v. Chr. gelungen, den Friedensplan des Lysias zu konterkarieren. Die Liquidierung des Makkabäeraufstandes sollte nicht auf Kosten der alten Anhänger des Königs erfolgen, vielmehr sollte ein Junktim zwischen der Herrschaft des Menelaos und der Wiederzulassung der jüdischen Lebensform geschaffen werden. Zu diesem Zweck wandte sich der König indirekt an diejenigen Juden, die um ihres Glaubens willen zu den Waffen gegriffen hatten, im übrigen aber keine politischen Ziele verfolgten. Dies waren die Ἀσιδαῖοι, die Chasidim, die sich den Makkabäern im Kampf um die väterliche Religion angeschlossen hatten, aber im Falle der Aufhebung des Religionsverbotes bereit waren, dieses Bündnis aufzukündigen und den seleukidi-

---

Nikanors Winterfeldzug in Judäa endete am 13. Adar (Anfang März) 161 v. Chr. mit einer vernichtenden Niederlage: Makk 1,7,39 ff.; Makk 2,15,25 ff.; Diodotos Tryphon versuchte mitten im Winter 143 v. Chr., nach Judäa einzufallen: Makk 1,13,22.

[21] So Chr. Habicht, 2. Makkabäerbuch, 180 und 259 (Anm. b zu 11,30); vgl. Royal Documents (s. o. Anm. 4) 15.

[22] So. E. Schürer, History I, 162.

schen König als Schutzherrn der auf dem ‚Gesetz' beruhenden Ordnung anzuerkennen. Der Plan erschien raffiniert eingefädelt. Unter Antiochos V. ist es dem Kanzler Lysias tatsächlich gelungen, die Makkabäer zu isolieren und die συναγωγή 'Ασιδαίων, die ‚Vereinigung der Frommen', für einen Frieden auf der Grundlage des *status quo ante* zu gewinnen – freilich unter Opferung des Menelaos.[23] Aber da Antiochos IV. darauf bestand, daß die Rückkehr zur väterlichen Religion unter Menelaos, der für die Frommen völlig untragbar war, stattfinden sollte, mußte der mit diesem verabredete Plan scheitern.

Gleichwohl hatte seine Publikation Folgen. Judas Makkabaios entschloß sich, ihn im Ansatz zu vereiteln, eroberte den Tempelbezirk zurück und ließ den Jahwekult im gereinigten Heiligtum wiederaufnehmen. Menelaos und sein Ältestenrat fanden vermutlich in der Akra Zuflucht. Er war ein Hohepriester ohne Heiligtum geworden, der freilich, gestützt auf den König, seinen Herrschaftsanspruch aufrecht erhielt. Auf der anderen Seite hat das *fait accompli*, das Judas Makkabaios mit der Besetzung Jerusalems geschaffen hatte, die Verhandlungsposition des Kanzlers Lysias sicherlich geschwächt. Jedenfalls ist es begreiflich, daß die Verhandlungen zwischen Kanzler und Aufständischen nicht zum Ziele führten. An der Person und dem Führungsanspruch des Judas sowie des Menelaos scheiterte der eine wie der andere Friedensplan.

Immerhin spricht der auf den 15. Xantikos des Jahres 148 S. Ä. datierte Brief der römischen Gesandten dafür, daß die Friedensverhandlungen auch nach der Einnahme Jerusalems durch die Aufständischen weitergeführt wurden. Die in dem Brief ausgedrückte Bereitschaft, den Standpunkt der Aufständischen gegenüber dem seleukidischen Kanzler zu vertreten, entsprach der damaligen Taktik der römischen Politik. Der Senat argwöhnte, daß das enge Einvernehmen zwischen Antiochos IV. und Eumenes II. sich gegen die von Rom garantierte Ordnung der hellenistischen Staatenwelt richten könnte. Deshalb suchte er beide Herrscher zu schwächen, indem er ihren unzufriedenen Untertanen Gehör und Unterstützung lieh und auch sonst keine Gelegenheit zu Kontrollen und Interventionen ungenutzt ließ.

Da der Inhalt des Schreibens diese Züge der damaligen römischen Ostpolitik auf das genaueste zum Ausdruck bringt, kann seine Echtheit ernstlich nicht in Frage gestellt werden.[24] Freilich ist es nicht leicht, die überlieferten Namen der beiden römischen Legaten einer der bekannten Gesandtschaften jener Zeit zuzuweisen. Makk 2,11,34 zufolge hießen sie Quintus Memmius und Titus Manius.[25] Im Codex Venetus folgen auf den zweiten Namen die Buchstaben ερνιοσ. Benedictus Niese konjizierte [Σ]έρ[γ]ιος und änderte den zweiten Namen

[23] Zur Rekonstruktion der diesbezüglichen Vorgänge vgl. W. Mölleken, Geschichtsklitterung im I. Makkabäerbuch (Wann wurde Alkimus Hoherpriester?), ZATW 65, 1953, 213–222. Daß damals das Bündnis zwischen den Makkabäern und dem ‚Bund der Frommen' zerbrach, ist in Makk 2,14,3 angedeutet: vgl. Chr. Habicht, 2. Makkabäerbuch, 271 (Anm. b zu 14,3).

[24] So jedoch J. Wellhausen, a. a. O. (s. o. Anm. 4) 144; W. Kolbe, a. a. O. (s. o. Anm. 4) 82–87; O. Mørkholm, Antiochus IV, 163 f.

[25] Oder Titus Manlius: so fünf der insgesamt 15 Handschriften, die freilich von geringem Wert sind: vgl. B. Niese, a. a. O. (s. o. Anm. 4) 485.

in Manius Sergius.[26] Auf diese Weise gewann er die Möglichkeit, wenigstens einen der römischen Gesandten, die den Brief an die Juden schrieben, mit einem Angehörigen einer aus Polybios' Geschichtswerk bekannten Gesandtschaft zu identifizieren. Polybios 31,1,6–8 zufolge wurden Manius Sergius und Gaius Sulpicius als Gesandte in den Osten geschickt, damit sie unter anderem die Politik Antiochos' IV. und Eumenes' II. von Pergamon überwachten. Benedictus Niese nimmt an, daß die beiden Legaten sich in Griechenland getrennt hätten. Gaius Sulpicius sei nach Kleinasien gegangen, wo er die Untertanen des Eumenes aufforderte, ihm in Sardeis ihre Klagen gegen den König vorzutragen[27]; Manius Sergius sei nach Syrien weitergereist, und der vierte, in Makk 2,11,34–38 erhaltene Brief zeuge von seiner Wirksamkeit.

Dieser Vorschlag hat vorsichtige Zustimmung gefunden.[28] Dennoch ist er nicht annehmbar. Nicht nur, daß der in Makk 2,11,34 an erster Stelle genannte Quintus Memmius nicht zu der von Polybios erwähnten Zweiergesandtschaft gehörte: Diese kann sich im Xantikos des Jahres 148 S.Ä. (März 164 v.Chr.) gar nicht in Syrien aufgehalten haben. Von ihrer Einsetzung berichtet Polybios am Anfang des 31. Buches[29], das den Zeitraum der 154. Olympiade, also die Jahre 164/163–161/160 v.Chr., umfaßt.[30] Da die Instruktion dieser Gesandtschaft dahin ging, Eumenes II. und Antiochos IV. zu überwachen, muß sie in den Osten aufgebrochen sein, bevor die Nachricht vom Tod des Seleukiden Rom erreicht hatte. Da der König im Dezember (oder Ende November) 164 v.Chr. starb, die Todesnachricht wegen des Ruhens der Schiffahrt im Winter erst im Frühjahr 163 v.Chr. nach Rom gelangt sein kann, muß die fragliche Gesandtschaft Italien im Herbst des Jahres 164 v.Chr. verlassen haben. So wäre es immerhin denkbar, daß sie sich dem Auftrag, beide Könige zu kontrollieren, bereits im folgenden Winter widmete. Wahrscheinlich ist es jedoch nicht: Die Legaten sollten zuerst die politischen Verhältnisse in Griechenland beobachten und in der Frage des zwischen Megalopoliten und Lakedaimoniern strittigen Landes eine Entscheidung herbeiführen. Als dann im Frühjahr 163 v.Chr. der Tod Antiochos' IV. in Rom bekannt geworden war, wurde vom Senat eine neue Gesandtschaft mit dem Auftrag in den Osten abgeschickt, die neu entstandene Lage zur Schwächung des Seleukidenreiches auszunutzen.[30] Es muß demnach fraglich erscheinen, ob die erste, noch im Jahre 164 v.Chr. eingesetzte Gesandtschaft überhaupt nach Syrien gelangt ist. Als Gaius Sulpicius die Untertanen des Eumenes ermunterte, ihm ihre Klagen gegen den König vorzutragen, war Antiochos IV.

---

[26] B. Niese, a.a.O. (s.o. Anm. 4) 485f.

[27] Vgl. Polybios 31,6,1–5; Diodor 31,7,2; Pausanias 7,11,1–3.

[28] Vgl. Ed. Meyer, Ursprung und Anfänge des Christentums, Bd. II, Stuttgart 1925$^{4+5}$, 212f.; E. Bickermann, Gott der Makkabäer, 180 Anm. 1–2; J. Briscoe, Eastern Policy and Senatorial Politics 168–146 B.C., Historia 18, 1969, 53; J.G. Bunge, a.a.O. (s.o. Anm. 4) 393; A. Giovannini und H. Müller, Die Beziehungen zwischen Rom und den Juden im 2. Jahrhundert v.Chr., MH 28, 1971, 170.

[29] Polybios 31,2,1–14: vgl. T.R.S. Broughton, MRR I, 441.

[30] Zur Zeitrechnung im Geschichtswerk des Polybios vgl. K. Ziegler, s.v. Polybios, RE XXI 2 (1952), 1555f.

vermutlich schon nicht mehr am Leben. Der auf ihn bezügliche Auftrag war damit hinfällig geworden. Sollte Manius Sergius aber dennoch nach Syrien gereist sein, so kann er dort erst im Sommerhalbjahr 149 S. Ä. also im Jahre 163 v. Chr. eingetroffen sein.

Deshalb wird denn auch der im zweiten Makkabäerbuch überlieferte Brief der römischen Legaten von einigen Forschern in das Jahr 163 v. Chr. gesetzt.[31] Dieser Ausweg ist jedoch nicht begehbar. Das Ausstellungsdatum des Briefes ist das Jahr 148 S. Ä. (= Herbstjahr 165/164 v. Chr.). Dieser einhelligen Überlieferung gegenüber stellt die völlig isoliert stehende Jahresangabe *anno centesimo quadragesimo nono* in dem Bologneser Codex 2571/628 lediglich einen Sonderfehler dieser Handschrift dar. Vor allem aber ist zu bedenken, daß der Brief der römischen Gesandten genau die Situation voraussetzt, wie sie in dem Brief des Lysias an die Aufständischen beschrieben ist. Die Römer beziehen sich auf die Zugeständnisse, die Lysias bereits gemacht hatte, sowie auf die Punkte, die er dem König zur Entscheidung vorgelegt hatte. Dies war der Stand der Dinge im Winterhalbjahr 165/164 v. Chr. Im Jahre 163 v. Chr. hatte sich die Lage grundlegend geändert: Nach der Thronbesteigung Antiochos' V. hatte sich der Kanzler und Vormund des unmündigen Königs ermächtigen lassen, den Aufständischen die geforderten Garantien zu geben, die Antiochos IV. ihnen offensichtlich verweigert hatte. Das aber heißt, daß der Brief der römischen Gesandten nicht in das Jahr 163 v. Chr. fallen kann.

Unter Berücksichtigung der Lage, die der Brief voraussetzt, müßte er von Angehörigen einer Gesandtschaft geschrieben sein, die den Orient im Winterhalbjahr 165/164 v. Chr. besuchte. Dann aber käme allenfalls die große Gesandtschaft in Frage, die unter Leitung des Ti. Sempronius Gracchus stand. Im Herbst des Jahres 166 v. Chr. traf sie, kurz nach der Pompe von Daphne, in Antiocheia ein[32], im Sommer des Jahres 164 v. Chr. erstattete sie dem Senat Bericht.[33] Die Zahl und die Namen ihrer Mitglieder sind mit Ausnahme ihres Leiters nicht überliefert. Aber soviel ist klar, daß sie aus mehreren Senatoren bestanden haben muß. Ihr weitgesteckter Auftrag – sie sollte Einblick in die politischen Absichten und Verhältnisse aller Mächte der hellenistischen Staatenwelt gewinnen – erklärt nicht nur die lange Dauer ihres Aufenthaltes im Osten, er könnte auch der Grund dafür sein, daß die Gesandtschaft sich in einzelne Gruppen teilte. Auf die Spur einer dieser Teilgesandtschaften führt vermutlich der in Makk 2,11,34–38 mitgeteilte Brief. Sein Ausstellungsdatum, der 15. Xantikos des Jahres 148 S. Ä. (= März 164 v. Chr.) könnte richtig überliefert sein. Auf jeden

[31] Vgl. M. S. Ginsburg, Rome et la Judée. Contribution à l'histoire de leurs relations politiques, Paris 1928, 27; M. Zambelli, a. a. O. (s. o. Anm. 4) 223–231; E. Will, Histoire politique du monde hellénistique, Bd. II, Nancy 1967, 222 und vor allem Th. Liebmann-Frankfort, Rome et le conflit judéo-syrien, AC 38, 1969, 105–107.

[32] Polybios 30,27; vgl. T. R. S. Broughton, MRR I, 438 mit den übrigen Quellenbelegen, der die Gesandtschaft indessen irrtümlich in das Jahr 165 v. Chr. datiert.

[33] Nach Polybios 30,30,7 konnten Tiberius Gracchus und seine Mitgesandten bei ihrer Rückkehr die Vorwürfe, die im Sommer 164 v. Chr. die Gesandten kleinasiatischer Städte gegen Eumenes II. und Antiochos IV. vor dem Senat erhoben hatten, nicht bestätigen.

Fall gibt es keinen durchschlagenden Grund, den Brief auf einen späteren Zeitpunkt, etwa auf den Frühherbst 164 v. Chr., umzudatieren.[34]

Die vier Briefe sind demnach in der Reihenfolge 1, 3, 4 und 2 im Oktober, im November/Dezember 165, im Februar/März 164 und zum Jahreswechsel 164/63 v. Chr. verfaßt worden. Sie alle bezeugen die vergeblichen Friedensbemühungen im letzten Regierungsjahr Antiochos' IV. Sie zeigen darüber hinaus, daß der Friede nicht eigentlich an der Religionsfrage scheiterte. In diesem Punkt hat der König im Einvernehmen mit dem Hohenpriester Menelaos schon gegen Ende des Jahres 165 v. Chr. nachgegeben. Woran der Friede scheiterte, war die Meinungsverschiedenheit zwischen König und Kanzler über den Weg, auf dem sich der Konflikt in Judäa lösen lasse. Sie betraf in erster Linie die Person und die Stellung des Menelaos. Aber es gab noch ein anderes und, wie sich zeigen sollte, schwerer zu überwindendes Friedenshindernis: Judas Makkabaios. Der siegreiche jüdische Glaubensheld war eine eigenständige politische Kraft geworden, und fraglos besaß er auch persönlich die Fähigkeit, sich auf veränderte Verhältnisse einzustellen und sich im politischen Spiel zu behaupten. Die Rückeroberung und Neueinweihung des Jerusalemer Heiligtums waren in dieser Hinsicht eine Meisterleistung. Judas hatte damit den Plan des Königs durchkreuzt, den Aufstand in der Weise zu beenden, daß die Juden wieder wie früher unter dem Hohenpriester Menelaos nach dem ‚Gesetz' der Väter lebten.

Die vier Urkunden ermöglichen es also, wesentliche Hintergründe der Geschichte des Jahres 165/164 v. Chr. zu rekonstruieren. Aber nicht nur insofern besitzen sie einen hohen Quellenwert. Auf der Grundlage der vier Urkunden ist es auch möglich, die Wurzel der chronologischen Verwirrung aufzuzeigen, an der die Darstellung der Ereignisgeschichte im zweiten Makkabäerbuch leidet. Sie liegt in der verkehrten Annahme, daß alle vier Briefe während der Regierungszeit Antiochos' V. geschrieben seien. Tatsächlich trifft das nur für den zweiten zu. Gerade dieses Schreiben aber war nicht datiert. Anderenfalls hätte der Verfasser des zweiten Makkabäerbuches gesehen, daß es, im Gegensatz zu den übrigen, im Jahre 149 S. Ä. verfaßt worden war. Das Fehlen des Datums am Schluß des zweiten Briefes erklärt sich aus der Tatsache, daß es an den Kanzler Lysias gerichtet war und dieser den Juden eine Abschrift hatte zukommen lassen. Dem Kanzleibrauch entsprechend war in der Kopie die von der Hand des Königs stammende *subscriptio* mit Grußformel und Datum weggelassen worden.[35] Einem jüdischen Historiker war allein diese Abschrift zugänglich. Jedenfalls bezog der Verfasser des zweiten Makkabäerbuches den an Lysias gerichteten Brief Antiochos' V. mit den drei übrigen auf das Jahr 148 datierten Schreiben auf einen einzigen Vorgang. Er meinte, daß sie den Abschluß eines Friedens nach dem ersten Feldzug des Lysias dokumentierten und daß Antiochos V. be-

---

[34] So jedoch Chr. Habicht, 2. Makkabäerbuch, 184; Royal Documents (s. o. Anm. 4), 15; sein Datierungsvorschlag ergibt sich aus seiner Annahme, daß der Brief des Lysias (Nr. 1) gegen Ende des Jahres 148 der Seleukidischen Ära geschrieben sei.

[35] Vgl. R. Laqueur, Griechische Urkunden (s. o. Anm. 4), 233 f.; E. Bickermann, Un document relatif à la persécution d'Antiochos IV Epiphane, RHR 115, 1937, 194 f.

reits im Jahre 148 S.Ä. (= im Herbstjahr 165/164 v.Chr.) herrschte. Diese verkehrte Schlußfolgerung war die Quelle weiterer Fehler. Wie aus Makk 2,10,5 hervorgeht, wußte der Verfasser, daß der Tempel am Jahrestag seiner Schändung, am 25. Kislew, durch Judas Makkabaios neu eingeweiht worden war. Er wußte auch, daß dies vor der Thronbesteigung Antiochos' V. geschehen war.[36] Dann aber mußte er annehmen, daß die Tempelweihe am 25. Kislew des Jahres 147 S.Ä., d.h. im Dezember 166 v.Chr., stattfand. Aus dieser Annahme erklärt sich die Nachricht in Makk 2,10,3, daß der jüdische Opferdienst genau zwei Jahre unterbrochen worden sei. Der Verfasser des zweiten Makkabäerbuches hat die Tempelweihe, veranlaßt durch die Fehlinterpretation der ihm vorliegenden Urkunden, um ein volles Jahr vordatiert. Das erste Makkabäerbuch, das die Schändung des Tempels auf den 15. und 25. Kislew 145 S.Ä. und die Neueinweihung auf den 25. Kislew 148 S.Ä. setzt, ist mit diesen Angaben zweifellos im Recht. Mit dem Nachweis des chronologischen Fehlschlusses, auf dem die in Makk 2,10,3 angegebene Zweijahresfrist beruht, ist zugleich eine alte Streitfrage hinfällig geworden. Noch Christian Habicht sah sich außerstande, zwischen den verschiedenen Zeitangaben des ersten und des zweiten Makkabäerbuches eine begründete Entscheidung zu fällen.[37] Die Frage ist jetzt eindeutig zugunsten der im ersten Makkabäerbuch vorliegenden Version entschieden.

### *3. Vom Widerruf des Religionsverbots zum Religionsfrieden*

Die Tatsache, daß Antiochos IV. im Spätherbst 165 v.Chr. das Religionsverbot widerrief, bedeutete keineswegs das Ende des Makkabäeraufstandes. Vielmehr ergriff Judas Makkabaios die Initiative und weitete den Schauplatz der Kämpfe auf die Judäa benachbarten Gebiete aus. Die Chronologie und der pragmatische Zusammenhang des Geschehens sind freilich durch die Quellen nicht einheitlich überliefert. Ja, hinsichtlich der Reihenfolge der Ereignisse, die sich um die Neueinweihung des Tempels und den Tod Antiochos' IV. gruppieren, weicht das zweite Makkabäerbuch vom ersten auf das stärkste ab. Die Unterschiede zwischen beiden Versionen hat Benedictus Niese durch die folgende Gegenüberstellung verdeutlicht[1]:

[36] Dies geht aus Makk 2, 10,9 hervor.

[37] Chr. Habicht, 2. Makkabäerbuch, 250 (Anm. b zu 10,5): „Zwingende Argumente, ob hier 2 Makk oder 1 Makk den Vorzug verdient, sind mir nicht bekannt." Für die Version des zweiten Makkabäerbuches hatte sich J.G. Bunge, a.a.O. (s.o. Anm. 4), 409 entschieden.

[1] B. Niese, Kritik der beiden Makkabäerbücher nebst Beiträgen zur Geschichte der makkabäischen Erhebung, Hermes 35, 1900, 469.

| 1 Makk 1,4ff. | 2 Makk 2,8ff. |
| --- | --- |
| Sieg über Gorgias und Nikanor | Sieg über Gorgias und Nikanor |
| 1. Feldzug des Lysias | Besetzung Jerusalems durch die Aufständischen |
| Besetzung Jerusalems und Reinigung des Tempels | Tod des Epiphanes (9) |
| | Reinigung des Tempels (10) |
| Nachbarkämpfe (5) | Regierungsantritt Eupators |
| Tod des Epiphanes und Regierungsantritt Eupators (6) | Nachbarkämpfe |
| 2. Feldzug des Lysias mit Eupator | 1. Feldzug des Lysias und Frieden (11) |
| Frieden mit den Juden | Neue Nachbarkämpfe |
| | 2. Feldzug des Lysias mit Eupator |
| | Frieden mit den Juden |

Die Abweichungen betreffen somit vor allem:

1. den Tod Antiochos' IV., den das zweite Makkabäerbuch früher als das erste ansetzt;
2. den ersten Feldzug des Lysias, der im ersten Makkabäerbuch der Besetzung Jerusalems durch die Aufständischen vorausgeht, im zweiten aber auf die Tempelreinigung, die Thronbesteigung Antiochos' V. und einen Teil der Nachbarkämpfe folgt;
3. die Besetzung Jerusalems durch die Aufständischen, die im zweiten Makkabäerbuch nach dem Sieg über Gorgias und Nikanor stattfindet, im ersten dagegen nach dem ersten Feldzug des Lysias;
4. und schließlich die Feldzüge der Juden gegen ihre Nachbarn: Im zweiten Makkabäerbuch sind sie auf zwei voneinander getrennte Zeiten verteilt, und zwar in der Weise, daß der erste Feldzug des Lysias einschließlich des vermeintlichen Friedensschlusses zwischen die Nachbarfeldzüge eingeschoben ist; demgegenüber sind sie im ersten Makkabäerbuch als ein zusammenhängender Ereigniskomplex dargestellt und zwischen Tempelreinigung und Tod Antiochos' IV. eingeordnet.

Benedictus Niese hat in allen Fällen der Darstellung des zweiten Makkabäerbuches den Vorzug gegeben.[2] Was den ersten Punkt anbelangt, so steht und fällt seine Entscheidung mit der Annahme, daß Antiochos IV. gegen Ende des Jahres 165 v. Chr. gestorben sei.[3] Dies hat sich inzwischen durch die im Jahre 1954 veröffentlichte babylonische Königsliste BM 35 603 als falsch erwiesen: Antio-

[2] B. Niese, a.a.O. (s.o. Anm. 1) 468–476.
[3] B. Niese, a.a.O. (s.o. Anm. 1) 489; 495f.

chos IV. starb erst gegen Ende des Jahres 164 v. Chr.[4] Ebensowenig ist es gerechtfertigt, den ersten Lysiasfeldzug auf Grund der Darstellung des zweiten Makkabäerbuches in die Regierungszeit Antiochos' V. zu setzen. Diese Datierung beruht auf dem grundlegenden chronologischen Irrtum des Verfassers des zweiten Makkabäerbuches: daß alle im elften Kapitel mitgeteilten Urkunden, auch die auf das Jahr 148 S. Ä. datierten (= Herbstjahr 165/164 v. Chr.), unter bzw. von Antiochos V. Eupator geschrieben seien.[5]

Auch was die übrigen Punkte, den dritten und vierten anbelangt, so ist es den Kritikern längst gelungen, Nieses Auffassung zu erschüttern.[6] Benedictus Niese hatte, gestützt auf Makk 2,8,31, wo die Wiedergewinnung Jerusalems durch die Aufständischen bereits vorausgesetzt ist, dieses Ereignis zwischen den Sieg über Nikanor und den Tod Antiochos' IV. gesetzt.[7] Diese Einordnung ist jedoch in zweifacher Hinsicht problematisch. Berichtet wird die Einnahme von Stadt und Heiligtum erst in Makk 2,10,1: „Makkabaios und die Seinen brachten unter Führung des Herrn das Heiligtum und die Stadt in ihre Hand." Demgegenüber ist Makk 2,8,31 Teil eines die Verse 30–33 umfassenden Einschubs, der die zusammenhängende Erzählung der Niederlage und Flucht des Nikanor unterbricht. Es unterliegt keinem Zweifel und ist längst gesehen worden, daß der Einschub aus einem anderen, späteren Zusammenhang hierher geraten ist.[8] Dann aber ist die These hinfällig, daß die Aufständischen unmittelbar nach ihrem Sieg über Nikanor Jerusalem besetzt hätten.

In welchem Zusammenhang die in das achte Kapitel eingeschobenen Verse ursprünglich standen, ist eine andere Frage. Christian Habicht hält sie für eine den Bericht in Makk 2,10,24–38 verkürzende Dublette.[9] Aber abgesehen davon, daß in beiden Texten die Juden gegen Timotheos[10] kämpfen, ist der sachliche Zusammenhang, in dem dieser jeweils genannt wird, so verschieden, daß der kürzere Text nicht aus dem längeren abgeleitet sein kann. In Makk 2,10,24–38 wird von einem Einfall des Timotheos nach Judäa berichtet, Makk 2,8,30–33 zufolge führen die Aufständischen nicht in Judäa Krieg: In einem fremden Land erobern sie hochgelegene Festungen und kehren mit Beute beladen nach Jerusa-

[4] Vgl. oben S. 17 mit Anm. 6.

[5] Vgl. oben S. 42 und 50 f.

[6] Vgl. jedoch G. Vermes und F. Millar, in: E. Schürer, History I, 161 Anm. 61.

[7] B. Niese, a. a. O. (s. o. Anm. 1) 469.

[8] Vgl. J. Wellhausen, Über den geschichtlichen Wert des zweiten Makkabäerbuches im Verhältnis zum ersten, NGG 1905, 137 f.; A. Momigliano, Prime linee di storia della tradizione maccabaica, Rom 1930, 67–80; M. Zambelli, La composizione del secondo libro dei Maccabei e la nuova cronologia di Antioco Epifane, in: Miscellanea greca e romana, Rom 1965, 276; J. G. Bunge, Untersuchungen zum zweiten Makkabäerbuch, Diss. Bonn 1971, 277 ff.; 283 ff.

[9] Chr. Habicht, 2. Makkabäerbuch, 251 (Anm. a zu 10,11); so schon W. Kolbe, Beiträge zur syrischen und jüdischen Geschichte, BWAT 35, Stuttgart 1926, 132.

[10] Timotheos wird in Makk 2,12,2 zu den κατὰ τόπων στρατηγοί gezählt; nach der Erzählung in Makk 1,5,29 ff. und Makk 2,12,10 ff. zu urteilen, war er Stratege in der das Ostjordangebiet umfassenden Meridarchie: vgl. H. Bengtson, Die Strategie in der hellenistischen Zeit, Bd. II, Münchener Beitr. z. Papyrusforsch. u. ant. Rechtsgesch. 32, München 1944 (NDr 1964), 170 f.

lem zurück. Diese Erzählung findet ihre Parallele in Makk 1,5,6–8[11]: Dort wird von Kämpfen gegen die unter dem Befehl des Timotheos stehenden Ammoniter, von der Einnahme der Stadt Jazer und der im Umkreis liegenden Orte sowie von der Rückkehr nach Judäa berichtet. Die Kämpfe gegen die Ammoniter schlossen, der Darstellung des ersten Makkabäerbuches zufolge, den ersten der Nachbarfeldzüge ab, der unmittelbar nach der Neueinweihung des Tempels stattfand. Dieser zeitliche Ansatz wird indirekt durch Makk 2,8,33 bestätigt. Es heißt dort, daß die von ihrem Feldzug zurückkehrenden Juden anläßlich der Siegesfeier diejenigen mit dem Feuertod bestraften, die seinerzeit nach Erlaß des Religionsverbots die heiligen Tore des Tempelbezirks verbrannt hatten. Das spricht für die Annahme, daß die Wiedergewinnung von Stadt und Tempel noch nicht lange zurücklag. Was also in Makk 2,8,30–33 berichtet wird, bezieht sich auf den ersten Nachbarfeldzug und die Rückkehr nach Jerusalem und ist nach der in Makk 2,10,1–8 erzählten Einnahme Jerusalems einzuordnen. Dagegen spricht auch nicht die Nennung des Bakchides in Makk 2,8,30. Gewiß ist es richtig, daß der bekannte Träger dieses Namens Judas Makkabaios im Frühjahr 160 v. Chr. an der Grenze Judäas in der Schlacht bei Elasa vernichtend schlug[12], die Erzählung des zweiten Makkabäerbuches aber nur bis Februar/März 161 v. Chr., reicht; denn sie endet mit dem Sieg des Judas über Nikanor. Aber sofern die Erwähnung des Bakchides in Makk 2,8,30 nicht auf einem Irrtum beruht, ist es immerhin möglich, daß der durch seinen Sieg über Judas bekannte Bakchides schon an den Kämpfen beteiligt war, die im Jahre 164 v. Chr. für die seleukidische Seite ungünstig verliefen. Auch kann nicht restlos ausgeschlossen werden, daß in Makk 2,8,30 ein anderer, sonst unbekannter Bakchides neben Timotheos genannt ist.

Auffällig ist, daß gerade die Timotheos betreffenden Nachrichten durch Umstellungen und Fehler stark entstellt sind. In Makk 2,10,24–28 wird berichtet, daß er nach Judäa einfiel, eine Niederlage erlitt, sich in das befestigte Gazara flüchtete und bei der Eroberung der Stadt durch die Juden den Tod fand. Wenig später, in Makk 2,12,10–12 und 17–31, wird jedoch geschildert, wie die Juden im Ostjordanland gegen ihn zu Felde zogen und ihm eine Niederlage beibrachten, ihn gefangennahmen, jedoch im Interesse der festgehaltenen jüdischen Geiseln wieder freiließen. Es liegt auf der Hand, daß der Abschnitt in Makk 2,10,24–38, wo der Tod des Timotheos berichtet wird, nach Makk 2,12,31 einzuordnen wäre, wenn er überhaupt einen Sinn haben soll. Tatsächlich hat dies Marcello Zambelli vorgeschlagen.[13] Aber damit sind die Bedenken gegen den Bericht in Makk 2,10,24–38 nicht behoben. Wie Isidore Lévy zu Recht festgestellt hat, ist der behauptete Einfall des Timotheos nach Judäa eine reine

---

[11] Vgl. F.-M. Abel, Les livres des Maccabées, Paris 1949², 394 zu Makk 2,8,30–33.

[12] Makk 1,9,1–18; zu dieser Schlacht vgl. B. Bar-Kochva, The Seleucid Army. Organization and Tactics in the Great Campaigns, Cambridge 1979², 184–200.

[13] M. Zambelli, a. a. O. (s. o. Anm. 8) 277 f.; zustimmend Chr. Habicht, 2. Makkabäerbuch, 251 (Anm. a zu 10,11).

Erfindung.[14] Ebenso unglaubwürdig ist die Nachricht, daß Judas Makkabaios bei der Verfolgung des Timotheos das befestigte Gazara erobert habe. Die Stadt wurde erst im Jahre 142 v. Chr. durch Simon, den Bruder und zweiten Nachfolger des Judas eingenommen.[15] Zu der Unglaubwürdigkeit des Berichtes kommt die Schwierigkeit seiner Einordnung in die Nachbarfeldzüge. In Makk 2,12,29–31 wird die Rückkehr des Judas von seinem Feldzug nach der Galaaditis berichtet, im Anschluß daran sein Vorstoß nach Marisa. Aus dem Parallelbericht in Makk 1,5,24–68 wird diese Folge der Ereignisse bestätigt und verdeutlicht: Während Judas im Ostjordanland Krieg führte, hatten zwei jüdische Unterfeldherren eigenmächtig einen Angriff auf Jamneia unternommen und eine empfindliche Niederlage erlitten. Judas Makkabaios sah sich deshalb nach seiner Rückkehr aus der Galaaditis zu einem Vorstoß nach Idumäa veranlaßt. Dieser Feldzug, der ihn nach Hebron, Marisa und Aschdod führte, war zugleich der letzte der Nachbarfeldzüge. Für einen weiteren gegen Timotheos bliebe kein Platz. Somit läßt sich nicht mehr klären, wo der verdächtige Bericht in Makk 2,10,24–38 in der Vorlage des zweiten Makkabäerbuches, dem Geschichtswerk des Jason von Kyrene, plaziert war. Es ist nicht einmal gesichert, ob er aus dieser Vorlage entnommen ist.

Das siegreiche Gefecht, das Judas Makkabaios auf seinem letzten Nachbarfeldzug Gorgias, dem Strategen von Idumäa[16], lieferte (Makk 2,12,32 ff.), hat der Verfasser des zweiten Makkabäerbuches aus dem ausführlichen Bericht des Jason von Kyrene über den letzten Feldzug nach Idumäa herausgegriffen. Er hat es in einzelne, spannend-anschauliche Kampfszenen zerlegt und das Kampfgeschehen bis hin zur Bestattung der Gefallenen in der Art der dramatischen Geschichtsschreibung ausgemalt.[17] Ein klares Bild vom Ablauf der militärischen Operationen entsteht hier ebensowenig wie in dem Bericht über den Feldzug nach dem Ostjordanland (Makk 2,12,10–31). In dieser Hinsicht sind die Parallelberichte in Makk 1,5,24–54 und 55–68 vorzuziehen. Plastische Darstellungen einzelner Episoden enthalten diese nicht. Dafür sind sie an den großen Zügen der militärischen Operationen orientiert und ordnen die einzelnen Aktionen in den Gesamtzusammenhang des Geschehens ein. Im zweiten Makkabäerbuch haben die Vorliebe für dramatisch bewegte Einzelszenen, die starke Kürzung der Hauptvorlage[18] und möglicherweise die Aufnahme von Berichten zweifelhafter

---

[14] I. Lévy, Notes d'histoire hellénistique sur le second livre des Maccabées. II. Ptolemée fils de Makron, AIPhO 10, 1950, 695 Anm. 2.

[15] Makk 1,13,43–48; vgl. A. Momigliano, a. a. O. (s. o. Anm. 8) 74.

[16] Vgl. H. Bengtson, a. a. O. (s. o. Anm. 10) 170 f.

[17] Zu der Legende in Makk 2,12,40–45, der zufolge die jüdischen Gefallenen von Gott mit dem Tod bestraft worden waren, weil sie Amulette der Götzen von Jamneia, d. h. der kanaanäischen Gottheiten Horon und Baal Zebul, trugen, vgl. I. Lévy, Les dieux de Iamneia, in: Recherches esséniennes et pythagoriciennes, Genf und Paris 1965, 65–69; ob die Verse freilich erst im ersten Jahrhundert n. Chr. eingefügt worden sind, ist eine ungesicherte Vermutung: vgl. Chr. Habicht, 2. Makkabäerbuch, 265 (Anm. a zu 12,40).

[18] Zu den Spuren vgl. Chr. Habicht, 2. Makkabäerbuch, 262 (Anm. a zu 12,10 und a zu 12,17); 264 (Anm. a zu 12,33) und 265 (Anm. a zu 12,36).

Glaubwürdigkeit, die nicht aus dem Werk des Jason von Kyrene stammen, eine Darstellung ergeben, die zahlreiche, unter Umständen auch wertvolle Einzelinformationen enthält. Aber eine Rekonstruktion der Nachbarfeldzüge läßt sich auf sie nicht gründen.[19]

In dem Bericht von Makk 2,12,32ff. erringt Judas Makkabaios bei Marisa einen Sieg über Gorgias. Von Kämpfen mit ihm war schon an früherer Stelle, in 10,14–23, berichtet worden. Dort ist vorausgesetzt, daß Georgias und die ihm unterstellten Idumäer an der Südgrenze Judäas den Aufständischen einen Kleinkrieg lieferten: Um der ständigen Bedrohung Herr zu werden, sei Judas in das Land der Idumäer eingefallen und habe sich ihrer befestigten Stützpunkte bemächtigt. Diese Darstellung ließe sich in der Sache (wenngleich der Name Gorgias nicht fällt) mit dem Bericht in Makk 1,5,3–5 vereinbaren.[20] Aber wiederum enthält die an Details reichere Erzählung des zweiten Makkabäerbuches manche Angaben, deren Zuverlässigkeit bezweifelt werden muß. Abgesehen von den notorisch unzuverlässigen Zahlenangaben[21], gilt das vor allem für die Nachricht, daß „Simon und seine Leute" aus Geldgier einige von den eingeschlossenen Feinden gegen Zahlung von 70000 Drachmen entkommen ließen und Judas die der passiven Bestechlichkeit Schuldigen mit dem Tode bestrafte. Da der genannte Simon niemand anderes als der Bruder und spätere Nachfolger des Judas sein kann[22], verdient der Bericht in Makk 2,10,20–22 keinen Glauben.

Doch abgesehen von diesen Einwänden gegen die Zuverlässigkeit der Berichte des zweiten Makkabäerbuches: In der Reihenfolge der einzelnen Nachbarfeldzüge stimmt es, mit Ausnahme des versprengten Einschubs in Makk 2,8,30–33, im großen und ganzen mit dem ersten Makkabäerbuch überein:

| Makk 1 | Makk 2 |
|---|---|
| 5,3–5 | 10,14–23 |
| 5,6–8 | 8,30–33[23] |
| 5,24–54 | 12,10–31 |
| 5,55–68 | 12,32–45 |

Nicht auf dieselben Ereignisse beziehen sich hingegen Makk 1,5,9–23 und Makk 2,12,3–9. Im ersten Makkabäerbuch wird von den Bittgesuchen be-

[19] Zu diesen Feldzügen vgl. F.-M. Abel, Topographie des campagnes maccabéennes, RBi 32, 1923, 512–521 und 33, 1924, 201–208; K. Galling, Judäa, Galiläa und der Osten im Jahre 164/3 v. Chr., ZPalV 36, 1940, 43–77; und E. Schürer, History I, 164f.

[20] Vgl. F.-M. Abel, a.a.O. (s.o. Anm. 11) 411 zu Makk 2,10,15f.

[21] Makk 2,10,17–23 zufolge töteten die Juden 20000 Feinde, 9000 entkamen in die befestigten Türme; nachdem von diesen einige entkommen waren, wurden bei der Eroberung der Türme dennoch mehr als 20000 Mann erschlagen!

[22] Dies geht aus dem Vergleich von Makk 2,10,19 mit 8,22 hervor; so schon J. Wellhausen, a.a.O. (s.o. Anm. 8) 149; vgl. auch Chr. Habicht, 2. Makkabäerbuch, 252 (Anm. a zu 10,19).

drängter Juden der benachbarten Diaspora, von den Vorbereitungen zu den Nachbarfeldzügen und der Rettung der Juden in Galiläa und Arbatta berichtet, im zweiten wird von Strafexpeditionen erzählt, die die Aufständischen gegen Joppe und Jamneia unternahmen. Trotz der verschiedenen Inhalte der beiden Berichte tragen sie doch ein gemeinsames Merkmal: Sie handeln von der Reaktion der Makkabäer auf Verfolgungen, denen ihre Glaubensbrüder in der benachbarten Diaspora ausgesetzt waren. So scheint es immerhin möglich zu sein, daß in Makk 1,5,9–23 und Makk 2,12,3–9 verschiedene Episoden aus derselben Phase der Nachbarkämpfe dargestellt sind.

Sofern diese Vermutung das Richtige trifft, stimmen die beiden Makkabäerbücher darin überein, daß auf Grenzkämpfe (Makk 1,5,3–8 = Makk 2,10,14–23 und 8,30–33) die Feldzüge in entferntere Gebiete folgen, die im Interesse bedrängter jüdischer Minderheiten unternommen wurden (Makk 1,5,9–68 = Makk 2,12,3–45). Freilich ordnen die beiden Versionen diese Kämpfe verschieden in das Gesamtgeschehen ein. Im ersten Makkabäerbuch füllen sie die Zeit zwischen der Neueinweihung des Tempels und dem Tod Antiochos' IV. aus; im zweiten werden sie in die Regierungszeit Antiochos' V. gesetzt und zudem durch den ersten Feldzug des Lysias unterbrochen.

Die zweite Version findet teilweise Glauben. Marcello Zambelli setzt die im zwölften Kapitel des zweiten Makkabäerbuches berichteten Nachbarkämpfe (denen er auch die Berichte in 10,11–38 und 8,30–33 zuweist) in die Zeit nach dem ersten Feldzug des Lysias und dem ihm folgenden Frieden; er meint, daß es zu dem neuen Ausbruch der Kämpfe gekommen sei, nachdem der königliche Hof unter Antiochos V. von der Friedenspolitik abgegangen sei und den friedenswilligen Strategen Ptolemaios Makron durch Protarchos ersetzt habe.[23] Christian Habicht ist ihm in diesem Punkte gefolgt.[24]

Marcello Zambellis Rekonstruktion der Ereignisfolge beruht auf der Verknüpfung des im zweiten Makkabäerbuch vorliegenden Berichtes mit dem inzwischen gesicherten Todesdatum Antiochos' IV. (November/Dezember 164 v. Chr.). Das aber bedeutet, daß er die chronologischen Irrtümer, die dem Verfasser des zweiten Makkabäerbuches unterlaufen sind, nicht mitberücksichtigt. Die Tempelweihe und der Tod Antiochos' IV. bildeten wahrscheinlich schon in der Hauptvorlage des zweiten Makkabäerbuches, dem Geschichtswerk des Jason von Kyrene, den krönenden Abschluß des dritten, des mittleren von insgesamt fünf Büchern.[25] Der Triumph der Frommen und das schreckliche Ende des Gottesfrevlers waren hier sozusagen auf einen Punkt vereint, die chronologische Genauigkeit dem theologisch-psychagogischen Effekt geopfert. Weiterhin ist im zweiten Makkabäerbuch, wie oben nachgewiesen worden ist[26], die Neueinwei-

---

[23] M. Zambelli, a. a. O. (s. o. Anm. 8) 272–279.

[24] Chr. Habicht, 2. Makkabäerbuch, 251 (Anm. a zu 10,11).

[25] In Makk 2,10,9 wird mit dem formelhaften Satz: „Und so verhielt es sich mit dem Tod des Antiochos, der Epiphanes zubenannt wurde" eine der großen Erzähleinheiten abgeschlossen, die wahrscheinlich jeweils einem Buch des jasonischen Geschichtswerkes entsprechen: 3,40; 7,42; 10,9; 13,26; 15,37.

[26] Vgl. oben S. 50f.

hung des Tempels um ein Jahr vordatiert, d.h. auf den 25. Kislew des Jahres 147 S.Ä. (= Dezember 166 v.Chr.) gesetzt. Indem aber Tempelweihe und Tod des Verfolgerkönigs nebeneinander gestellt wurden, wurde das Todesdatum um zwei Jahre zu früh angesetzt; denn aus den im elften Kapitel mitgeteilten Urkunden glaubte der Verfasser des zweiten Makkabäerbuches entnehmen zu können, daß Antiochos IV. bereits im Jahre 147 S.Ä. gestorben sein müsse. Unter diesen verkehrten Voraussetzungen blieb gar nichts anderes übrig, als die Nachbarfeldzüge zusammen mit dem ersten Einfall des Lysias (und dem vermeintlichen Friedensschluß) in die Regierungszeit Antiochos' V. zu verlegen.

Zu klären bleibt aber noch immer die Frage, warum eigentlich in der Darstellung des zweiten Makkabäerbuches der erste Lysiasfeldzug zwischen die Nachbarkämpfe eingeschoben ist. Der Grund liegt auch hier, wie es scheint, in den verkehrten Schlußfolgerungen, die der Verfasser aus den auf das Jahr 148 S.Ä. datierten Urkunden gezogen hat. Er nahm an, daß Tempelweihe und Tod Antiochos' IV. in den Kislew des Jahres 147 S.Ä. (= Dezember 166 v.Chr.) fielen, und er las aus den fraglichen Urkunden heraus, daß der Lysiasfeldzug zu Beginn des Jahres 148 S.Ä. (= Herbst 165 v.Chr.) stattfand. Zwischen beiden Daten klaffte eine Lücke von beinahe einem Jahr. Ihrer Ausfüllung dienten die im zehnten Kapitel berichteten Nachbarkämpfe.

Zwischen dem fiktiven Friedensschluß und dem zweiten Lysiasfeldzug war freilich eine womöglich noch größere Lücke zu überbrücken. Denn der Verfasser las aus den im elften Kapitel überlieferten Dokumenten heraus, daß König Antiochos V. in der ersten Hälfte des Jahres 148 S.Ä., also in Winterhalbjahr 165/164 v.Chr., mit dem jüdischen Aufständischen Frieden geschlossen habe. Weiterhin war ihm bekannt, daß der zweite Lysiasfeldzug und der ihm folgende Frieden in das Jahr 149 S.Ä. fielen (Makk 2,13,1), d.h. in das Herbstjahr 164/163 v.Chr. Eine Reihe von Indizien spricht sogar dafür, daß die fraglichen Ereignisse im Sommer 163 v.Chr. stattfanden.[27] Aus Makk 1,6,49 und 53 geht hervor, daß der zweite Feldzug des Lysias in ein Sabbatjahr fiel und die Aufständischen deshalb unter Nahrungsmangel litten. Im Sabbatjahr 164/163 v.Chr.[28] konnte eine solche Wirkung wegen des Ausfalls der Ernte erst im Sommer 163 v.Chr. eintreten. Zu bedenken ist auch, daß Antiochos IV. im Winter des Jahres 149 S.Ä. (= 164/163 v.Chr.) gestorben war. Den Herrscherwechsel hatte Lysias, wie urkundlich belegt ist[29], dazu benutzt, die Friedensverhandlungen mit den Aufständischen wiederaufzunehmen. Dennoch kam es nicht zum Abschluß des Friedens. Judas Makkabaios begann mit der Belagerung der Akra und durchkreuzte damit die wiederaufgenommene Friedensinitiative des Lysias.[30] Auf den Hilferuf der Belagerten entschloß sich der Kanzler, den Makkabäeraufstand mit allen zur Verfügung stehenden militärischen Mitteln niederzuschlagen. Diese Ereignisfolge sichert die Datierung des zweiten Lysiasfeldzuges in die

---

[27] Vgl. E. Bickermann, Gott der Makkabäer, 156f.
[28] Vgl. oben Anm. 17.
[29] Makk 2,11,22–26; vgl. dazu oben S. 43 mit Anm. 12.
[30] Makk 1,6,19ff.; zu Judas' Motiven vgl. unten S. 62f.

zweite Hälfte des Jahres 149 S.Ä., also in den Sommer 163 v.Chr. Für die Annahme eines Sommerfeldzuges spricht auch die Nachricht, daß die seleukidischen Kriegselefanten mit dem Saft von Trauben und Maulbeeren – beide reifen im Sommer – zum Kampf gereizt wurden.[31] Zwischen dem zweiten Feldzug des Lysias und dem vermeintlichen ersten Friedensschluß vom Winterhalbjahr 165/164 v.Chr. lag somit eine Zeitspanne von eineinhalb Jahren. Auch wenn der Verfasser des zweiten Makkabäerbuches keine genaue Vorstellung davon hatte, wann der Feldzug innerhalb des Jahres 149 stattgefunden hatte, und es immerhin möglich wäre, daß er ihn in die erste Jahreshälfte setzte, beträgt die fragliche Zeitspanne noch immer mindestens ein volles Jahr. Diese Zeit mußte mit Ereignissen ausgefüllt werden, und zwar mit solchen, die eine Erklärung dafür boten, warum Lysias nach dem (fiktiven) ersten Frieden Judäa erneut mit Krieg überzog. Dafür eignete sich der Teil der Nachbarkämpfe, der in der Überlieferung mit den Übergriffen von lokalen seleukidischen Befehlshabern oder von Nachbarvölkern begründet wurde.[32] Indem der Verfasser des zweiten Makkabäerbuches diese Kämpfe zwischen dem ersten und zweiten Lysiasfeldzug einordnete, gewann er die Möglichkeit, seiner Darstellung einen auf den ersten Blick überzeugenden chronologischen und pragmatischen Zusammenhang zu geben.

Der Versuch von Marcello Zambelli, diese Darstellung mit dem urkundlich gesicherten Todesdatum Antiochos' IV. zu verbinden, zeigt indessen, daß ihre innere Geschlossenheit auf bloßem Schein beruht und einer Probe nicht standhält. Der These Zambellis zufolge wären die Nachbarkämpfe zum größeren Teil in das erste Regierungsjahr Antiochos V. zu setzen. Der einschlägige Feldzugsbericht des zweiten Makkabäerbuches enthält jedoch ein aufschlußreiches Datum, daß diese These widerlegt: die Angabe, daß Judas Makkabaios kurz vor dem sogenannten Pfingstfest aus der Galaaditis zurückkehrte und danach zu seinem Feldzug gegen Gorgias, den Strategen von Idumäa, aufbrach. Das bedeutete nach den von Zambelli angenommenen Voraussetzungen, daß Judas Makkabaios im Mai/Juni 163 v.Chr. zu dem Feldzug aufgebrochen sein mußte, der ihn bis Aschdod führte; danach hätte er, nach Jerusalem zurückgekehrt, mit der Belagerung der Akra begonnen; einigen der Belagerten wäre es gelungen, sich nach Antiocheia durchzuschlagen, um den Kanzler Lysias zu Hilfe zu rufen; dieser hätte die notwendigen Vorbereitungen getroffen und wäre mit starker Heeresmacht nach Judäa eingefallen, er hätte die Juden besiegt, Beth-Zur zur Übergabe gezwungen und den befestigten Tempelberg belagert. Es liegt auf der Hand, daß diese Ereigniskette in den wenigen Wochen zwischen Juni und September keinen ausreichenden Platz fände. Deshalb sieht sich Zambelli genötigt,

[31] Makk 1,6,34; vgl. J. Wellhausen, a.a.O. (s.o. Anm. 8) 161f.; F.X. Kugler, Von Moses bis Paulus, Münster 1922, 353: „Die Maulbeere reift aber in Palästina Mai/Juni, die Weintraube Juli/August; im Juli konnte man also beide Früchte pflücken. Damit stimmt auch überein, daß man sich selbst geraume Zeit danach noch in dem (bis Tischri reichenden) Sabbatjahr befand (vgl. 6,49f.; 52ff.)."

[32] Vgl. Makk 2,12,2ff.; Makk 1,5,2; 5,10–15.

den zweiten Lysiasfeldzug in das Jahr 162 v. Chr. zu setzen, den ersten zusammen mit dem vermeintlichen ersten Friedensschluß in das Jahr 163 v. Chr. und damit die erste und vierte der im elften Kapitel des zweiten Makkabäerbuches mitgeteilten Urkunden den überlieferten Daten zuwider um ein Jahr herabzudatieren.[33] Das ist jedoch ebensowenig zulässig wie die Datierung des zweiten Lysiasfeldzugs in das Jahr 162 v. Chr.[34]

Zambelli berücksichtigt nicht, in welchem Umfang im zweiten Makkabäerbuch die Chronologie und die Ereignisfolge auf Grund der Verwechslung Antiochos (IV.) mit seinem gleichnamigen Sohn, Antiochos (V.), gestört sind. So hat er sich im Grunde die auf verkehrten Prämissen ruhende Darstellung des zweiten Makkabäerbuches zu eigen gemacht. Demgegenüber bietet der Bericht des ersten Makkabäerbuches keinerlei Anstoß. Er ordnet *alle* Nachbarkämpfe in die Zeit zwischen der Neueinweihung des Tempels und dem Tod Antiochos' IV. ein. Zwischen beiden Ereignissen aber liegt, wie oben gezeigt worden ist[35], eine Zeitspanne von einem Jahr (Dezember 165–November/Dezember 164 v. Chr.). Es unterliegt daher keinem Zweifel, daß die in fünften Kapitel berichteten Feldzüge innerhalb des so bemessenen Zeitraums stattfinden konnten.

Darüber hinaus läßt sich zeigen, daß die weitausgreifenden militärischen Operationen nur unter den besonderen politischen Bedingungen des Jahres 164 v. Chr. möglich waren. In der Darstellung des ersten und zweiten Makkabäerbuches kommen freilich nur die von der jüdischen Seite angegebenen Gründe zu Wort: Danach ließen lokale seleukidische Befehlshaber und die Nachbarn die Juden nicht in Frieden leben[36]; auf die Nachricht von der Neueinweihung des Tempels hätten sie mit dem Beschluß reagiert, die unter ihnen lebenden Juden auszurotten.[37] Im ersten Makkabäerbuch ist die den jüdischen Minderheiten drohende Gefahr so dramatisch dargestellt, daß Judas und seine Brüder einen Brief um Hilfe flehender Glaubensbrüder noch nicht zu Ende gelesen hatten, als schon der nächste eintraf (Makk 1,5,10–15). Die Nachbarfeldzüge waren also in jüdischer Sicht die Reaktion auf die Verfolgung, der die Juden in der benachbarten Diaspora ausgesetzt waren. Diese Begründung ist zumindest einseitig. Nicht, daß es solche Verfolgungen nicht gegeben hätte. Auf Betreiben des Strategen Ptolemaios, des Sohnes des Dorymenes, hatten die benachbarten griechischen Städte das Judäa betreffende königliche Religionsedikt übernehmen sol-

[33] M. Zambelli, a. a. O. (s. o. Anm. 8) 213–234.

[34] Dieser Ausweg scheitert schon daran, daß das Jahr 162 v. Chr. nicht in ein Sabbatjahr fiel. Auch ist zu bedenken, daß Lysias von der Eroberung des Tempelbergs nur deshalb absah, weil Philippos an der Spitze der aus den Oberen Satrapien zurückkehrenden Armee mit Berufung auf eine letztwillige Verfügung Antiochos' IV. Kanzleramt und Vormundschaft für sich forderte. Philippos wird nicht eineinhalb Jahre gewartet haben, bevor er seinen Anspruch geltend machte: vgl. E. Bikkermann, Gott der Makkabäer, 156.

[35] Vgl. oben S. 26.

[36] Makk 2,12,2–9; zu den in Vers 2 genannten seleukidischen Strategen vgl. die Hinweise von Chr. Habicht, 2. Makkabäerbuch, 261.

[37] Makk 1,5,1 f.; die Glaubwürdigkeit dieser Behauptung ist, wohl mit Recht, angezweifelt worden: vgl. K. Galling, a. a. O. (s. o. Anm. 19) 62.

len.[38] Königliche Funktionäre hatten seine Geltung auch auf die Samaritaner ausdehnen wollen.[39] Zweifellos gab es in den Gebieten, in denen jüdische Minderheiten lebten, auch Nachbarfeindschaften, die sich unter dem Vorwand des Religionsediktes in gewaltsamen Übergriffen gegen jüdisches Leben und Eigentum entluden. Aber im Spätherbst 165 v. Chr., noch vor Beginn der Nachbarfeldzüge, hatte Antiochos IV. das Verbot der jüdischen Religion widerrufen. Der Kanzler Lysias hatte Verhandlungen mit den Aufständischen angeknüpft, und er war, soweit seine Kompetenz ausreichte, ihnen entgegengekommen.[40] Etwa zur gleichen Zeit war Ptolemaios, der Sohn des Dorymenes, als Stratege von Koilesyrien abgelöst worden. Er trug für die gescheiterte antijüdische Politik entscheidende Mitverantwortung.[41] Ersetzt wurde er durch Ptolemaios, genannt Makron.[42] Ihm stellt der Verfasser des zweiten Makkabäerbuches ein lobendes Zeugnis aus: Er habe die Politik verfolgt, gegenüber den Juden das Recht zu wahren wegen des an ihnen verübten Unrechts, und er sei bemüht gewesen, mit ihnen in Frieden auszukommen (Makk 2,10,12). Ptolemaios Makron war der Exponent des im Spätherbst 165 v. Chr. von seleukidischer Seite eingeschlagenen Friedenskurses.

Die Zurückhaltung des Lysias und des Ptolemaios Makron ermöglichten es Judas Makkabaios, Jerusalem und das Heiligtum einzunehmen sowie den Tempelbezirk zu befestigen. Die seleukidische Besatzung der Akra hat dies offenbar nicht zu verhindern versucht. Ebensowenig griffen die Strategen von Koilesyrien und Idumäa ein, als die Aufständischen Beth-Zur befestigten. Auch die unmittelbar folgenden Nachbarfeldzüge wären ohne die Appeasementpolitik der seleukidischen Seite kaum möglich gewesen. Die Strategen Gorgias und Timotheos traten in den ihnen unterstellten Distrikten den einfallenden Juden zwar entgegen, aber Judäa griffen sie nicht an. Ptolemaios Makron unternahm nichts. Er wollte ja ebenso wie der Kanzler Lysias, der in Makk 2,11,13 wegen seiner Verständigungsbereitschaft als nicht unverständig bezeichnet wird, mit den Juden in Frieden auskommen und den Erfolg der schwebenden Verhandlungen nicht gefährden.

Wenn also in Makk 2,12,2 örtlichen seleukidischen Befehlshabern vorgeworfen wird, daß sie die Juden nicht in Ruhe ließen, so ist dies zumindest eine tendenziöse Übertreibung. Unter dem Vorzeichen der von Lysias und Ptolemaios Makron verfolgten Beschwichtigungspolitik dürfte die Welle der Übergriffe gegen Juden eher rückläufig gewesen sein.

Um so paradoxer mag es auf den ersten Blick erscheinen, daß Judas Makkabaios unter solchen Voraussetzungen den Aufstand auf die Nachbargebiete

---

[38] Makk 2,6,8; vgl. zu dieser Nachricht unten S. 144 f.

[39] Josephos, Ant. Jud. 12,261; zu der diesbezüglichen Eingabe der „Sidonier von Sichem" und der Antwort des Königs vgl. unten S. 142–144.

[40] Makk 2,11,18; vgl. oben S. 44 f.

[41] Zu seiner Rolle vgl. I. Lévy, a. a. O. (s. o. Anm. 14) 689 f.

[42] Zu seiner Person und Karriere vgl. I. Lévy, a. a. O. (s. o. Anm. 14) 691–699; mit wertvollen Hinweisen auf die Hintergründe, die die Erfolge der Aufständischen im letzten Lebensjahr Antiochos' IV. möglich machten.

ausweitete, sein Vorgehen also Züge einer offenen Provokation trug. Bei näherer Prüfung drängt sich jedoch die Vermutung auf, daß diesem Vorgehen eine einfache politische Berechnung zugrunde gelegen hat. Judas mußte befürchten, daß Opfer der Friedenspolitik zu werden. Mit der von Lysias und Ptolemaios Makron offenbar geduldeten Einnahme und Wiedereinweihung des Heiligtums hatte er zwar den Versuch des Königs durchkreuzt, Menelaos wieder zum Hohenpriester Jahwes zu machen und unter dessen Herrschaft den Zustand wiederherzustellen, der vor dem Religionsverbot bestanden hatte.[43] Aber damit war keineswegs ausgeschlossen, daß Menelaos eines Tages doch fallengelassen und die auf der Thora beruhende Ordnung unter einem Hohenpriester restauriert würde, auf den sich die seleukidische Seite und die jüdischen Frommen einigen konnten. Daß dies nicht Judas Makkabaios sein würde, war abzusehen. Den einflußreichen „Bund der Frommen" hatte die Verfolgung der jüdischen Religion in das Lager der Makkabäer getrieben. Aber in den Augen der Frommen war der Makkabäeraufstand bestenfalls eine „kleine Hilfe".[44] Prinzipiell waren sie bereit, Frieden zu schließen, wenn nur die auf der Thora beruhende Ordnung wieder zur Grundlage der jüdischen Lebensform gemacht würde, und alles übrige dem Eingreifen Gottes zu überlassen. Einen Hohenpriester Menelaos hätten sie niemals hingenommen. Aber im Gegensatz zum König bestand der Kanzler Lysias ja nicht auf der Herrschaft des Menelaos.[45] Die Makkabäer und der engere Kreis ihrer Anhänger mußten also damit rechnen, daß sie unter Umständen in die Isolierung gerieten.

Somit ist es verständlich, wenn Judas Makkabaios unter Hinweis auf Verfolgungen, denen die Glaubensbrüder der Diaspora ausgesetzt waren, den Schauplatz des Aufstandes ausweitete. Um die Wiederzulassung der jüdischen Religion brauchte nicht mehr gekämpft zu werden. Eine neue Kampfeslosung mußte gefunden werden, damit die Einheit der Aufständischen erhalten blieb. Sie lautete: Rettung bedrohter Glaubensbrüder und Rache für das den Juden zugefügte Unrecht. Damit erreichte Judas die Fortsetzung und Ausweitung des Aufstandes. Im Verlauf der Nachbarfeldzüge gelang es ihm, Juden aus Galiläa und aus der Galaaditis nach Judäa umzusiedeln.[46] Den Makkabäern schlossen sich auch jüdische Kleruchen an, die in der Zeit der ptolemäischen Herrschaft im Ostjordanland angesiedelt worden waren.[47] Dort hatte sich der aus dem Geschlecht der Tobiaden stammende jüdische Dynast Hyrkanos in einer halbunabhängigen

---

[43] Vgl. dazu oben S. 45f.

[44] So das Buch Daniel 11,34; vgl. Porphyrios, in FGrHist 260 F 52.

[45] Makk 2,11,18f.; 13,4; Josephos, Ant. Jud. 12,384f.; vgl. dazu unten S. 64f.

[46] Makk 1,5,23; 45; vgl. K. Galling, a.a.O. (s.o. Anm. 19) 64–66; 72–75.

[47] Vgl. Makk 1,5,13; Makk 2,12,17 und 35; daß die dort erwähnten Tubiener Juden sind, die aus den ehemaligen ptolemäischen Kleruchien des Ostjordanlandes stammten, hat B. Niese erkannt: Geschichte der griechischen und makedonischen Staaten seit der Schlacht bei Chäronea, Bd. III, Gotha 1903, 226 Anm. 1; vgl. M. Hengel, Judentum und Hellenismus, 502; A. Schalit, Herodes der Große. Der Mann und sein Werk, Berlin 1969, 197 Anm. 180. Der Name Tubiener ist von Tobias, dem jüdischen Befehlshaber der ptolemäischen Militärsiedler und Großvater des von Antiochos IV. gestürzten Hyrkanos, abgeleitet.

Stellung behaupten können, bis Antiochos IV. ihn zu Fall brachte.[48] Die traditionelle Loyalität gegenüber den Ptolemäern und dem Tobiaden Hyrkanos mochte manchen jüdischen Militärsiedler dazu bestimmen, den Kampf gegen die Seleukiden – auf seiten der Makkabäer – fortzusetzen. Zweifellos waren sie für die Aufständischen eine wertvolle Verstärkung. Denn aus ihnen rekrutierte sich eine kriegserfahrene Reiterei: Einer dieser berittenen Kleruchen ist in Makk 2,12,35 durch namentliche Erwähnung ausgezeichnet.

So ist es Judas Makkabaios gelungen, auch solche Juden aus der Diaspora an sich zu binden, die von anderen Motiven als der „Bund der Frommen" bestimmt waren: Menschen, die Sicherheit vor künftigen Verfolgungen suchten oder wegen alter Loyalitäten Gegner Antiochos' IV. waren. Ihre Übersiedlung nach Judäa schuf freilich ein neues Problem. Sie brauchten eine neue Existenzgrundlage: Land, Vieh und zur Überwindung der Anfangsschwierigkeiten Abgabenfreiheit. Ähnliche Ansprüche stellten gewiß auch diejenigen, die anläßlich des im Jahre 168 v. Chr. verhängten Strafgerichts enteignet worden waren. Wer damals mit dem Leben davon gekommen war, wird sich im Lager der Aufständischen eingefunden haben. Das enteignete Land hatte der König an die heidnischen Militärsiedler und an solche Juden verteilt, die von der Religion ihrer Väter abgefallen waren.[49] Nur auf deren Kosten konnten die Ansprüche und Erwartungen der enteigneten und übergesiedelten Juden befriedigt werden. Tatsächlich scheint Judas Makkabaios schon im Jahre 164/163 v. Chr. auf das betreffende Land zurückgegriffen zu haben.[50] Ein Friedensschluß konnte aber diese Umwälzung der Besitzverhältnisse wieder rückgängig machen. Denn es war damit zu rechnen, daß der König nach Wiederherstellung der auf dem ‚Gesetz' beruhenden Lebensordnung weiter seine schützende Hand über seine jüdischen Parteigänger halten und auf eine Restituierung ihres Besitzes dringen würde. Schließlich ist auch zu bedenken, daß die überaus harte Besteuerung Judäas mit zur Ausbreitung des Makkabäeraufstandes beigetragen hatte.[51] Angesichts des notorischen Geldbedarfs der seleukidischen Könige durfte nicht erwartet werden, daß Antiochos IV. in diesem Punkt nachgeben würde. Eine Wiederherstellung der seleukidischen Oberherrschaft konnte deshalb, unbeschadet der Religionsfrage, den Enteigneten und Notleidenden nicht willkommen sein.

Für Judas und seine Brüder aber ging es um die Selbstbehauptung, wenn nicht gar um das Überleben. Deshalb mußten die Makkabäer versuchen, den für sie

---

[48] Vgl. M. Hengel, Judentum und Hellenismus, 501 f.

[49] Dan 11,39; vgl. Makk 1,3,36. Die Ansiedlung der Fremden in der Akra erfolgte wahrscheinlich nach den üblichen, in dem Brief Antiochos' III an Zeuxis beschriebenen Bedingungen: Josephos, Ant. Jud. 12,148–153, besonders 151: . . . εἴς τε οἰκοδομίας οἰκιῶν αὐτοῖς δώσεις τόπον ἑκάστῳ καὶ χώραν εἰς γεωργίαν καὶ φυτείαν ἀμπέλων, καὶ ἀτελεῖς τῶν ἐκ τῆς γῆς καρπῶν ἀνήσεις ἐπὶ ἔτη δέκα. Zur Interpretation des Dokuments vgl. neuerdings C. M. Cohen, The Seleucid Colonies. Studies in Founding, Administration, and Organization, Historia Einzelschr. 30, Wiesbaden 1978, 5–9 mit Literatur.

[50] Makk 1,6,24; über die – in eine spätere Zeit gehörende – Vertreibung der nichtjüdischen Kolonisten vgl. Makk 1,10,13.

[51] Vgl. dazu unten S. 111 ff.

bedrohlichen Frieden abzuwenden. Der Religionskrieg, der von Anfang an auch Züge einer sozialen Erhebung getragen hatte, schlug so in einen Krieg um, in dem für soziale und politische Ziele gekämpft wurde. Die Tatsache, daß Antiochos IV. in der Religionsfrage nachgab, konnte die Folgen seiner verfehlten Politik nicht aus der Welt schaffen. Schon im Jahre 164 v. Chr. ging es den Makkabäern um die Stärkung ihrer eigenen Stellung sowie um die Gewinnung der Selbständigkeit, und in Judäa gab es Kräfte, die sie zu unterstützen bereit waren.

Aus dieser Konstellation wird auch die Politik verständlich, die Judas Makkabaios nach der Thronbesteigung Antiochos' V. verfolgte. Lysias hatte den neuen König zu der schriftlichen Erklärung veranlaßt, daß er beabsichtige, den Juden das Heiligtum zu restituieren und die alte, auf die Thora gegründete Ordnung wiederherzustellen; er hatte darüber hinaus seinen Kanzler ermächtigt, den Juden die gewünschten Garantien zu geben.[52] Lysias hatte sich mit seinem Friedensplan durchgesetzt, und er ließ den Aufständischen sofort eine Abschrift des königlichen Schreibens überbringen. Es war immerhin möglich, daß der einflußreiche „Bund der Frommen" friedensbereit sein würde. Gerade deshalb beantwortete Judas das Friedensangebot mit der Belagerung der seleukidischen Militärsiedlung in der Akra. Gewiß ist zu bedenken, daß dem Bericht des ersten Makkabäerbuches zufolge (6,18) die Besatzung der Akra mit den Feindseligkeiten begann und den Tempelbezirk einschloß. Begrenzte Zusammenstöße zwischen Angehörigen der seleukidischen Besatzung und aufständischen Juden, aus denen sich leicht der Vorwurf eines einseitigen Angriffs herleiten ließ, mag es tatsächlich gegeben haben. Dennoch ist die Version des ersten Makkabäerbuches nicht glaubhaft. Antiochos V. hatte seinen Friedenswillen durch das an Lysias gerichtete Schreiben bekundet und den Kanzler ermächtigt, Garantien zu geben. Es ist mehr als unwahrscheinlich, daß die Besatzung der Akra aus eigenem Entschluß mit der Zernierung des Heiligtums begann. Die Absicht von König und Kanzler, mit den Aufständischen Frieden zu schließen, wird ihr schließlich bekannt gewesen sein. Hinzu kommt, daß die Besatzung viel zu klein war, um den Tempelbezirk angesichts der Überzahl der Stadt und Heiligtum kontrollierenden Aufständischen einschließen zu können. Demnach war Judas Makkabaios der Angreifer. Die Anwesenheit des „Sündervolkes" in der alten Davidstadt[53] war den Frommen von Anfang an ein Greuel. So war die Eroberung der Akra gewiß ein Ziel, für das auch der „Bund der Frommen" wieder zu den Waffen griff. Noch einmal war es Judas gelungen, die auseinander strebenden Kräfte im eigenen Lager zu vereinen und einen Frieden zu den angebotenen Bedingungen zu verhindern.

Spätestens zu diesem Zeitpunkt muß auch dem königlichen Hof klar geworden sein, daß die Beschwichtigungspolitik und die Bereitschaft, die traditionelle Verfassung und Lebensform der Juden wiederherzustellen, nicht zu einer Befriedung Judäas führten. Die Nachricht in Makk 2,10,12f., daß Ptolemaios

[52] Makk 2,11,22–26; vgl. oben S. 41f.

[53] Makk 1,1,33f.; 2,31; 7,32; 13,21; die Lage der Akra und damit der Davidstadt ist umstritten: vgl. E. Schürer, History I, 154 Anm. 39 mit Literatur.

Makron wegen seiner gegenüber den Juden verfolgten Friedenspolitik im Rat der ‚Freunde des Königs' als Verräter angeklagt wurde, dürfte in die Zeit der erneuten Umorientierung der seleukidischen Politik gehören. Der Kanzler und Vormund des Königs war unangreifbar, – gestürzt wurde der Stratege, der in Koilesyrien die nächste Verantwortung für den gescheiterten Kurs trug. Es wurde beschlossen, den Aufstand in Judäa unter Aufgebot aller zur Verfügung stehenden Kräfte niederzuschlagen. Im Sommer 163 v. Chr. wurde Judas Makkabaios in der Schlacht bei Beth-Sacharja geschlagen, die Festung Beth-Zur eingenommen und der Tempelberg eingeschlossen.[54] Da erhielt Lysias die Nachricht, daß Philippos an der Spitze der Truppen, die Antiochos IV. in die Oberen Satrapien begleitet hatten, zurückgekehrt sei und Kanzleramt und Vormundschaft für sich beanspruche.[55] Deshalb verzichtete er auf die Eroberung des Heiligtums und schloß mit dem „Bund der Frommen" und den religiösen Führern der Juden auf der Grundlage der angebotenen Bedingungen Frieden[56]: Der alte, schwer belastete Hohepriester Menelaos wurde hingerichtet, Alkimos unter Zustimmung der Schriftgelehrten zum neuen Hohenpriester bestimmt, das Heiligtum einschließlich der alten Privilegien restituiert. Erhalten blieb die seleukidische Militärsiedlung in der Akra, die Befestigungen des Tempelbezirks wurden geschleift.

Die Phase der Religionskriege war damit endgültig beendet. Seit dem Widerruf des Religionsedikts durch Antiochos IV. war es ohnehin nicht mehr um das Überleben der Religion der Väter gegangen, sondern um die politischen Bedingungen, unter denen die Restauration der alten Ordnung vollzogen werden sollte. Verwunderlich ist das angesichts der nach Widerruf des Religionsedikts eingetretenen Situation nicht. Um so bemerkenswerter ist, wie leicht Kanzler, König und Hoherpriester sich bereit gefunden hatten, den Glaubenszwang aufzuheben, als er auf ernsthaften Widerstand traf. Fanatischer Glaubenseifer, dem an der Durchsetzung der ‚wahren' Religion alles gelegen ist, sucht man auf ihrer Seite vergeblich. Ihr Kurswechsel war in durchsichtiger Weise von Erwägungen politischer Opportunität bestimmt.

[54] Makk 1,6,31–54; zur Schlacht bei Beth-Sacharja vgl. B. Bar-Kochva, a. a. O. (s. o. Anm. 12) 174–183.

[55] Makk 1,6,55 f. (vgl. 6,14 f.); Makk 2,13,23.

[56] Aus Makk 1,6,60–63 und 7,13–18; 20 hat W. Mölleken, Geschichtsklitterung im I Makkabäerbuch (Wann wurde Alkimus Hoherpriester?), ZATW 65, 1953, 213 ff. den ursprünglichen Bericht über den Friedensschluß und die unmittelbar folgenden Ereignisse zurückzugewinnen versucht. Gesichert ist seitdem, daß Alkimos anläßlich des nach dem zweiten Lysiasfeldzug geschlossenen Friedens mit Zustimmung des ‚Bundes der Frommen' zum Hohenpriester ernannt wurde. In diesem Punkte ist Mölleken nicht widerlegt worden; kritische Einwände – vgl. A. Momigliano, The Second Book of Maccabees, CPh 70, 1975, 85 Anm. 4 – betreffen die Substanz seiner diesbezüglichen Argumentation nicht.

# III. Die hellenistische Reform in Jerusalem

## *1. Hintergründe und Motive*

Beim Regierungsantritt Antiochos' IV., im Herbst des Jahres 175 v. Chr., war ein innerjüdischer Machtkampf, der schon unter Seleukos IV. ausgebrochen war, noch nicht beigelegt. In Jerusalem war es dem Tempelvorsteher Simon, der im Auftrag des seleukidischen Oberherrn die Finanzen des Heiligtums kontrollierte[1], gelungen, den des Hochverrats verdächtigten Hohenpriester Onias III. so in Schwierigkeiten zu verwickeln, daß er sich nach Antiocheia begeben und Seleukos IV. um Intervention gebeten hatte.[2] Bevor dieser jedoch irgendeine Entscheidung hatte treffen können, war er dem Mordanschlag seines Kanzlers Heliodor zum Opfer gefallen. Antiochos IV., sein Bruder und Nachfolger, war naturgemäß daran interessiert, den schwelenden Konflikt in Judäa zu bereinigen und auch hier die lokale Selbstverwaltung zuverlässigen Parteigängern anzuvertrauen. Den der Illoyalität verdächtigen alten Hohenpriester wieder in sein Amt einzusetzen, mochte deshalb bedenklich erscheinen, zumal die Familie des Tempelvorstehers Simon, die das besondere Vertrauen des königlichen Hauses genoß, in der Restitution Onias' III. gewiß einen schweren Affront erblickt hätte. Auf der anderen Seite sprachen aber auch gute Gründe dagegen, den loyalen Simon zum Hohenpriester zu erheben. Zwar gehörte dieser einem priesterlichen Geschlecht, der Sippe Bilga, an, aber das hohepriesterliche Amt war längst in der Familie der Oniaden erblich geworden. Es konnte deshalb nicht ausgeschlossen werden, daß es in Judäa zu neuen, unkontrollierbaren Schwierigkeiten kommen würde, wenn sich der König über die wohlbegründeten Ansprüche dieser mächtigen Familie hinwegsetzte.

Die Lage, die Antiochos IV. bei seiner Thronbesteigung in Judäa vorfand, barg also noch immer gefährlichen Sprengstoff. Ein unvermuteter Ausweg aus den Schwierigkeiten schien sich darzubieten, als ein Bruder des alten Hohenpriesters namens Jason mit dem Regierungswechsel in Antiocheia seine Stunde gekommen sah und den Versuch unternahm, sich die hohepriesterliche Würde zu verschaffen. Dem König blieb somit die mißliche Wahl zwischen den bisherigen Rivalen erspart. Er mochte hoffen, in Judäa mit dem Oniaden Jason einen neuen Anfang machen zu können. Vor allem war dieser bereit, sich die Erhebung zum Hohenpriester erhebliche Summen kosten zu lassen. Er versprach dem König eine Erhöhung des jährlichen Tributs[3] und zusätzlich eine einmalige

---

[1] Vgl. E. Bickermann, Héliodore au temple de Jérusalem, AIPhO 7, 1938–1944, 7f.

[2] Makk 2,3,3–6 und 4,1–6.

[3] Makk 2,4,8; er bot an, die jährlichen Zahlungen von 300 auf insgesamt 440 Talente zu steigern: vgl. unten S. 115.

Zahlung in Höhe von 150 Talenten, wenn ihm erlaubt würde, in Jerusalem Gymnasium und Ephebie zu gründen sowie die Bürgerliste für eine projektierte Polis der „Antiochier in Jerusalem" aufzustellen.[4] Jason beabsichtigte also nichts weniger, als mit königlicher Bewilligung die politische Verfassung Jerusalems und Judäas nach dem Vorbild einer hellenistischen Polis umzugestalten. Gymnasium und Ephebie sowie die Aufstellung der Bürgerliste waren hierzu die ersten, vorbereitenden Schritte.

Die Initiative zu dieser politischen Hellenisierung des jüdischen Ethnos ging, wie nachdrücklich festgehalten werden muß, nicht von Antiochos IV. aus. Zwar darf vermutet werden, daß der neue Herrscher sich von einer Bürgerschaft der „Antiochier in Jerusalem" jene Treue zum seleukidischen Herrscherhaus versprach, die die griechischen Städte mit dynastischem Namen auszeichnete. Doch lag in einer solchen Erwartung, wenn sie ihm wirklich zugeschrieben werden kann, allenfalls ein sekundäres oder, genauer, ein zusätzliches Motiv für die Gewährung des von Jason erbetenen Privilegs. Der König brauchte vor allem Geld, und Jason war bereit, zu zahlen, wenn ihm erlaubt würde, die Umwandlung Jerusalems in eine hellenistische Polis mit jüdischer Bürgerschaft vorzubereiten.

Die hellenistische Reform in Jerusalem ging also auf die Initiative des Jason zurück, und es ist nicht schwer herauszufinden, wen er mit dieser Reform gewinnen wollte. Zahlreichen Juden, insbesondere Angehörigen der priesterlichen Oberschicht, war die Übernahme der gesellschaftlichen und politischen Institutionen der griechischen Städte erwünscht und willkommen. Der Überlieferung zufolge leisteten Priester in dem neugegründeten Gymnasium Choregendienste und verteilten Öl an die Epheben. Der Hohepriester selbst soll sich ein Vergnügen daraus gemacht haben, die vornehmsten Epheben in das Gymnasium zu führen.[5] Die hellenistische Reform mußte also der jüdischen Oberschicht nicht aufgezwungen werden. Sie wird vielmehr einem verbreiteten Bedürfnis entsprochen haben. So gesehen, kann es keinem Zweifel unterliegen, daß Jason den Makel, das Hohepriesteramt gekauft zu haben, durch eine Reform zu kompensieren gedachte, die ihm die Zustimmung von seiten der führenden Schicht Judäas einbringen sollte.

Die Option *für* Gymnasium, Ephebie und Polisverfassung bedeutete keine Entscheidung *gegen* die Religion und das ‚Gesetz' der Väter.[6] Was die Reformer beabsichtigten, war nicht mehr und nicht weniger, als den Anschluß an die nichtgriechischen Nachbarn und die Glaubensbrüder der Diaspora zu gewinnen, denen der Zutritt zu Gymnasium und Ephebie nicht verwehrt war. In Antiocheia am Orontes muß es bereits unter Seleukos I. Nikator jüdische Epheben

---

[4] Makk 2,4,9; zur Interpretation vgl. unten S. 84ff.

[5] Makk 2,4,12–15; der Verfasser des zweiten Makkabäerbuches spricht in diesem Zusammenhang von einer „Blüte des Hellenismus" und von einem „Zulauf zur Fremdtümelei". Vgl. auch Makk 1,1,11–15.

[6] Zu den anderslautenden, polemischen Behauptungen des ersten und zweiten Makkabäerbuches vgl. unten S.145–147.

gegeben haben. Der König ordnete unter Berücksichtigung der rituellen Reinheitsvorschriften der Juden an, daß jüdischen Epheben im Gymnasium anstelle des Öls ein entsprechender Geldbetrag auszuhändigen sei.[7] In Ägypten, wo der einheimischen Bevölkerung der Zugang zum Gymnasium verschlossen blieb, stand er dem im Lande ansässigen Persern und Juden, vor allem den persischen und jüdischen Militärsiedlern, prinzipiell offen.[8] Der einzelne Jude fand durch den Eintritt in das Gymnasium Anschluß an das führende Volk der hellenistischen Welt, ohne daß er deswegen mit der Religion und der Tradition seines eigenen Volkes brechen mußte. Die überwältigende Mehrheit der jüdischen Kleruchen, Steuerpächter und Geschäftsleute, die in Alexandria und Ägypten lebten, bekannten sich weiter zu dem Gott ihrer Väter[9], und nur sofern es einem Juden gelang, in den kleinen Kreis der höchsten Würdenträger aufzusteigen, war es für ihn schwierig, am Judentum festzuhalten. Im dritten Makkabäerbuch heißt es von Dositheos, dem Sohn des Drimylos: „Er war seiner Herkunft nach ein Jude, später fiel er vom Gesetz ab und entfremdete sich dem väterlichen Glauben."[10] Dositheos bekleidete um das Jahr 240 v. Chr. das Amt des *Hypomnematographos* – er war also einer der beiden Leiter des königlichen Sekretariats; im Jahre 225/24 v. Chr. begleitete er Ptolemaios III. Euergetes auf einer Inspektionsreise durch Ägypten und vor der Schlacht bei Raphia, im Jahre 217 v. Chr., rettete er Ptolemaios IV. Philopator bei einem Mordanschlag das Leben. Schon für das Jahr 222 v. Chr. ist Dositheos als Priester Alexanders und der vergöttlichten Ptolemäer bezeugt.

Eine solche Karriere war ungewöhnlich, um nicht zu sagen, einzigartig. Eher könnte man an andere Vorbilder denken, die den Weg wiesen, durch Assimilation an die griechische Gesellschaft aufzusteigen und doch am Judentum festzuhalten: vor allem den aus dem Geschlecht der Tobiaden stammenden Josephos und seine Söhne.[11] Josephos hatte es unter Ptolemaios III. Euergetes angeblich bis zum Generalsteuerpächter Syriens und Phoinikiens gebracht, und er war noch im zweiten Jahrhundert v. Chr. für den Autor des sogenannten Tobiadenromans das Musterbild des reichen, in die vornehme Hofgesellschaft integrier-

---

[7] Josephos, Ant. Jud. 12,120; die Anordnung bezog sich auf Juden, die das Bürgerrecht von Antiocheia am Orontes besaßen: vgl. E. Bickermann, The Historical Foundations of Postbiblical Judaism, in: The Jews – Their History, Culture and Religion, eb. by L. Finkelstein, Vol. I, New York 1949,91 = From Ezra to the Last of the Maccabees, New York 1962, 53.

[8] Vgl. W. Peremans, Vreemdelinge en Egyptenaaren in Vroeg – Ptolemaeïsche Egypte, Receuil des travaux publié par les membres des Conférences d'Histoire et de Philologie, 2e série 43e fasc., Louvain 1943, 173–199; zum Gymnasium im hellenistischen Osten vgl. auch M. Hengel, Judentum und Hellenismus, 120–130 (mit Literaturhinweisen).

[9] Vgl. M. Hengel, Juden, Griechen und Barbaren, Stuttgarter Bibelstudien 76, Stuttgart 1976, 126 ff.: „Für einen jüdisch-paganen Synkretismus in vorrömisch-hellenistischer Zeit haben wir so für Ägypten kaum echte Belege" (143).

[10] Makk 3,1,3:; zum folgenden vgl. A. Fuks, Dositheos Son of Drimylos: A Prosopographical Note, JJP 7/8, 1953/54, 205–209.

[11] Zum ‚Tobiadenroman' bei Josephos, Ant. Jud. 12, 154–236 vgl. M. Hengel, Judentum und Hellenismus, 490–503 mit Literatur.

ten jüdischen Magnaten. Martin Hengel zufolge[12] entsprachen die Absichten der hellenistischen Reformer in Jerusalem genau der Tendenz des Tobiadenromans: Dem Generalsteuerpächter wird dort nachgerühmt, daß er „ein edler und großzügiger Mann, der das jüdische Volks aus Armut und elenden Verhältnissen zu einer glanzvollen Lebensgrundlage geführt hat"[13], gewesen sei. Was die Reformer anbelangt, so schreibt Hengel ihnen die Auffassung zu, daß nur „ein enger wirtschaftlicher, politischer und kultureller Kontakt mit der nichtjüdischen hellenisierten Umwelt ... die Lage der Juden in Palästina verbessern" könnte.

Doch wäre auch diese konstruierte Analogie zwischen dem Josephos des Tobiadenromans und den hellenistischen Reformern in Jerusalem in mehrfacher Hinsicht schief. Man mag darüber hinwegsehen, daß Josephos zwar selber unermeßlich reich wurde, daß sich aber dadurch die Lage des jüdischen Volkes in Palästina schwerlich bessern konnte. Wichtiger ist folgendes: Die Tatsache, daß zu seiner Zeit Jerusalem weder Gymnasium noch Ephebie, geschweige denn eine Polisverfassung besaß, war für seinen persönlichen Aufstieg am Hofe Ptolemaios' III. ohne jede Bedeutung. Umgekehrt darf den Reformern in Jerusalem, deren wirtschaftliche Unabhängigkeit auf ihrer erblichen Zugehörigkeit zum Priesterstand beruhte[14], schwerlich unterstellt werden, daß sie am Hofe von Antiocheia in den engeren Kreis der ‚Freunde des Königs' hätten Aufnahme finden wollen und um eines solchen sozialen Aufstiegs willen die Reform ins Werk gesetzt hätten. Die ‚Freunde des Königs' waren ohnehin ausschließlich Griechen und Makedonen[15], und der Ausnahmefall des Dositheos konnte den Reformern um so weniger als Vorbild dienen, als dieser seinen Aufstieg in die engste Führungsschicht des Ptolemäerreiches mit dem Abfall vom Judentum erkauft hatte.

Die hellenistische Reform in Jerusalem erklärt sich also schwerlich aus dem Streben einzelner, außerhalb Judäas voranzukommen oder gar in die „herrschende Gesellschaft der hellenistischen Monarchien" aufzusteigen. Sie war, wie sich zeigen wird, auch kein Mittel zur Steigerung des Wohlstandes.[16] Ebensowenig ging es darum, der griechischen Sprache und Bildung Eingang zu verschaffen. Auf diesem Felde war der Einfluß des Griechentums längst wirksam geworden.[17] Auch in Judäa hatte sich der Brauch eingebürgert, griechische Namen zu tragen; die Kenntnis der griechischen Sprache war verbreitet; und auch soviel darf als gesichert gelten, daß in der jüdisch-palästinensischen Literatur das Lebensgefühl und die geistige Einstellung des Hellenismus Spuren hinterlas-

---

[12] M. Hengel, Judentum und Hellenismus, 491 nach V. Tcherikover, Hellenistic Civilization and the Jews, 134; 140.

[13] Josephos, Ant. Jud. 12,224 in der Übersetzung von M. Hengel, Judentum und Hellenismus, 491.

[14] Vgl. dazu unten S. 78 ff.

[15] Vgl. Chr. Habicht, Die herrschende Gesellschaft in den hellenistischen Monarchien, VSWG 45, 1958, 1–16.

[16] Näheres hierzu unten S. 74 ff.

[17] Vgl. dazu die grundlegende und mit reichen Einzelnachweisen versehene Darstellung M. Hengels, Judentum und Hellenismus, 108–198.

sen haben.[18] Nichts wäre verkehrter, als dem palästinensischen Judentum des dritten und frühen zweiten Jahrhunderts vorzuwerfen, daß es sich dem Einfluß der griechischen Kultur und Zivilisation völlig verschlossen und die Auseinandersetzung mit ihr gemieden hätte.

Gerade auf diese Weise aber war ein Mißverhältnis zwischen der vornehmlich die Oberschicht erfassenden kulturellen Hellenisierung und der in nichtgriechischen Formen verharrenden politischen und gesellschaftlichen Verfassung des jüdischen Ethnos aufgetreten.[19] Judäa besaß seine traditionelle Verfassung: Das überlieferte ‚Gesetz des Himmelsgottes' war nicht nur Grundlage des religiösen Lebens, auf ihm beruhte auch die gesellschaftliche und politische Ordnung. Als Antiochos III. Judäa in Besitz nahm, bestätigte er wie die früheren Oberherren diese traditionelle Ordnung.[20] Nicht für ein Jahr gewählte Magistrate, sondern ein Hoherpriester aus dem Geschlecht der Oniaden stand lebenslänglich an der Spitze des jüdischen Ethnos; ihm zur Seite stand kein auf Zeit gewählter oder durch das Los bestimmter Rat, sondern ein aristokratischer Ältestenrat, in dem Angehörige des Priesterstandes die Führung innehatten. Es gab keine Bürgerschaft der ‚Gleichen', sondern das Ethnos gliederte sich in die Masse der arbeitenden, vorwiegend bäuerlichen Bevölkerung und in die beiden privilegierten Stände der Priester und des übrigen Kultpersonals, der Leviten.

Diese gänzlich unhellenische Verfassung des jüdischen Ethnos bildete nicht nur einen Kontrast zu der weit fortgeschrittenen kulturellen Hellenisierung seiner Oberschicht; sie stach auch im Laufe der Zeit immer mehr von der voranschreitenden politischen Hellenisierung des Vorderen Orients ab. Nicht nur, daß die makedonischen Militärsiedlungen und die aus ihnen hervorgegangenen Städte Gymnasium und Polisverfassung besaßen.[21] Auch in den nichtgriechischen Städten Südsyriens, besonders in den phoinikischen, war das Gymnasium eine längst eingebürgerte Institution.[22] Die Verfassung der phoinikischen Städte entsprach, vor allem nachdem das Stadtkönigtum gestürzt worden war, ohnehin dem Verfassungstypus, der den Griechen vertraut war.[23] Hinzu kommen die

---

[18] Vgl. die ausführliche Erörterung der einschlägigen Probleme durch M. Hengel, Judentum und Hellenismus, 199–318 mit zahlreichen Literaturhinweisen; besondere Hervorhebung verdient die Bestimmung des Verhältnisses von Jüdischem und Hellenistischem in Quolehet, die E. Bickermann vorgenommen hat: Four Strange Books of the Bible, New York 1967, 141 ff.

[19] So mit Recht F. Millar, The Background to the Maccabean Revolution: Reflections on Martin Hengel's „Judaism and Hellenism", JJS 29, 1978, 6–9.

[20] Zu der bei Josephos, Ant. Jud. 12,138–144 erhaltenen Urkunde vgl. die grundlegende und ausführliche Interpretation E. Bickermanns: La Charte séleucide de Jérusalem, REJ 100, 1935, 4–35.

[21] Vgl. C. M. Cohen, The Seleucid Colonies. Studies in Founding, Administration and Organization, Historia Einzelschr. 30, 1978, 84; 87 – direkte Bezeugungen von Gymnasien sind für den seleukidischen Herrschaftsbereich nicht häufig; sie sind gesammelt von M. Launey, Recherches sur les armées hellénistiques, Bibl. des Écoles franç. d'Athènes et de Rome, Bd. II, Paris 1950, 869–874.

[22] Dies geht aus den unten (Anm. 29–37) aufgeführten Zeugnissen zweifelsfrei hervor; zum folgenden vgl. E. Bickermann, Sur une inscription grecque de Sidon, Mélanges syriens offerts à M. R. Dussaud, Bd. II, Bibliothèque archéologique et historique 30, Paris 1939, 91–99 und M. Hengel, Judentum und Hellenismus, 131–133.

[23] Vgl. A. H. M. Jones, The Cities of the Eastern Roman Provinces, Oxford 1971², 238. In Tyros

alten Handels- und kulturellen Beziehungen. Die ‚Verwandtschaft' zwischen Phoinikern und Griechen war längst durch den Mythos sanktioniert: Kadmos, der Gründer Thebens, stammte von Agenor, dem König von Sidon ab, der seinerseits ein Sohn des Phoroneus, König in Argos, war, und Kadmos hatte den Griechen die Schrift gebracht.[24] In dem Epigramm auf den Begründer der Stoa, Zenon von Kition, hat der Stoiker Zenodotos auch dem Selbstbewußtsein Phoinikiens ein Denkmal gesetzt:

„Hat dich Phoinikien geboren, wer wollte es tadeln? Dort stand auch
Kadmos' Wiege, und ihm danken die Griechen die Schrift."[25]

Seit dem dritten Jahrhundert spielten Phoiniker in der Geschichte der griechischen Philosophie, vornehmlich der stoischen, eine Rolle[26], und sie nahmen, wie die folgende Übersicht zeigt, als ‚Verwandte' der Griechen gleichberechtigt an allen panhellenischen Spielen teil: Schon um das Jahr 270 v. Chr. errangen der Sidonier Sillis und der Byblier Timokrates auf Delos einen Sieg im Faustkampf.[27] Sidon feierte um das Jahr 200 v. Chr. den Suffeten – δικαστής – Diotimos als Sieger im nemäischen Wagenrennen in einer kunstvollen Versinschrift, die eine Brücke zwischen seinem Sieg und der ‚Verwandtschaft' zwischen Argivern, Thebanern und Phoinikern schlägt.[28] Eine Inschrift der gleichen Zeit rühmt einen anderen Diotimos, Sohn des Abdubastios, der unter der Agonothesie des Apollophanes, des Sohnes des Abdyzomunos, in Sidon bei den Wettkämpfen zu Ehren des Delphischen Apoll den Sieg im Ringkampf davongetragen hatte.[29] Tyros war ohnehin durch die von Alexander d. Gr. zu Ehren des Herakles/Melkart veranstalteten Spiele längst eine Stätte hellenischer Wettkämpfe geworden.[30] Im Jahre 191 oder 182/81 v. Chr. wurde der Sidonier Poseidonios, Sohn des Polemarchos, bei den Panathenäischen Spielen Sieger im Doppellauf;[31] im Jahre 184 v. Chr. siegten Lysanias, Sohn des Theodoros, und Hieron aus Laodikeia in Phoinikien (= Berytos) im Wagen- und Pferderennen.[32] Zwei Jahre später fiel dem Sidonier Dionysios bei den athenischen Spielen zu

---

und Sidon waren seit dem frühen dritten Jahrhundert v. Chr. Suffeten die obersten Magistrate; die Verfassungen entsprachen vermutlich der karthagischen, und diese hatte bereits Aristoteles in eine Reihe mit griechischen Verfassungen gestellt, die als vorbildlich galten: Politik 1272 b 24–1273 b 26.

[24] Vgl. Hellanikos, FGrHist 4 F 36 mit Herodot 2,49,3 und 5,57 f.; Weiteres bei M. Hengel, Judentum und Hellenismus, 132 f. mit Anm. 117–119.

[25] Diogenes Laert. 7,30 = Anthol. Graec. 7,117.

[26] Vgl. M. Hengel, Judentum und Hellenismus, 157–160.

[27] IG XI,2 nr. 203,68.

[28] Ph. Le Bas – H. Waddington, Voyage archéologique en Grèce at en Asie Mineure, Bd. II, Inscriptions, Paris 1847–1873, nr. 1866 a; der Text der Inschrift ist neu herausgegeben worden von E. Bickermann, a. a. O. (s. o. Anm. 24) 91.

[29] Le Bas – Waddington, a. a. O. (s. vorige Anm.) nr. 1866 c; dazu E. Bickermann, a. a. O. (s. o. Anm. 24) 96 f.

[30] Vgl. Arrian, Anab. 2,24,6; 3,6,1; Diodor 17,46,6 mit Makk 2,4,18.

[31] $IG^2$ II,2 nr. 2314,21.

[32] $IG^2$ II,2 nr. 2316,51 f.

Ehren des Theseus der Siegespreis im Pankration der Jünglinge zu[33], für das Jahr 180 v. Chr. ist bezeugt, daß der Tyrer Dioskorides bei den Panathenäen im Faustkampf siegte.[34] Und um die Wende vom zweiten zum ersten Jahrhundert v. Chr. gewann der Sidonier Strabon, Sohn des Strabon, sogar einen Siegespreis in einem musischen Wettkampf – bei den Museia im böotischen Thespiai.[35]

In dieser Hinsicht konnte das ‚rückständige' und isolierte jüdische Ethnos den Vergleich mit den phoinikischen Städten nicht aufnehmen. Aber es gab auf jüdischer Seite durchaus das Bedürfnis, es den Phoinikern gleichzutun – wenigstens darin, daß eine ‚Verwandtschaft' zwischen Juden und Griechen – in diesem Falle Spartanern – konstruiert wurde.[36] Dies bedeutete keine Verleugnung des Judentums – im Gegenteil: Indem sich die Erfinder jener Legende die Spartaner zu ‚Verwandten' wählten, betonten sie zugleich die eigene Sonderstellung: Juden wie Spartaner hatten ihre Lebensordnung von mythischen ‚Gesetzgebern', Moses und Lykurg, empfangen, und diese Lebensordnungen begründeten die Absonderung von den Nachbarn. Gerade weil die Zwecklegende von der ‚Verwandtschaft' zwischen Juden und Spartanern dies zum Ausdruck brachte, konnte sich ihrer sogar die Diplomatie der Makkabäer ganz unbefangen bedienen.[37] Es kann unter diesen Voraussetzungen nicht verwundern, daß auch von jüdischer Seite die auf ältere Wurzeln zurückgehende Vorstellung, wonach die Weisheit des Ostens die Lehrmeisterin der Griechen gewesen sei, zum höheren Ruhm des eigenen Volkes umgemünzt wurde. Der jüdische Historiker Eupolemos behauptete, daß der Gesetzgeber Moses den Juden Schrift und Wissenschaft vermittelt und sie damit zu Lehrmeistern der Phoiniker und Griechen gemacht habe.[38] Eupolemos aber war kein radikaler ‚Hellenisierer', der sich vom Glauben seiner Väter losgesagt hätte. Er war ein prominenter Anhänger des jüdischen Glaubenshelden Judas Makkabaios, in dessen Auftrag er im Jahre 161 v. Chr. die jüdische Gesandtschaft nach Rom leitete.[39] Ähnlich wie bei den Phoinikern schlossen sich auch bei den Juden Festhalten an der Tradition und Aufgeschlossenheit für das Griechentum prinzipiell keineswegs aus. Wie das

---

[33] IG² II,2 nr. 960,16.

[34] IG² II,2 nr. 2315,27.

[35] IG VII nr. 1760,21.

[36] Vgl. M. Hengel, Judentum und Hellenismus, 133 f.; 133 f.; M. Cardauns, Juden und Spartaner, Hermes 95, 1967, 317–324.

[37] Vgl. das Schreiben Jonathans an die Spartaner in Makk 1,12,6–18. Seine Echtheit ist freilich umstritten (vgl. die Hinweise bei Chr. Habicht, 2. Makkabäerbuch, 226, Anm. b zu 5,9), den Nachweis der Fälschung zu führen ist jedoch nicht gelungen.

[38] Eupolemos, FGrHist 723 F 1 a und b. Vgl. hierzu B. Z. Wacholder, Eupolemos. A Study of Judaeo-Greek Literature, Monographs of the Hebrew Union College III, New York-Jerusalem 1974, 71–96. Vergleichbar sind *mutatis mutandis* die abstrusen Fabeleien über Henoch und Abraham sowie über Moses, die zur gleichen Zeit der samaritanische Anonymus, Pseudo-Eupolemus (FGrHist 724 F 1), und der alexandrinisch-jüdische Schriftsteller Artapanos (FGrHist 726 F 1 und 3) erdichteten.

[39] Makk 2,4,11; Makk 1,8,17; zur Identität des Historikers Eupolemos mit dem Gesandten des Jahres 161 v. Chr. vgl. Chr. Habicht, 2. Makkabäerbuch, 179 f.; ausführlich B. Z. Wacholder, a. a. O. (s. o. Anm. 40) 1–21.

Beispiel des Eupolemos zeigt, hat selbst die traumatische Erfahrung des Glaubenszwanges eine solche Haltung nicht völlig unmöglich gemacht. Zur Zeit des Hohenpriesters Jason wird die Einstellung der jüdischen Oberschicht gegenüber griechischer Kultur und griechischer Lebensform gewiß noch unbefangener gewesen sein.

So ist es verständlich, daß Jason mit seinem Plan einer politischen Hellenisierung auf Zustimmung rechnen konnte. Eine Polis genoß höheres Ansehen als ein orientalisches Ethnos und sie besaß, zumindest formell, ein höheres Maß an Unabhängigkeit.[40] Und war nicht im Seleukidenreich nach dem verlorenen Krieg gegen Rom der Status einer Polis an mehrere orientalische Gemeinwesen verliehen worden? Seleukos IV. hatte mit solchen ‚Stadtrechtsverleihungen' begonnen. In Gaza, bis dahin Mittelpunkt eines Ethnos, konstituierte sich die Bürgerschaft der „Seleukeer in Gaza"; in Abila, einer städtischen Siedlung der Dekapolis östlich von Gadara, die der „Abilenischen Seleukeer". Daß Gadara selbst damals in Seleukeia umbenannt wurde, ist möglich; die Überlieferung legt der Stadt ebenso den Namen Seleukeia wie Antiocheia bei.[41] Der Grund für diese Verleihung griechischer ‚Stadtrechte' lag in finanziellen Schwierigkeiten; Seleukos IV. brauchte Geld[42] und war gewiß bereit, das begreifliche Streben orientalischer Gemeinden nach politischer Aufwertung auszubeuten. Um welche Geldsummen es dabei ging, läßt sich am Beispiel der Offerte ermessen, die Jason Antiochos IV. machte.[43] Die Tatsache, daß Jason damit unmittelbar nach dem Thronwechsel an den neuen Herrscher herantrat, ist ohne eine ihm bekannte einschlägige Praxis der Seleukiden jedenfalls schwer denkbar.

Was Jason anbelangt, so war ihm scheinbar eine taktische Meisterleistung gelungen. Er hatte den König auf seine Seite gebracht, ohne ihm den Tempelschatz ausliefern zu müssen (wozu Simon möglicherweise bereit gewesen wäre[44]), und er hatte den Hebel in die Hand bekommen, Jerusalem „auf griechische Weise umzuformen". Denn ihm persönlich war das Recht verliehen worden, aus eigener Machtvollkommenheit, d.h. ohne an die Mitwirkung der Gerusia gebunden zu sein[45], Gymnasium und Ephebie zu gründen sowie die Bürgerliste aufzustellen. Wer aufgenommen werden wollte, bedurfte der Zulassung durch den neuen Hohenpriester.

Die hellenistische Reform des Jason war also ein voraussetzungsreiches Unternehmen. Sie setzte auf seiten der jüdischen Oberschicht eine beträchtliche Aufgeschlossenheit für das Griechentum voraus, ebenso die Tatsache, daß wegen der Geldnot der seleukidischen Könige die Umwandlung orientalischer Ge-

---

40 Vgl. E. Bickermann, Les institutions des Séleucides, Paris 1938, 141ff.

41 Vgl. V. Tcherikover, Die hellenistischen Städtegründungen von Alexander dem Großen bis auf die Römerzeit, PhSuppl. 19,1, Leipzig 1927, 74f.

42 Näheres hierzu unten S. 112ff.

43 Makk 2,4,9; über den fiskalischen Zweck der Stadtrechtsverleihungen vgl. A.H.M. Jones, a.a.O. (s.o. Anm. 25) 247.

44 Makk 2,3,6; vgl. dazu unten S. 113f.

45 Dies ist in Makk 2,4,9 durch die Formulierung διὰ τῆς ἐξουσίας αὐτοῦ ausdrücklich festgehalten; zur Interpretation der Bestimmung vgl. unten S. 84f.

meinwesen in Poleis bereits in vollem Gange war. Jason mag persönlich ein überzeugter Anhänger hellenischer Lebensform gewesen sein: Das schloß nicht aus, daß er die Reform als Mittel der Herrschaftssicherung gebrauchte. Durch sie gewann er diejenigen für sich, die den Anschluß an die sich bei den Nachbarn vollziehende Entwicklung suchten. Indem ihm persönlich die Konstituierung der neuen Bürgerschaft überlassen blieb, gewann er zugleich die Möglichkeit, durch entsprechende Auswahl der Politen seine Stellung auch langfristig zu stärken. Die Frage, ob die Reform darüber hinaus ökonomische Ziele verfolgte – dies wird neuerdings behauptet –, bedarf einer besonderen Untersuchung. Sie ist dem folgenden Kapitel vorbehalten.

## 2. *Reform und Ökonomie*

Victor Tcherikover hat den hellenistischen Reformern unterstellt, daß sie die Schranken beseitigen wollten, die den wirtschaftlich-kulturellen Austausch mit der nichtjüdischen, hellenistischen Umwelt behindert hätten.[1] Er verweist in diesem Zusammenhang auf das Recht, Kupfermünzen zu prägen, das unter Antiochos IV. achtzehn Städten des Seleukidenreiches verliehen wurde[2], und nennt es „*a very important privilege for the development of the city's local trade*". Dementsprechend nimmt er an, daß die jüdischen Reformer dieses Prägerecht anstrebten. Er meint, daß die Erhebung Jerusalems zu einer Polis dazu dienen sollte, die wirtschaftliche Isolation und Rückständigkeit des jüdischen Volkes, durch Erleichterung des Außenhandels, zu überwinden: „*The ethnos, by contrast, was a people distinct from others which lived its traditional life according to its ‚ancestral laws', far from the main road of world culture and without hope of developing and flourishing economically.*"

Martin Hengel hat sich in seinem Werk über Judentum und Hellenismus diese Interpretation der Reform zu eigen gemacht und auf ihrer Grundlage den Kreis der Reformanhänger so beschrieben: „Zumindest in der Stadtbevölkerung [sc. Jerusalems: Zusatz des Verf.] scheinen die Hellenisten unter den Grundbesitzern, Kaufleuten und Handwerkern weitgehend Zustimmung gefunden zu haben; man erwartete wohl einen wirtschaftlichen Aufschwung und vielleicht sogar das Recht eigener Münzprägung."[3]

Den hellenistischen Reformern derartige ökonomische Motive zuzuschreiben, mag einem Geschichtsverständnis *a priori* naheliegen, das seine Kategorien modernen Verhältnissen entlehnt. Das scheinbar Überzeugende, das einer solchen Erklärung anhaftet, ist freilich fragwürdig. Denn sie setzt ohne Prüfung der wirtschaftlichen Verhältnisse und Interessen voraus, daß ein Ethnos nicht wie

---

[1] V. Tcherikover, Hellenistic Civilization and the Jews, 168 f.

[2] Vgl. E. Bickermann, Les institutions des Séleucides, Paris 1938, 231 ff.

[3] M. Hengel, Judentum und Hellenismus, 507; vgl. 100 f.; 494 f. und 505–507; und ders., Juden, Griechen und Barbaren, Stuttgarter Bibelstudien 76, Stuttgart 1976, 66.

eine Polis am überlokalen Handel teilnehmen konnte und daß es den Reformern und der Bevölkerung Jerusalems um die Entwicklung dieses Handels gegangen sei.

Wie irreführend selbst naheliegende und scheinbar einleuchtende Analogieschlüsse sein können, zeigt die auf das Prägen von Kupfermünzen bezügliche Argumentation. Die Tatsache, daß unter Antiochos IV. dreizehn Städte Kilikiens, Syriens und Mesopotamiens[4] sowie fünf phoinikische Städte[5] die Prägung von Kupfermünzen aufnahmen, sagt über ökonomische Motive der hellenistischen Reformer in Jerusalem nicht das geringste aus. Denn die fraglichen Prägungen begannen erst im Jahre 169/168 v. Chr.[6] – also sechs Jahre nach Beginn der hellenistischen Reform: Wie sollten die jüdischen Reformer für die projektierte Polis in Jerusalem ein Privileg erstreben, für das es im Jahre 175/74 v. Chr. kein Vorbild gab. Doch abgesehen davon: noch immer ist völlig unklar, warum Antiochos IV. zwischen dem ersten und zweiten ägyptischen Feldzug, auf dem Höhepunkt seiner Erfolge, den achtzehn Städten das Prägerecht verlieh und welche Bedeutung es für die Städte selbst hatte. Wahrscheinlich nahm der König für die Erteilung dieses Privilegs Geld (wie von dem Hohenpriester Jason, der ihm das Recht abgekauft hatte, in Jerusalem Gymnasium und Ephebie zu stiften sowie eine Bürgerliste anzulegen). Falls diese Annahme das Richtige träfe, bliebe aber noch immer zu fragen, ob die Städte das Prägerecht erstrebten, um den lokalen Handel zu entwickeln (wie Victor Tcherikover meint), ob sie mit einem Prägegewinn rechneten[7] oder ob es ihnen eher um einen ideellen Gewinn, um die Dokumentation ihrer Eigenständigkeit, ging. Otto Mørkholm möchte das fragliche Prägerecht der Städte auf eine Initiative des Königs zurückführen und ihm das Motiv zuschreiben, die Städte zu aktiven Partnern bei der inneren Regeneration des Reiches zu machen.[8] Denkbar ist auch dies. Gewißheit läßt sich bei dem Mangel an einschlägigen Quellen ohnehin nicht erreichen. Andererseits ist jedoch völlig klar, daß die Jerusalemer Reformer im Jahre 175/174 v. Chr. gar nicht die Möglichkeit hatten, sich an dem Leitbild der achtzehn Städte mit eigenem Prägerecht zu orientieren und wegen etwaiger, mit diesem Recht verbundener ökonomischer Vorteile die Umwandlung Jerusalems in eine Polis zu betreiben.

Vollends waren Teilhabe am überlokalen Handel und wirtschaftliche Blüte

---

[4] Es handelt sich um die Städte: Aigai, Antiocheia am Orontes, Antiocheia am Saros (Adana), Antiocheia-Edessa, Antiocheia in Mygdonien (Nisibis), Antiocheia (Ptolemais), Alexandreia bei Issos, Apameia, Hierapolis (Bambyke), Hieropolis (Kastabala), Laodikeia am Meer, Seleukeia in Pierien, Seleukeia am Pyramos (Mopsueste): vgl. E. Bickermann, a. a. O. (s. o. Anm. 2). 231, der das syrische Tripolis ebenso in der ersten wie in der zweiten Gruppe der phoinikischen Städte (s. Anm. 5) mitzählt.

[5] Byblos, Sidon, Tyros, Laodikeia in Kanaan (Berytos?) und Tripolis: vgl. E. Bickermann, a. a. O. (s. o. Anm. 2) 233.

[6] Die ersten Prägungen sind auf das Jahr 144 bzw. 145 S. Ä. datiert: vgl. zuletzt O. Mørkholm, Antiochus IV, 126f.

[7] So U. Mago, Antioco IV Epifane, Re di Siria, Sassari 1907, 33f.

[8] O. Mørkholm, Antiochus IV, 130.

nicht von einer Umwandlung der Ethnos- in eine Polisverfassung abhängig. Gaza war, um nur dieses Beispiel zu nennen, vor der Regierungszeit Seleukos' IV. Mittelpunkt eines Ethnos.[9] Das verhinderte nicht, daß es schon in frühhellenistischer Zeit als Hafenstadt und Endstation wichtiger Karawanenstraßen eine reiche und bedeutende Stadt wurde.[10] Es war die Gunst der geographischen Lage, die Gaza Gewinn aus dem Transithandel ziehen ließ, die politische Verfassung der Stadt war in diesem Zusammenhang eher belanglos.

Jerusalem konnte dagegen schon auf Grund seiner Lage mitten im judäischen Gebirge keine Bedeutung für den Transithandel gewinnen. Wie sich leicht zeigen läßt, bildete hier das Heiligtum als zentrale Opfer- und Pilgerstätte der Juden die Grundlage auch des wirtschaftlichen Lebens. „Die in der Umgebung des Jerusalem genannten Heiligtums wohnenden Juden" – so bezeichnet Polybios das jüdische Ethnos[11], und er trifft mit dieser Formulierung den springenden Punkt. Die wirtschaftliche Existenz des führenden Standes, der Priesterschaft, beruhte völlig auf dem ererbten Vorrecht, die öffentlichen und privaten Opfer im Tempel darzubringen. Aus dem Priesterstand aber rekrutierten sich, wie gut bezeugt ist[12], die Anhänger der Reform. Welches ‚ökonomische' Motiv aber Priester hierzu bestimmt haben könnte, läßt sich nicht erkennen. Ja, mehr noch: Von der Errichtung des Gymnasiums und der Ephebie oder von einer Veränderung der politischen Verfassung durften weder die Priester noch die übrige Bevölkerung wirtschaftliche Vorteile erwarten. An der verbesserten Nutzung der natürlichen Ressourcen, die die Herrschaft der Griechen in Ägypten und Syrien bewirkte, hatte Judäa schon im dritten Jahrhundert v.Chr. Anteil.[13] In Quohelet und von Ben Sira werden künstliche Bewässerungsanlagen erwähnt.[14] Am Westabhang des judäischen Gebirges sind künstlich angelegte Terrassen, Teiche und Kanäle aus hellenistischer Zeit gefunden worden[15], beim Tell el Fûl nördlich von Jerusalem und in Beth-Zur Färbereianlagen des 2. Jahrhunderts v. Chr.[16] Für die Steigerung der wirtschaftlichen Ertragsfähigkeit des Landes war also unabhän-

---

[9] Strabon, Geogr. 16,2,1.

[10] Vgl. V. Tcherikover, Hellenistic Civilization and the Jews, 95 f.; E. Schürer, History II, 100.

[11] Polybios 16,39,4 (= Josephos, Ant. Jud. 12,136): . . .τῶν Ἰουδαίων οἱ περὶ τὸ ἱερὸν προσαγορευόμενον Ἱεροσόλυμα κατοικοῦντες. . .

[12] Makk 2,4,14 f.

[13] Grundlegend M. Rostovtzeff, Gesellschafts- und Wirtschaftsgeschichte der hellenistischen Welt Bd. II, Darmstadt 1955, 817 ff. und 995 ff. und jetzt vor allem M. Hengel, Judentum und Hellenismus, 67 ff. (mit zahlreichen Literaturhinweisen); die Oasen von Jericho und Engidi am Toten Meer, die wegen ihrer Balsam- und Baumpflanzungen eine überregionale wirtschaftliche Bedeutung hatten, waren freilich Königsland, und Engidi gehörte nicht einmal zum Territorium des jüdischen Ethnos (zur Ausdehnung des Königslands in Palästina vgl. die Hinweise bei M. Hengel, a. a. O. 40 f.).

[14] Quohelet 2,6; Ben Sirah 24,30 f.

[15] Vgl. Z. Ron, Agricultural Terraces in the Judean Mountains, IEJ 16, 1966, 33–49 und 111–122.

[16] P. W. Lapp, Tel el Fûl, Ba 28, 1965,8; O. R. Sellers, The Citadel of Beth-Zur, Philadelphia 1933, 16 ff.; zur Schafzucht und Tuchherstellung in Palästina vgl. M. Hengel, Judentum und Hellenismus, 89 f. mit Anm. 351.

gig von der hellenistischen Reform Jasons geschehen, was damals möglich war, und umgekehrt verfolgte die Reform keine wirtschaftlichen Ziele, sondern diente der gesellschaftlichen und politischen Assimilation an die Umwelt Judäas.

Martin Hengel glaubt freilich, daß die hellenistische Reform die Entmachtung der ‚reaktionären', konservativen Kreise bezweckt habe. Diese sollten nicht mehr wie unter dem Hohenpriester Simon dem Gerechten ihren Einfluß zugunsten einschränkender, gesetzlich-ritueller Bestimmungen gebrauchen können.[17] Hengel bezieht sich auf das von Josephos überlieferte *Programma*, das Antiochos III. in Jerusalem anschlagen ließ.[18] Es lautet in Übersetzung so: „Jedem Fremden ist es untersagt, die Umwallung des Heiligtums zu überschreiten, die (zu überschreiten) den Juden verboten ist, mit Ausnahme derer, die dies nach vollzogener Reinigung tun dürfen gemäß dem väterlichen Gesetz (des Landes). Und niemand soll in die Stadt das Fleisch von Pferden, von Maultieren, wilden und zahmen Eseln, von Leoparden, Füchsen und Hasen sowie überhaupt von allen den Juden verbotenen Tieren bringen. Auch die Felle dürfen nicht in die Stadt gebracht werden noch darf eines dieser Tiere in der Stadt gehalten werden. Es ist nur gestattet, sich des traditionellen Schlachtviehs zu bedienen, von dem auch die gottgefälligen Opfer dargebracht werden. Wer gegen eines dieser Gebote verstößt, soll den Priestern 3000 Drachmen zahlen."

Dieser in Jerusalem ausgehängte Anschlag richtete sich an die nichtjüdischen Besucher der Heiligen Stadt, also an die seleukidische Besatzung, königliche Funktionäre, Händler und Touristen.[19] Die Liste der verbotenen Tiere umfaßt jagdbares Wild – Leopard, Fuchs und Hase – sowie Lasttiere – mit Ausnahme des für den Transit- und Fernhandel unentbehrlichen Kamels. Die namentliche Nennung dieses Tieres ist vermutlich unterblieben, weil der Fern- und Transithandel Judäa umging. Inwieweit ein wirtschaftlicher Aufschwung zu erwarten war, wenn den verhältnismäßig wenigen nichtjüdischen Besuchern Jerusalems erlaubt worden wäre, das Fleisch und das abgezogene Fell der verbotenen Tiere oder diese selbst lebend in die Stadt zu bringen, bleibt unerfindlich.

Vielmehr sicherten die Bestimmungen des *Programmas* gerade dadurch, daß sie die Heilige Stadt vor ritueller Verunreinigung zu bewahren suchten, auch ihre wirtschaftliche Prosperität. „*Comme tout le monde ne vivait ici que du sanctuaire, chacun était ténu dans son propre intérêt de se garder de la pollution*"

---

[17] M. Hengel, Judentum und Hellenismus, 505 und ders., Juden, Griechen und Barbaren (s. o. Anm. 3), 66.

[18] Josephos, Ant. Jud. 12, 145 f.; grundlegend zur Interpretation dieses Dokuments E. Bickermann, Une proclamation séleucide relative au temple de Jerusalem, Syria 25, 1946–1948, 67–86; die Kritik von V. Tcherikover, Hellenistic Civilization and the Jews, 84 f. an Bickermanns Interpretation ist unbegründet.

[19] Belege und Literaturhinweise bei E. Bickermann, a. a. O. (s. o. Anm. 18), 74 mit Anm. 3. Abgesehen von der seleukidischen Besatzung in der Zitadelle war die Zahl der Fremden wegen des Verbots heidnischer Kulte (vgl. Pseudo-Hekataios bei Josephos, Contr. Apion. 1,193) ohnehin gering und ihr Aufenthalt auf kurze Fristen beschränkt.

hat Elias Bickermann zu Recht festgestellt.[20] Nach den Vorschriften des Deuteronomions mußte jeder Jude den sogenannten zweiten Zehnten mit seinen Angehörigen in Jerusalem verzehren. Wer nicht im näheren Umkreis der Heiligen Stadt wohnte und deshalb den ‚zweiten Zehnten' nicht in Naturalien mitbringen konnte, sollte für die entsprechende Geldsumme Lebensmittel in Jerusalem kaufen.[21] Das Fleisch der Opfertiere, das den Gläubigen zufiel, durfte aber nur verzehrt werden, wenn er kultisch rein blieb und nicht mit dem Fleisch oder dem Kadaver unreiner Tiere in Berührung gekommen war.[22] Deshalb war alles zu vermeiden, was die kultische Reinheit der Stadt gefährdete. Die Sorge um diese Reinheit behinderte wirtschaftliche Interessen nicht, sie stand vielmehr in Einklang mit ihnen; die Bauern, Handwerker und kleinen Händler lebten ja nicht von den wenigen nichtjüdischen Besuchern, sondern von der Masse der jüdischen Pilger, die die Stadt aufsuchten, um dem ‚Gesetz' Genüge zu tun.

Es ist demnach wenig sinnvoll, die aus dem *Programma* sprechende Sorge um die kultische Reinheit der Heiligen Stadt reaktionär konservativen Kreisen anzulasten und einen Gegensatz zwischen religiöser Absonderung und wirtschaftlich-kulturellem Fortschritt zu konstruieren. Vielmehr ist es richtig zu sagen, daß die wirtschaftlichen Interessen des gesamten jüdischen Ethnos in irgendeiner Form mit den auf das Heiligtum bezüglichen Bestimmungen des ‚Gesetzes' verknüpft waren.

Die Vorschrift des Deuteronomions über den ‚zweiten Zehnten' sicherte den Bauern Judäas den Absatz überschüssiger Produkte, die Bewohner der Heiligen Stadt profitierten von dem Zustrom der Pilger und dem Bedarf des zu gewaltigem Umfang angeschwollenen Opferdienstes.[23] Unter diesen Umständen hat sich vor allem in Jerusalem ein differenzierter Handwerkerstand entwickeln können. Wie sehr er auf die Pilger als Kunden angewiesen war, bezeugt die Mischna: Den Festzügen, die die Erstlingsfrüchte darbrachten, gingen der Verwalter und Schatzmeister des Tempels entgegen und alle Handwerker Jerusalems erhoben sich vor ihnen und begrüßten sie mit dem Ruf: „Brüder und Männer aus dem Orte N., in Frieden sei Euer Kommen."[24] Für den führenden Stand des jüdischen Ethnos, für die Priesterschaft, und für den Stand ihrer Gehilfen, die Leviten, bildete der vom Vater auf den Sohn vererbte Dienst im Heiligtum die wichtigste, reich fließende Quelle ihres Einkommens.

Die Priester empfingen als ständige Abgaben die ‚Erstlinge' der Bodenfrüchte – Getreide, Wein, Feigen, Honig, Oliven, Granatäpfel –, weiterhin das ‚Beste' der Feldfrüchte, $^1/_{40}$–$^1/_{60}$ der Ernte, also im Durchschnitt 2%.[25] Jede männliche

---

[20] E. Bickermann, a.a.O. (s.o. Anm. 18) 84.

[21] Deut 14,22–26

[22] Lev 7,19; 11,24–28; 22,4–6.

[23] Vgl. hierzu E. Schürer, History II, 299–308.

[24] Vgl. A. Ben-David, Talmudische Ökonomie. Die Wirtschaft des jüdischen Palästina zur Zeit der Mischna und des Talmud, Bd. I, Hildesheim-New-York 1974, 161 mit Anm. 98 (S. 399).

[25] Zum folgenden vgl. S. Zeitlin, The Rise and the Fall of the Judaean State, Bd. II, Philadelphia 1968², 266–268 und E. Schürer, History II, 257–274. – Die Abgabe der Erstlingsfrüchte (Bikkurim) ist angeordnet in Num. 18,13; Neh. 10.36; vgl. Exod. 23,19; 34,26; Deut. 26,1–11. Die Ab-

Erstgeburt gehörte den Priestern. Das erste männliche Kind wurde mit 5 Schekeln freigekauft, die Ablösungssumme für die männliche Erstgeburt eines unreinen Tieres betrug $1^1/_2$ Schekel.[26] Die Priester erhielten weiterhin einen Teil der geschorenen Wolle, sofern der Eigner mehr als fünf Schafe besaß[27], ebenso stand ihnen ein Anteil vom Brotteig zu, und zwar mußten Bäcker $^1/_{48}$, Privatleute $^1/_{24}$ des Teiges abführen.[28] Von profanen Schlachttieren erhielten sie ein Vorderbein, die Backen und den Magen[29], das Fleisch der Sünd- und der Schuldopfer gehörte ihnen ganz, von dem Dank- oder Gemeinschaftsopfer empfingen sie die Brust und die rechte Schulter; die Schaubrote und der größte Teil der Getreideopfer standen ihnen zu, von den Brandopfern immerhin das Fell.[30] Andere Einnahmen kamen hinzu. Insbesondere mußten die Leviten von dem ihnen zustehenden ‚Zehnten' 10% an die Priester abführen.[31]

Soweit die Priester nicht durch Vorschriften des Gesetzes genötigt waren, die ihnen zugefallenen Anteile geopferter Tiere im Heiligtum oder zusammen mit ihrer Familie an jedem beliebigen ‚reinen' Ort zu verzehren, hatten sie die Möglichkeit, diese Naturalien zu verkaufen. Ein Teil ihrer Einkünfte – die Ablösung für männliche Erstgeburten und für Votivgaben[32] – ging ihnen ohnehin in Form von Geldzahlungen zu. Eine bestimmte Art von Votivgaben, das sogenannte Anathema, konnte nicht mit Geld abgelöst werden. Sie empfingen es in der originären Form, so unter anderem auch in Form von Landbesitz.[33]

Ohne Zweifel war der Priesterstand die eigentlich führende Klasse des jüdischen Ethnos. Die wenigen großen Familien nichtpriesterlichen Herkunft bildeten kein wirkliches Gegengewicht.[34] Der Priesterstand hatte zusammen mit dem Ältestenrat und Teilen des levitischen Kultpersonals von Antiochos III. die Befreiung von der Kopf-, der Kranz- und der Salzsteuer erhalten.[35] Er war gewiß verhältnismäßig wohlhabend, und es darf angenommen werden, daß die privaten Einlagen an Edelmetall, die im Tempel deponiert waren, teilweise priesterlichen Familien gehörten.[36] Geld floß ohnehin aus der Diaspora nach Jerusalem.

---

gabe des Besten der Früchte (Terumah) beruht auf den Bestimmungen in Num. 18,20–32 und Neh. 10,38–40.

[26] Zu den umfangreichen einschlägigen Bestimmungen vgl. E. Schürer, History II, 265f.

[27] Vgl. E. Schürer, History II, 267; nach der Schule des Shammai wurde die Abgabe bereits von dem Besitzer von zwei Schafen erhoben. Sie betrug pro Schaf 5 judäische bzw. 10 galiläische Sela.

[28] Die Grundlage dieser Abgabe bilden Num 15,17–21 und Neh 10,38; vgl. E. Schürer, History II, 265 mit Anm. 26.

[29] Deut 18,3; weitere Hinweise bei E. Schürer, History II, 267 Anm. 34.

[30] Vgl. E. Schürer, History II, 260f.

[31] Num 18,20–32; Neh 10,38–40.

[32] Lev 27; Deut 23,22–24.

[33] Lev 27,28; Num 18,14.

[34] Hier zu nennen wären allein die Jerusalemer Tobiaden, die von Josephos, Ant. Jud. 12,229; 239f.; Bell. Jud. 1,31 erwähnt werden; zu den Tobidaden vgl. unten S. 122f.

[35] Josephos, Ant. Jud. 12,142; zur Besteuerung der priesterlichen Einkünfte vgl. unten S. 115 mit Anm. 21.

[36] In Makk 2,3,11 werden die privaten Einlagen mit 400 Talenten Silber und 200 Talenten Gold angegeben. Nach der damals zwischen Silber und Gold bestehenden Wertrelation von $1:12^1/_2$ berechnet O. Mørkholm, Antiochus IV, 136 Anm. 6 die angegebene Summe auf 2900 Silbertalente.

Zur Bestreitung des öffentlichen Opferdienstes trug jeder Jude jährlich $^1/_2$ Schekel, das Didrachmon, bei.[37] Durch die Vorschrift des Deuteronomions über den Verzehr des ‚zweiten Zehnten' wurde viel bares Geld aus der Diaspora nach Jerusalem gelenkt. Stiftungen und die Überschüsse des reich dotierten Etats der öffentlichen Opfer[38] kamen hinzu und bewirkten, daß im Tempel große Schätze an Edelmetallen aufgehäuft waren.[39] Der Reichtum des Tempels und der Priester sowie das wirtschaftliche Gedeihen von Handwerk und Landwirtschaft waren also nicht von einem Außen- und Fernhandel abhängig, sondern von der einzigartigen Bedeutung, die das Heiligtum und die Heilige Stadt für *alle* Juden, auch für die Diaspora, besaßen.

Selbst wenn unterstellt werden dürfte, daß Handwerker, kleine Händler und Bauern ein Interesse an einer Öffnung gegenüber der ‚heidnischen' Umwelt gehabt hätten, ergäbe sich keine befriedigende Erklärung für die hellenistische Reform des Jahres 175/174 v. Chr. Nicht ohne Grund hebt die Überlieferung hervor, daß sie im Priesterstand, also in der führenden Klasse Judäas, und nicht in der Masse der Bevölkerung, ihre Anhänger fand. In Makk 2,4,14 ist dieser Sachverhalt auf die polemisch zugespitzte Formulierung gebracht worden, daß Priester über der Choregie, die sie im Gymnasium leisteten, Tempel und Opferdienst vernachlässigten. An anderer Stelle wird hervorgehoben, daß Jason sich ein Vergnügen daraus machte, die Vornehmsten unter den jungen Männern in das Gymnasium zu führen.[40] Auch ohne diese Zeugnisse müßte angenommen werden, daß die hellenistische Reform ein Anliegen der jüdischen Oberschicht war. Aufnahme in das Ephebenkorps und Besuch des Gymnasiums setzten Muße voraus, also Befreiung von der elementaren Notwendigkeit, den eigenen Lebensunterhalt durch Arbeit verdienen zu müssen. Somit war die Masse des Volkes von Ephebie und Gymnasium von vornherein ausgeschlossen. Sie hatte ohnehin keinen Anteil an der Regierung. Am Vorabend der Reform beschrieb der jüdisch-hellenistische Autor Ben Sira die Rolle der Bauern und Handwerker so: „Ohne sie wird keine Stadt besiedelt, und wo sie sich niederlassen, hungern sie nicht. Aber zur Volksversammlung werden sie nicht hinzugezogen, in der Gemeinde ragen sie nicht hervor. Sie sitzen auf keinem Richterstuhl und kennen sich nicht aus in Recht und Gesetz. Weise Bildung offenbaren sie nicht."[41] Diese

[37] Unter Nehemia wurde der jährliche Beitrag auf $^1/_3$ Schekel festgesetzt (Neh. 10,33 f.), in einem späteren Zusatz zum Pentateuch auf $^1/_2$ Schekel erhöht: Exod 30,11–16; vgl. E. Schürer, History II, 271.

[38] Dieser Etat bzw. dieses Konto ist in Makk 2,3,6 erwähnt; ihm flossen u. a. die Zuwendungen zu, die die Seleukiden aus dem Steueraufkommen des Landes für den Opferdienst abzweigten: Josephos, Ant. Jud. 12,140; vgl. dazu E. Bickermann, Héliodore au temple de Jérusalem, AIPhO 7, 1938–1944, 10–13; ders., La Charte séleucide de Jerusalem, REJ 100, 1935, 13–15.

[39] Nach Makk 2,5,21 fielen Antiochos IV. bei der Plünderung des Tempels im Jahre 169 v. Chr. 1800 Talente in die Hände; zu den Tempelschätzen und ihrer Verwaltung vgl. E. Schürer, History II, 279–284.

[40] Der Ausdruck in Makk 2,4,12: τοὺς κρατίστους τῶν ἐφήβων bedeutet nicht „die kräftigsten Epheben" (so Chr. Habicht, 2. Makkabäerbuch, 217); gemeint sind „die Angesehensten" vgl. Xenophon, Hell. 7,1,42.

[41] Ben Sira 38,32 f.

Einschätzung der arbeitenden Bevölkerung haben die hellenistischen Reformer gewiß geteilt. Um der wirtschaftlichen Interessen der Bauern und Handwerker willen haben sie am allerwenigsten Ephebie und Gymnasium gegründet und die Umwandlung Jerusalems in eine Polis angestrebt.
Die dem Priesterstand angehörenden Reformer verdankten ihre wirtschaftliche Unabhängigkeit und ihre führende Stellung innerhalb des jüdischen Ethnos allein den Bestimmungen der Thora. Deshalb haben weder Jason noch seine Anhänger an eine religiöse Reform oder gar an eine ‚Revolution' gedacht. Aber sie wollten nicht darauf beschränkt sein, das kleine jüdische Ethnos zu beherrschen, sie wollten teilhaben an der gesellschaftlichen und politischen Hellenisierung der Umwelt. Deshalb gründeten sie Gymnasium und Ephebie und strebten die Umwandlung des Ethnos in eine Polis an. An der Religion und der hierokratischen Gesellschaftsordnung Judäas wollten sie in eigenem Interesse festhalten. Denn auf diesen traditionellen Institutionen beruhten ja ihre wirtschaftliche Unabhängigkeit und ihr Rang innerhalb der jüdischen Gesellschaft. So waren die Reformer in bezug auf die Religion und die auf sie gegründete innere Ordnung eher konservativ. Indem sie hellenistische Institutionen einführten, die das Leben der Handwerker und Bauern gar nicht berührten, glaubten sie, den Anschluß an die hellenisierte Umwelt zu gewinnen. Im übrigen wollten sie alles beim alten lassen.[42]

Ihr Vorgehen war also doppelgleisig. Sie setzten den Opferdienst nach den Vorschriften des ‚Gesetzes' fort, und änderten damit an den wirtschaftlichen Grundlagen des jüdischen Ethnos und an den Grundlagen ihrer eigenen wirtschaftlichen Vorrangstellung verständlicherweise gar nichts. Aber auf der anderen Seite wollten sie ‚Hellenen' sein und sich ihrer Umwelt als gleichberechtigt präsentieren.

Dieses Ergebnis wird auch nicht durch Makk 2,3,4 widerlegt, wonach der Konflikt zwischen dem Hohenpriester Onias III. und dem Tempelvorsteher Simon über die Marktverwaltung der Heiligen Stadt ausgebrochen war. Zwar hat Martin Hengel diesen Konflikt auf den Gegensatz zwischen den um die Heiligkeit Jerusalems besorgten ‚Traditionalisten' und den auf die Öffnung zur heidnischen Umwelt bedachten hellenistischen Reformern zurückgeführt. Doch geht aus dem zweiten Makkabäerbuch nicht hervor, welches der konkrete Streitpunkt zwischen Hohenpriester und dem vom König ernannten προστάτης τοῦ ἱεροῦ war. Immerhin kann vermutet werden, wo er angesiedelt war. Der Tempelvorsteher hatte die Aufgabe, die Einnahmen und Ausgaben des Heiligtums zu kontrollieren.[43] Mit dem Heiligtum aber war, wie oben gezeigt worden ist, Markt und Wirtschaftsleben der Heiligen Stadt auf das engste verknüpft. Daß im Bereich der Marktverwaltung Jerusalems somit Meinungsverschiedenheiten zwischen Hohempriester und königlichem Kommissar auftreten konnten, liegt auf der Hand. Dies gilt um so mehr, wenn wie im vorliegenden Fall die

[42] M. Hengel, Judentum und Hellenismus, 100; 495.
[43] Zu seiner Funktion in den hellenistischen Monarchien vgl. E. Bickermann, Héliodore au temple de Jérusalem, AIPhO 7, 1938–1944, 7f.

persönliche Rivalität zwischen Simon und Onias III. den sachlichen Streitpunkt auf die Bedeutung eines bloßen Anlasses zu einer Machtprobe reduzierte. Der Verfasser des zweiten Makkabäerbuches hätte gewiß nicht geschwiegen, wenn Simon die Kultgesetze hätte aufheben wollen, die die Heiligkeit Jerusalems sicherten. In diesem Fall ist das *argumentum e silentio* durchschlagend.

### *3. Das Scheitern der Reform*

In Jerusalem stieß die Einführung sportlicher Übungen nach griechischem Vorbild keineswegs auf offenen Widerstand. Im Gegenteil: Gerade in der priesterlichen Oberschicht müssen die Neuerungen des Hohenpriesters Jason begeisterte Aufnahme gefunden haben.[1] Jason machte sich, wie der Verfasser des zweiten Makkabäerbuches mißbilligend bemerkt, ein Vergnügen daraus, die Vornehmsten der Epheben in griechischer Tracht in das Gymnasium zu führen. Priester waren es, die den Choregendienst versahen: Sie teilten den Epheben die vorgesehene Ration Salböl zu. So kam es in der Heiligen Stadt zur „Blüte des Hellenismus". Der „Zulauf zur Fremdtümelei" erschien unaufhaltsam.

Die Anhänger der hellenistischen Reform beabsichtigten freilich nicht, ihren sportlichen Übungen nur in der selbstgewählten Isolation des Jerusalemer Gymnasiums nachzugehen. Sie wollten darüber hinaus an den ‚panhellenischen' Festen der nichtjüdischen Umwelt in voller Gleichberechtigung teilnehmen. Der Verfasser des ersten Makkabäerbuches hat das als Verrat gebrandmarkt und den „Verrätern" vorgeworfen, daß sie sogar die Beschneidung an sich rückgängig gemacht hätten.[2] In dieser Anschuldigung liegt sicherlich eine Übertreibung, jedenfalls eine unzulässige Verallgemeinerung. Immerhin darf eines festgehalten werden: Wenn tatsächlich in Einzelfällen diesbezügliche Eingriffe vorgenommen worden sind, so läßt sich dies am ehesten mit dem Wunsch der nackt kämpfenden Athleten erklären, außerhalb Judäas kein unliebsames Aufsehen zu erregen. Der Urheber der Reform, der Hohepriester Jason, konnte es seinerseits kaum erwarten, der hellenistischen Öffentlichkeit zu demonstrieren, daß in Jerusalem eine Polis entstehe. Er nahm die Tyrischen Spiele zum Anlaß, eine Festgesandtschaft zu schicken, die im Namen der „Antiochier von Jerusalem" eine für das Heraklesopfer bestimmte Spende von 300 Drachmen überbringen sollte. Die in Tyros Versammelten – auch Antiochos IV. hielt sich damals dort auf – sollten auf diese Weise von dem neuen ‚Hellenentum' der Juden Kenntnis nehmen.[3]

Religiöse Skrupel brauchten ihn, wie vergleichbare Fälle zeigen, nicht zu belasten: Der jüdische Historiker Eupolemos, bekanntlich ein prominenter Parteigänger des Judas Makkabaios, berichtet unbefangen, daß König Salomon sich

---

[1] Zum folgenden vgl. Makk 2,4,15–20.
[2] Makk 1,1,14.
[3] Makk 2,4,18 f.

für die Hilfe, die Suron, der „König von Tyros und Sidon", beim Bau des Jerusalemer Heiligtums geleistet hatte, durch Stiftung einer goldenen Säule erkenntlich zeigte, die im Heiligtum des Zeus in Tyros aufgestellt wurde.[4] Ungefähr zur gleichen Zeit, wie Jason eine Geldsumme für das Heraklesopfer in Tyros stiftete, trug sich im jonischen Iasos ein aus Jerusalem stammender Jude, Niketas, mit 100 Drachmen in die Spendenliste ein, die für das Dionysosfest der Gemeinde aufgelegt worden war.[5] Juden in der Diaspora hatten ohnehin im Interesse des sozialen Aufstiegs und der Assimilation längst Zugeständnisse an die heidnische Umwelt gemacht. Jüdische Namen auf Ephebenlisten[6], die ja mit einer Weiheformel an Hermes oder Herakles endeten, stützen die Vermutung, daß Diasporajuden sich mit den konventionellen kultischen Veranstaltungen im Gymnasium abfanden. Aber was in der Diaspora hingenommen wurde, konnte in der Heiligen Stadt selbst bei denen, die der hellenistischen Reform aufgeschlossen gegenüberstanden, heftigen Anstoß erregen. Die religiösen Skrupel der Festgesandten, die die 300 Drachmen für das Heraklesopfer in Tyros überbringen sollten, waren so groß, daß sie das Geld einem anderen als dem vorgesehenen Zweck zukommen ließen: Sie stifteten den Betrag für den Ausbau der königlichen Kriegsflotte.[7] Es ist somit undenkbar, daß wie Elias Bickermann annimmt[8], die hellenische Erziehung im Jerusalemer Gymnasium mit dem Kult des Hermes, des Herakles, der Musen oder gar des seleukidischen Herrscherhauses verbunden gewesen wäre. Eine solche Symbiose Jahwes mit heidnischen Gottheiten gab es in der Heiligen Stadt gewiß nicht. Das heißt aber, daß zumindest in religiös-kultischer Hinsicht das Jerusalemer Gymnasium eine Sonderstellung einnahm. Ja, mehr noch: Die strenge Exklusivität des jüdischen Gottes stand einer konventionellen Teilhabe an den Festen der hellenistischen Welt im Wege.

Schon in den Anfängen der hellenistischen Reform hatten sich also Schwierigkeiten gezeigt. Das Heiligtum Jahwes und die sakrale Ordnung des jüdischen Ethnos ließen sich nicht ohne weiteres mit den hellenischen Institutionen vereinen. Offenen Widerstand gegen das Gymnasium gab es nicht, und ob sich der Unwille von Traditionalisten über das neumodische, fremde Gebaren damals überhaupt artikulierte, ist ungewiß. Um so aufschlußreicher ist die Tatsache, daß selbst Anhänger der hellenistischen Reform es ablehnten, eine Teilnahme an ‚panhellenischen' Festen mit Handlungen zu verbinden, die als Verstoß gegen das erste Gebot des Dekalogs interpretiert werden konnten.

Die Einführung von Gymnasium und Ephebie sowie die offizielle Teilnahme an panhellenischen Spielen hingen mit einer von Jason beabsichtigten Verfas-

---

[4] FGrHist 723 F 2.

[5] J.B. Frey, Corpus Inscriptionum Judaicarum, Bd. II, Rom 1952, Nr. 15.

[6] Zu den einschlägigen Ephebenlisten von Iasos und Korone in Messenien vgl. L. Robert, Un Corpus des inscriptions juives, REJ 101, 1937, 85f. und Hellenica 3, 1946, 100f. (= IG V, 1 Nr. 1398, 91f.); vgl. weiterhin V. Tcherikover – A. Fuks, Corpus Papyrorum Judaicarum, Bd. I, Cambridge/Mass. 1957, 39 Anm. 99; 41; 75ff.; S. Applebaum, Jewish Status at Cyrene in the Roman Period, P P 19. 1964, 291–303.

[7] Makk 2,4,20.

[8] E. Bickermann, Gott der Makkabäer, 64.

sungsänderung zusammen: Er wollte an die Stelle der traditionellen Ethnosverfassung eine hellenistische Polis setzen. Gründung einer Polis aber bedeutete in erster Linie die Konstituierung einer Bürgerschaft. Dazu war Jason durch Antiochos IV. ermächtigt worden. Wie Victor Tcherikover gezeigt hat, ist die Nachricht in Makk 2,4,9, wonach Jason nach eigenem Ermessen die Liste der „Antiochier in Jerusalem" aufstellen durfte, in diesem Sinn zu interpretieren.[9] Das Ethnikon 'Ἀντιοχεύς bezeichnet immer und überall die Zugehörigkeit zur Bürgerschaft einer Polis. Die anders lautende These Elias Bickermanns, der zufolge Jason nach dem Vorbild hellenistischer πολιτεύματα lediglich eine mit dem Gymnasium verbundene Korporation neben dem fortbestehenden Ethnos der Juden gegründet habe[10], ist damit widerlegt. Unter den „Antiochiern in Jerusalem" ist die Bürgerschaft einer in Jerusalem zu gründenden Polis zu verstehen. Sie entsprechen insofern den damaligen „Seleukeern in Gaza" oder den „Antiochiern in Ptolemais" (Akko).[11] Elias Bickermann hatte auch in ihnen Korporationen im Sinne hellenistischer πολιτεύματα vermutet[12], aber er hat diese Auffassung längst korrigiert und klargestellt, daß es sich bei den „Seleukeern in Gaza" und den „Antiochiern in Ptolemais" um die Bürgerschaften von Poleis handelt, die wie andere griechische Städte des Seleukidenreiches das Privileg erhalten hatten, eigene Kupfermünzen zu prägen.[13]

Schlüsselfigur der Verfassungsänderung war der Hohepriester Jason. Er hatte sich das Privileg erkauft, τοὺς ἐν Ἱεροσολύμοις 'Ἀντιοχεῖς ἀναγράψαι (Makk 2,4,9). Victor Tcherikover faßt 'Ἀντιοχεῖς als prädikativen Akkusativ auf. Jason hätte demnach das Recht erhalten, „die Einwohner Jerusalems in der Liste der Antiochier zu verzeichnen".[14] Das hieße genau genommen, daß er die gesamte Einwohnerschaft Jerusalems in das Bürgerverzeichnis hätte aufnehmen müssen, während er die auf dem Lande ansässige Bevölkerung nicht hätte berücksichtigen können. Gegen ein solches Satzverständnis spricht jedoch schon die Tatsache, daß in allen vergleichbaren Fällen die Ortsbestimmung attributiv zum Ethnikon steht. In diesem Sinne tragen Münzen die Aufschrift Δήμου Σελ(ευκέων) τῶν ἐν Γάζᾳ oder 'Ἀντιοχέων τῶν ἐν Πτολεμαΐδι. Victor Tcherikover versucht zwar seine Auffassung auf das grammatische Argument zu

[9] V. Tcherikover, Hellenistic Civilization and the Jews, 161–169. Seine Argumente fanden allgemeine Zustimmung: vgl. Chr. Habicht, 2. Makkabäerbuch, 216 (Anm. b zu 4,9) mit Literaturhinweisen.

[10] E. Bickermann, Gott der Makkabäer, 59–65.

[11] G.F. Hill, Catalogue of the Greek Coins of Palestine, A Catalogue of the Greek Coins in the Brit. Museum, London 1914, p. LXIX und 143f. sowie M. Rosenberger, City-Coins of Palestine (The Rosenberger Israel Collection) Vol. II, Jerusalem 1975, 51 Nr. 28 (Gaza); G.F. Hill, Catalogue of the Greek Coins of Phoenicia, A Catalogue of the Greek Coins in the Brit. Museum, London 1910, 128 (Ptolemais/Akko).

[12] E. Bickermann, Gott der Makkabäer, 61f.

[13] E. Bickermann, Les institutions des Séleucides, Paris 1938 231; 234: vgl. V. Tcherikover, Hellenistic Civilization and the Jews, 443f. Anm. 12 und 447 Anm. 51.

[14] V. Tcherikover, a.a.O. (s.o. Anm. 10) 161: *„register the people of Jerusalem as Antiochenes"*; in diesem Sinne auch in: Die hellenistischen Städtegründungen von Alexander dem Großen bis auf die Römerzeit, Phil. Suppl. 19,1 Leipzig 1927, 207.

stützen, daß ἀναγράφειν mit doppeltem Akkusativ bzw. doppeltem Nominativ konstruiert werden müsse. Jedoch ist eine solche Konstruktion keineswegs ein Gebot grammatischer Sprachrichtigkeit. Der prädikative Akkusativ (oder Nominativ) kann fehlen, wenn der Kontext ihn als überflüssig erscheinen läßt.[15] Genau das ist in Makk 2,4,9 der Fall: Jason hatte das Privileg erhalten, wen er wollte, in die Bürgerliste der projektierten Polis aufzunehmen.

Victor Tcherikover hat seinerseits versucht, der sachlichen Konsequenz der von ihm vorgenommenen sprachlichen Interpretation des betreffenden Satzteils auszuweichen. Er erklärte, daß selbstverständlich nicht jeder Holzhauer oder Wasserträger Bürger des neuen Antiocheia in Jerusalem sein sollte. Damit ist er aller Wahrscheinlichkeit nach im Recht. Freilich besteht auch kein Anlaß, einen Widerspruch zwischen sachlichem und sprachlichem Verständnis in Kauf zu nehmen. Jason war keineswegs darauf festgelegt, die Einwohnerschaft von Jerusalem geschlossen zur Bürgerschaft der „Antiochier" zu erheben. Vielmehr hatte ihm der König das Recht zugestanden, aus eigener Machtvollkommenheit ebenso wie Gymnasium und Ephebie die Bürgerschaft der projektierten Polis zu konstituieren. Die Auswahl der Bürger blieb Jason überlassen, und diese Gestaltungsfreiheit wird er bei dem Geschäft mit dem König als politischen Gewinn auf sein Konto verbucht haben.

Wenn aber Jason die Konstituierung der Bürgerschaft überlassen war, ist auch davon auszugehen, daß Vollzug und Modalitäten der Verfassungsänderung sowie die offizielle Proklamation der Polis der „Antiochier in Jerusalem" in sein Ermessen gestellt war. Für die Annahme, daß zwar die Aufstellung der Bürgerliste das Vorrecht des Hohenpriesters, der eigentliche Gründungsakt der neuen Polis aber dem König vorbehalten gewesen sei, spricht weder die Überlieferung noch ein denkbarer sachlicher Grund. Zwar glaubt Victor Tcherikover, den Gründungsakt auf den Besuch legen zu können, den Antiochos IV. während der Hohenpriesterschaft Jasons, also vor 173/172 v. Chr.[16], der Heiligen Stadt abstattete.[17] Jedoch weiß der Verfasser des zweiten Makkabäerbuches in diesem Zusammenhang nichts von einer offiziellen Umwandlung der Verfassung zu berichten. Seinem Bericht zufolge stand der Besuch des Königs in Beziehung zu anderen, außenpolitischen Anlässen: Antiochos IV. berührte Jerusalem anläßlich eines militärischen Demonstrationszuges, mit dem er seine Stärke und Wachsamkeit in der zwischen Seleukiden und Ptolemäern strittigen Strategie Koilesyrien und Phoinikien unter Beweis stellen wollte. Im zweiten Makkabäerbuch ist lediglich davon die Rede, daß der König wegen der offen zutage tretenden Feindseligkeit der ägyptischen Regierung um seiner Sicherheit willen sich über Joppe nach Jerusalem begab und von dort mit seinem Heer nach Phoinikien weiterzog.[18] Demnach war es die Absicht des Königs, einem möglichen Angriff von ägyptischer Seite vorzubeugen und proptolemäische Kreise in Südsy-

[15] Vgl. beispielsweise Herodot 8,90,4 und Lysias 9,7.
[16] Zum Datierungsproblem vgl. O. Mørkholm, Antiochos IV, 68 mit Anm. 18.
[17] V. Tcherikover, Hellenistic Civilization and the Jews, 164f.
[18] Makk 2,4,21f.

rien einzuschüchtern. Hätte er anläßlich seines Besuches in Jerusalem darüber hinaus die Polis der „Antiochier" ins Leben gerufen, so hätten sich Jason von Kyrene und sein Epitomator, der Verfasser des zweiten Makkabäerbuches, schwerlich die Gelegenheit entgehen lassen, den Umsturz der Verfassung der Väter als gottlosen Frevel zu brandmarken. Im vorliegenden Falle ist das Schweigen des zweiten Makkabäerbuches ein beredtes Zeugnis.

Überhaupt ist festzuhalten, daß keine Quellenstelle *expressis verbis* von der Umwandlung der Ethnos- in eine Polisverfassung berichtet. Auf diese Weise eröffnet sich Vermutungen ein weites Feld. Martin Hengel hat zuletzt darauf hingewiesen, daß für Jerusalem weder Demos noch Magistrate einer Polis bezeugt sind.[19] Ebenso gibt es keinen Anhaltspunkt für die Existenz einer βουλή, eines auf Jahresfrist gewählten oder erlosten Rates. Die in Makk 2,4,44 erwähnte *Gerusia* bezeichnet im griechischen Sprachgebrauch den traditionellen, von Priestergeschlechtern beherrschten Ältestenrat des jüdischen Ethnos.[20] Aus diesen, fraglos zutreffenden Beobachtungen zieht Martin Hengel die Schlußfolgerung, daß es möglicherweise vor Errichtung der seleukidischen Militärsiedlung auf der Akra, also vor Herbst 168 v. Chr., überhaupt nicht mehr zur „vollen Konstituierung" der Polis gekommen sei. Nach der positiven Seite gewendet, impliziert diese Aussage die Annahme, daß die Umwandlung Jerusalems in eine Polis mit der Anlage der Akra zusammenfiel. In diesem Punkte neigt Martin Hengel der einschlägigen These Elias Bickermanns zu.[21]

Diese These ruht auf zwei Pfeilern, die die ihnen zugemutete Beweislast nicht zu tragen vermögen:

1. Elias Bickermann bezieht die Formulierung τῇ τοῦ πατρὸς ἐπὶ τὰ ʽΕλληνικὰ μεταθέσει, die Antiochos V. in seinem an Lysias adressierten Brief gebraucht[22], auf den Übergang Jerusalems zur Polisverfassung.[23] Das ist jedoch nicht möglich. Der Kontext, in dem besagte Redewendung gebraucht ist, zeigt deutlich, daß unter der ἐπὶ τὰ ʼΕλληνικὰ μετάθεσις die von Antiochos IV. erzwungene Annahme einer nichtjüdischen Gottesverehrung zu verstehen ist. In diesem Sinne stellt Antiochos V. der „Umstellung auf das Hellenische" die Entscheidung der Juden für ihre traditionelle Lebensform gegenüber. Diese Interpretation wird bestätigt durch eine entsprechende Formulierung in Makk 2,6,8 f.[24] Dort ist mit dem „Übertritt zum Hellenischen" die Teilnahme an heidnischen Opfermahlzeiten gemeint. Die Beteiligung daran sollte auch den Juden aufgenötigt werden, die außerhalb Judäas auf dem Territorium der

---

[19] M. Hengel, Judentum und Hellenismus, 507 f. (Anm. 128).

[20] Vgl. Josephos, Ant. Jud. 12,142 (vgl. 138); Makk 1,12,6 (= Josephos, Ant. Jud. 13,166); Makk 2,1,10; 11,27; Judith 4,8; 11,14; 15,8. Synonym wird *οἱ πρεσβύτεροι* gebraucht: Makk 2,14,37; Makk 1,11,23; 12,35; 13,36; 14,20. Zum jüdischen Ältestenrat zusammenfassend M. Hengel, Judentum und Hellenismus, 48–51.

[21] M. Hengel, Judentum und Hellenismus, 507 Anm. 128 nach E. Bickermann, Gott der Makkabäer, 72 f.

[22] Makk 2,11,24; zu diesem Brief vgl. oben.

[23] E. Bickermann, Gott der Makkabäer, 73–75.

[24] Der Text ist im Wortlaut unten auf S. 94 zitiert.

benachbarten griechischen Städte lebten. Die persönliche Entscheidung des einzelnen außerhalb Judäas wohnenden Juden zugunsten einer Polis in Jerusalem zu verlangen, wäre sinnlos, ja, widersinnig gewesen, und es kann keinem begründeten Zweifel unterliegen, daß auch in dem Königsbrief die „Umstellung auf das Hellenische" sich nicht auf die ‚Verfassungsfrage' (wenn der Ausdruck erlaubt ist), sondern auf die Religion bezieht. Die ἐπὶ τὰ Ἑλληνικὰ μετάθεσις war das Schlagwort der Religionsverfolgung, nicht das Programm der hellenistischen Reformer, die Jerusalem in eine Polis umwandeln wollten. Nur so ist es verständlich, daß der einzelne Jude vor die furchtbare Alternative gestellt wurde, vom Gott seiner Väter zu einem fremden Gott abzufallen und auf diese Weise „zur hellenischen Lebensweise überzutreten" – oder den Tod zu erleiden.

2. Die zweite Quellenstelle, auf die sich Elias Bickermann beruft, ist Makk 1,15,28 (mit 33).[25] Dort wirft Antiochos VII. Sidetes dem Hohenpriester Simon dessen jüngste Eroberungen vor. Ὑμεῖς κατακρατεῖτε τῆς Ιοππης καὶ Γαζαρων καὶ τῆς ἄκρας τῆς ἐν Ιερουσαλημ, πόλεις τῆς βασιλείας μου. Aber der bloße Umstand, daß hier Ioppe, Gazara und die Jerusalemer Akra als „Städte meines Reiches" apostrophiert werden, sagt über deren politische Verfassung nicht das geringste aus. Zu bedenken ist, daß nicht der Text einer königlichen Botschaft im Wortlaut zitiert, sondern allenfalls der Gesamtsinn wiedergegeben wird. Im Sprachgebrauch des ersten Makkabäerbuches bedeutet πόλις aber nur soviel wie Ort oder befestigter Platz. Auch die kleinen Siedlungen Judäas, die politisch von Jerusalem, dem Vorort des jüdischen Ethnos, abhängig waren, werden πόλεις Ιουδα genannt.[26] Gazara, Ioppe und die Akra waren bedeutende Festungen, Stützen der seleukidischen Herrschaft. In diesem Sinne bezeichnet sie der seleukidische König in der Wiedergabe des ersten Makkabäerbuches als πόλεις βασιλείας μου. Eine verfassungsrechtliche Bedeutung hat die Bezeichnung jedenfalls nicht.

Zugunsten der These Elias Bickermanns könnte freilich unter Umständen die Einsetzung eines *Epistates* in Jerusalem interpretiert werden, die Antiochos IV. im Herbst 168 v. Chr. vornahm.[27] Denn bekanntlich gab es in Städten mit dynastischem Namen, also in Gründungen des Herrscherhauses, unter der Bezeichnung *Epistates* königliche Funktionäre, die zugleich an der Spitze der städtischen Magistrate standen.[28] Sie sind bezeugt für das Pierische Seleukeia, für Laodikeia am Meer und für das iranische Seleukeia (Nehawend).[29] Ob der von

[25] E. Bickermann, Gott der Makkabäer, 72; ihm folgt M. Hengel, Judentum und Hellenismus, 514.

[26] Makk 1,1,44.

[27] Vgl. Chr. Habicht, 2. Makkabäerbuch, 227 Anm. a. zu 5,22.

[28] Vgl. M. Holleaux, Une inscription de Séleucie de Piérie, BCH 57, 1933, 26–31 = Études d'epigraphie et d'histoire grecques, Tome III, Paris 1942, 216–220; A. Heuß, Stadt und Herrscher des Hellenismus in ihren staats- und völkerrechtlichen Beziehungen, Klio Beiheft 39, Wiesbaden 1937 (Ndr. Aalen 1963), 59–61.

[29] C. B. Welles, Royal Correspondance in the Hellenistic Period, New Heaven 1934, 45,1: Seleukeia in Pierien; R. Monterde, Inscriptions grecques et latines de la Syrie, Paris 1929 ff. Nr. 1261,2;

Polybios erwähnte *Epistates* von Seleukeia am Tigris[30] hierher gerechnet werden darf, ist zweifelhaft. Dem Zusammenhang des polybianischen Berichtes nach zu urteilen, war der dort amtierende *Epistates* der Kommandant der in der Stadt liegenden Garnison, also ein königlicher Offizier, der als solcher außerhalb des Organismus der städtischen Selbstverwaltung stand.

Überhaupt sind Unbestimmtheit und Vieldeutigkeit des Begriffs *Epistates* zu bedenken.[31] Er bezeichnet in gleicher Weise die Doppelstellung eines königlichen Kommissars und städtischen Magistrats, einen Militärkommandanten oder einen Beauftragten des Königs, der auf Bitten der betreffenden Gemeinde mit der Beilegung interner Streitfragen einer Polis beauftragt war. Mit einer so beschaffenen zivilen Sonderaufgabe konnte gegebenenfalls auch der bereits in der Stadt residierende Befehlshaber einer Garnison betraut werden, ohne daß aus dieser ephemeren Verbindung der militärischen und der zivilen Funktion ein fester und ständiger Zuständigkeitsbereich erwachsen wäre.

Dem Titel als solchem ist also nicht zu entnehmen, welche Stellung der im zweiten Makkabäerbuch genannte *Epistates* Philippos in Jerusalem einnahm. Aufschluß darüber ist allenfalls aus den Umständen seiner Einsetzung und aus der Art seiner Tätigkeit zu gewinnen. Aus Makk 2,5,22f. ist zu entnehmen, daß nicht nur in Jerusalem, sondern zur gleichen Zeit auch auf dem Garizim, dem Heiligtum der Samaritaner, ein *Epistates* eingesetzt wurde. Eine Polis ist dort weder damals noch zu einem anderen Zeitpunkt gegründet worden. Die Einsetzung eines *Epistates* muß also anderen Ursachen als der Konstituierung einer Polis mit dynastischem Namen zugeschrieben werden. Wie sich herausstellen wird, gilt Entsprechendes auch für Jerusalem.

Im zweiten Makkabäerbuch werden beide *Epistatai* als ἐπίσταται τοῦ κακοῦν τὸ γένος bezeichnet. Dies gibt einen ersten Hinweis darauf, wie ihre Amtsbezeichnung zu interpretieren ist. Die Aussage, daß sie das Volk bedrücken und knebeln sollten, legt die Annahme nahe, daß sie als Kommandanten von Besatzungstruppen mit der militärischen Sicherung sowie polizeilichen Überwachung Judäas und Samarias beauftragt waren. Tatsächlich stand die Einsetzung der beiden *Epistatai* in unmittelbarem Zusammenhang mit der Befriedungsaktion, die der König im Herbst des Jahres 168 v. Chr. durchführte. Während des letzten ägyptischen Feldzugs war es in Jerusalem zu einem Bürgerkrieg gekommen, der seinem Parteigänger, dem Hohenpriester Menelaos, vorübergehend die Herrschaft gekostet hatte.[32] Antiochos IV. hatte also guten Grund, die seleukidische Oberherrschaft militärisch zu sichern. Jerusalem und Sichem, der Vorort der Samaritaner, empfingen Besatzungen. Die *Epistatai* sind demnach nichts anderes als die Befehlshaber der Militärsiedlung bzw. Garnison.

Diese Auffassung wird durch verschiedene Nachrichten des zweiten Makka-

---

Seleukeia am Meer: L. Robert, Inscriptions séleucides de Phrygie et d'Iran, Hellenica 7, 1949, 7, Z. 1f.: Seleukeia (Nehawend).

30 Polybios 5,48,12.

31 Vgl. A. Heuß, a. a. O. (s. o. Anm. 28) 31–36.

32 Makk 2,5,5ff.; vgl. hierzu unten S. 126.

bäerbuches gestützt. Nichtmilitärische Aufgaben wurden in Jerusalem nicht dem *Epistates* Philippos anvertraut. Das königliche Religionsedikt überbrachte eine Kommission unter Führung des Atheners Geron; ihr fiel auch die Aufgabe zu, die heidnische Gottesverehrung überall in Judäa einzuführen.[33] Philippos hingegen hatte etwaige Widersetzlichkeit gesetzestreuer Juden gewaltsam zu brechen und für die Aufrechterhaltung von ‚Ruhe und Ordnung' zu sorgen. Von ihm wird in Makk 2,6,11 berichtet, daß er diejenigen, die in die Wüste ausgewichen waren, um den Sabbat zu heiligen, in ihren Verstecken aufspüren und verbrennen ließ. Später ersuchte er, Makk 2,8,8 zufolge, durch die Fortschritte des jüdischen Aufstands alarmiert, den Strategen von Koilesyrien und Phoinikien, „der Sache des Königs zu Hilfe zu kommen" – offenbar weil er selber sich nicht mehr in der Lage sah, die Situation mit den ihm unterstellten Kräften zu meistern.

Aus dem vorgelegten Befund läßt sich soviel entnehmen: Keine Quellenstelle und kein wie immer geartetes Indiz sprechen dafür, daß anläßlich der Anlage einer seleukidischen Militärsiedlung in Jerusalem und der Einsetzung eines *Epistates* die Verfassung Jerusalems abgeändert und dort eine Polis konstituiert wurde.

Die gegenteilige Annahme stünde in eklatantem Widerspruch zu der Aussage des zweiten Makkabäerbuches, daß es der bereits im Jahre 173/172 v. Chr. wieder abgesetzte Hohepriester Jason war, der die alte überlieferte Verfassung der Juden umgestürzt habe.[34] Außer Frage steht ja, daß Jason Antiochos IV. das Recht abgekauft hatte, einen Bürgerverband zu bilden, d. h. eine Polis zu konstituieren. Fraglich ist allenfalls, ob er in den wenigen Jahren seiner Hohenpriesterschaft seinen politischen Reformplan tatsächlich ins Werk setzen konnte, ob er also die Polis der „Antiochier in Jerusalem" ins Leben rief. Denn das Verdikt des zweiten Makkabäerbuches, das Jason mit dem Umsturz der väterlichen Verfassung belastet, ist so vage und zugleich polemisch gehalten, daß sich aus ihm nichts Sicheres über die Vollendung des im engeren Sinne politischen Reformplanes entnehmen läßt.

Ein unverdächtiges Zeugnis für die Existenz der Bürgerschaft der „Antiochier in Jerusalem" (und damit der Polis) liefert hingegen Makk 2,4,18. Der Text lautet: 'Αγομένου δὲ πενταετηρικοῦ ἀγῶνος ἐν Τύρῳ καὶ τοῦ βασιλέως παρόντος 'Ιάσων ὁ μιαρὸς θεωροὺς ὡς ἀπὸ Ιεροσολύμων 'Αντιοχεῖς ὄντας[35] παρακομίζοντας ἀργυρίου δραχμὰς τριακοσίας εἰς τὴν τοῦ 'Ηρακλέους θυσίαν ... Interpretationsprobleme wirft insbesondere der für die angeschnittene Frage entscheidende Passus θεωροὺς ὡς ἀπὸ Ιεροσολύμων 'Αντιοχεῖς ὄντας auf. Elias Bickermann verstand ihn so: Jason schickte (als Festgesandte) „Antiochener im Namen von Jerusalem".[36] Dieser Interpretation liegt jedoch die unzu-

---

[33] Makk 2,6,1f.; Makk 1,1,44–48; 1,2,15 und 25.

[34] Makk 2,4,11.

[35] ὡς: AVLq ὡς . . .ὄντας: Venetus; vgl. B und M: *spectatores quasi ab Ierosolymis Antiocenses*.

[36] E. Bickermann, Gott der Makkabäer, 60 (59 Anm. 1).

treffende Auffassung zugrunde, daß die Antiochier eine Korporation innerhalb des jüdischen Ethnos gebildet hätten. Auch sprachlich ist es nicht möglich, ὡς ἀπὸ Ἱεροσολύμων von Ἀντιοχεῖς zu trennen. Die Ortsbestimmung steht, wie oben gezeigt wurde[37], immer in attributiver Stellung zum Ethnikon; die „Antiochier von Jerusalem" sind also ein einheitlicher Begriff. Dies wird auch dadurch unterstrichen, daß er durch die Partizipialkonstruktion ὡς ... ὄντας eingeschlossen ist.

Ein Interpretationsproblem von geringerer Bedeutung bildet die Frage, welcher der beiden Akkusative prädikativ aufzufassen sei. Meist wird der erste – θεωρούς – entsprechend übersetzt, so zuletzt von Christian Habicht: „... da entsandte der befleckte Jason als Festgesandte Antiochener von Jerusalem ..."[38] Doch nach den Regeln der Satzstellung ist θεωρούς als das vom Verb unmittelbar abhängige Akkusativobjekt und ἀπὸ Ἱεροσολύμων Ἀντιοχεῖς als die auf θεωρούς bezogene Prädikation aufzufassen. Indem der Autor ὡς ... ὄντας hinzusetzt, verdeutlicht er den kausalen Sinn der prädikativen Aussage, und der zitierte Satz ist demnach so zu übersetzen: „Als aber in Tyros der alle vier Jahre stattfindende Wettkampf bei Anwesenheit des Königs ausgetragen wurde, schickte der befleckte Jason dorthin Festgesandte, nämlich Antiochier von Jerusalem, die 300 Silberdrachmen für das Opfer des Herakles überbringen sollten ..."

Der hier geschilderte Vorgang setzt voraus, daß der Bürgerverband der „Antiochier in Jerusalem" und damit die ‚Polis' tatsächlich existierten und von der hellenisierten Umwelt als solche anerkannt wurden. Nur Städte oder Herrscher, deren ‚Hellenentum' unbestritten war, wurden zu ‚panhellenischen' Spielen wie den Tyrischen eingeladen und entsandten θεωροί, d. h. offizielle Festgesandte.[39] Das jüdische Ethnos und sein Hoherpriester waren zur Teilnahme an solchen Festen von Haus aus nicht berechtigt. Das änderte sich mit der Konstituierung eines Verbandes der Politen. An die „Antiochier in Jerusalem" erging die Einladung, eine Festgesandtschaft nach Tyros abzuordnen, und auf Betreiben des Hohenpriesters Jason wurde – so dürfte sich der Vorgang der Entsendung tatsächlich abgespielt haben – ein entsprechender Beschluß der Organe der neuen Bürgerschaft gefaßt ...

Aber wie die vorgesehene Spende für das Heraklesopfer mit Rücksicht auf die religiöse Lebensordnung des jüdischen Volkes schließlich doch nicht zustande kam, so blieb auch die Umbildung des jüdischen Ethnos in eine hellenistische Polis wegen der engen Verknüpfung von Religion und politisch-gesellschaftlicher Verfassung der Juden bereits in den Ansätzen stecken.

Vor allem Hoherpriester und *Gerusia*, der von Priestergeschlechtern beherrschte Ältestenrat, bewahrten ihre führende Rolle auch in der Polis der „Antiochier in Jerusalem". Gewählte, jährlich wechselnde Magistrate hat die neue

---

[37] Vgl. oben S. 84 mit Anm. 9.

[38] Chr. Habicht, 2. Makkabäerbuch, 218.

[39] Vgl. F. Boesch, Θεωρός. Untersuchungen zur Epangelie griechischer Feste, Diss. Zürich 1908, passim, besonders 67 ff.

Polis offensichtlich nicht besessen, und die Stelle einer βουλή nahm nach Ausweis von Makk 2,4,44 und 2,11,27 eine γερουσία ein. Darin liegt nicht nur ein terminologischer Unterschied. *Gerusia* bezeichnet die aristokratische Ratsversammlung, deren Mitglieder ihr auf Lebenszeit angehören. Die griechisch verfaßte Stadt des Seleukidenreiches war hingegen nach demokratischen Prinzipien organisiert. Selbst die Ratsherren der Städte, die aus makedonischen Militärsiedlungen hervorgegangen waren und die die Bezeichnung πελιγᾶνες trugen, scheinen keine Ausnahme gebildet zu haben.[40] Wie die Verfassung der einzelnen orientalischen Gemeinwesen umgestaltet wurde, als sie unter Seleukos IV. und Antiochos IV. in den Rang hellenistischer Poleis aufstiegen, ist mangels Quellen nicht zu ermitteln. Aber es ist bezeichnend, daß die Polis der „Seleukeer in Gaza", die wenige Jahre vor der Polis der „Antiochier in Jerusalem" konstituiert worden war, gegen Ende des zweiten Jahrhunderts v. Chr. einen Rat der Fünfhundert, also eine genuin demokratische Institution nach dem Vorbild Athens, besaß.[41] Die Annahme liegt nahe, daß die aus orientalischen Gemeinden entstandenen ‚griechischen' Städte sich zumindest im Laufe der Zeit dem Verfassungstypus der hellenistischen Polis anpaßten. Für Jerusalem trifft dies jedoch nicht zu. Mit Recht hat Victor Tcherikover festgestellt, daß dort der traditionelle Ältestenrat in die Verfassung der neuen Polis übernommen wurde.[42] Entsprechendes gilt für den Hohenpriester. Auch im Gefüge der Polis nahm er im Grunde dieselbe Stellung ein wie unter der alten Ethnosverfassung. Er blieb der oberste Repräsentant der jüdischen Gemeinde. Als solcher wurde er nicht von der Bürgerschaft auf Zeit gewählt, sondern vom König ernannt und gegebenenfalls abgesetzt. So ersetzte Antiochos IV. im Jahre 173/172 v. Chr. den Hohenpriester Jason durch Menelaos[43], Antiochos V. diesen, im Sommer 163 v. Chr., durch Alkimos.[44] Die Hohenpriester vertraten auch nach der Konstituierung des Bürgerverbandes das jüdische Gemeinwesen gegenüber dem königlichen Oberherrn, und sie nahmen zugleich dessen Interessen wahr. Insbesondere verblieb dem Hohenpriester das Recht, mit dem König die Höhe der jährlichen Tributzahlungen auszuhandeln[45], und er war diesem für den Eingang der ent-

[40] Vgl. die Interpretation des *terminus technicus* durch Hesych, s. v. πελιγᾶνες: οἱ ἔνδοξοι* παρὰ δὲ Σύροις οἱ βουλευταί. Inschriftlich überliefert ist ein Beschluß des πελιγᾶνες von Laodikeia am Meer: P. Roussel, Décret des Péliganes de Laodicée sur Mer, Syria 23, 1942/43, 21–32; in Polybois 5,54,10 ist das überlieferte τοὺς καλουμένους 'Αδειγᾶνας in πελιγᾶνας (sc. von Seleukeia am Tigris) zu verbessern.

[41] Den Rat der Fünfhundert in Gaza bezeugt Josephos, Ant. Jud. 13, 364; allgemein zur Verfassung der hellenistischen Stadt: A. H. M. Jones, The Greek City from Alexander to Justinian, Oxford 1971[2], 165; vgl. neuerdings auch G. M. Cohen, The Seleucid Colonies. Studies in Founding, Administration and Organization, Historia Einzelschr. 30, Wiesbaden 1978, 86 mit Anm. 65.

[42] V. Tcherikover, Hellenistic Civilization and the Jews, 162.

[43] Makk 2,4,23–25; zu der auf Makk 2,4,23 basierenden Datierung vgl. J. G. Bunge, Untersuchungen zum zweiten Makkabäerbuch, Diss. Bonn 1971, 641.

[44] Zu den Umständen und zur Datierung der Einsetzung des Alkimos vgl. W. Mölleken, Geschichtsklitterung im I. Makkabäerbuch (Wann wurde Alkimus Hoherpriester?), ZATW 65, 1953, 205 ff.

[45] Vgl. hierzu unten S. 115 ff.

sprechenden Zahlungen verantwortlich. Als Menelaos die vereinbarten Summen nicht aufbringen konnte, wurde er nach Antiocheia zitiert, um sich vor dem König zu verantworten.[46] Der jüdische Ältestenrat bzw. der Bürgerverband der „Antiochier in Jerusalem" war dementsprechend nicht befugt, den Hohenpriester abzusetzen oder gerichtlich zur Verantwortung zu ziehen. Nach einem Aufstand in Jerusalem mußte die *Gerusia* durch drei Abgesandte Anklage gegen den Hohenpriester Menelaos erheben lassen.[47] Das uneingeschränkte Recht der Selbstregierung und die Justizhoheit, die der Polis des Seleukidenreiches zugeschrieben werden[48], besaßen die „Antiochier in Jerusalem" jedenfalls nicht. Ebensowenig war hier das korporative Prinzip der Polis verwirklicht, demzufolge allen Bürgern der Zugang zu den Magistraturen und dem Rat offenstand und allenfalls seine partielle Einschränkung durch einen Zensus möglich war.

Die Polis der „Antiochier in Jerusalem" bewahrte also unter der Tünche der hellenischen Verfassung ihren Charakter als hierokratisch verfaßtes Ethnos. Unter den gegebenen Umständen ist dies leicht verständlich. Die alte politisch-gesellschaftliche Ordnung war tief in der religiösen Lebensform des jüdischen Volkes verwurzelt, und gerade die Reformer, an ihrer Spitze der Hohepriester Jason, konnten ja als Angehörige der führenden Priestergeschlechter gar nicht bereit sein, Hand an die Grundlagen ihrer eigenen Stellung zu legen.

Die Umgestaltung des jüdischen Ethnos in eine Polis war somit durch einen tiefen inneren Widerspruch belastet. Die jüdischen Reformer um Jason orientierten sich an dem Vorbild der politisch-gesellschaftlichen Verfassung der Hellenen, und doch waren sie darauf angewiesen, die hierokratische Ordnung des jüdischen Ethnos als Grundlage ihrer Machtstellung zu bewahren. Damit soll nicht gesagt sein, daß die Reform an diesem inneren Widerspruch notwendigerweise hätte scheitern müssen. Eine allmähliche Annäherung an die Institutionen und an den gesellschaftlichen Unterbau der hellenistischen Polis wäre prinzipiell denkbar und jedenfalls nicht unmöglich gewesen. Dazu hätte es freilich nur kommen können, wenn der innere und äußere Frieden gewahrt blieb. Nur dann wäre überhaupt eine Möglichkeit der ruhigen, behutsamen Weiterentwicklung der Reform vorhanden gewesen.

Tatsächlich geriet die Reform jedoch in den Strudel innerer Machtkämpfe und brutaler Ausbeutung. Daran und nicht etwa am Widerstand frommer Traditionalisten ist sie gescheitert.

Bereits im Jahre 173/172 v. Chr. wurde der Reformer Jason von Antiochos IV. abgesetzt. An seine Stelle trat der nicht dem Hause der Oniaden angehörende Menelaos, der Bruder des Tempelvorstehers Simon. Der Preis, den er dem König für seine Erhebung zu zahlen hatte, bestand in einer drastischen Erhöhung des Tributs. Seitdem ging es nur noch um die Frage, wie die Gelder zu beschaffen seien, auf die der König einen Anspruch besaß.[49]

---

[46] Makk 2,4,27 f.

[47] Makk 2,4,44; zur Datierung des Falles in das Jahr 170 v. Chr. vgl. Chr. Habicht, 2. Makkabäerbuch, 222 (Anm. c zu 4,38) mit Literaturhinweisen.

[48] Vgl. E. Bickermann, Les institutions des Séleucides, Paris 1938, 141 ff.

[49] Makk 2,4,24 ff.; s. hierzu unten S. 118 f. und 124 ff.

Die von Jason eingeleitete Reform fortzuführen kann ohnehin nicht im Interesse des neuen Hohenpriesters gelegen haben. Der Bürgerverband der „Antiochier in Jerusalem" war ja das Werk des Oniaden Jason, des gestürzten Rivalen. Es ist nicht einmal auszuschließen, daß der neue Bürgerverband sich unter seiner Hohenpriesterschaft wieder auflöste. Jedenfalls will es bedacht sein, daß in der Überlieferung für die Zeit nach Absetzung Jasons von den „Antiochiern in Jerusalem" ebensowenig mehr die Rede ist wie von Gymnasium und Ephebie. Die Anhänger der hellenistischen Reform waren Jason verbunden. Soweit sie ihm nicht ins Exil folgten, müssen sie dem Strafgericht zum Opfer gefallen sein, das Antiochos IV. nach dem Anschlag Jasons auf Jerusalem im Herbst 168 v. Chr. über die Stadt verhängte.[50] So fielen die Ansätze der hellenistischen Reform, bevor sie zum Ziel gelangt waren, den Machtkämpfen rivalisierender Priestergeschlechter und der Politik desselben Königs zum Opfer, der die Einleitung jener Reformen erst ermöglicht hatte. Angesichts dieses paradoxen Sachverhaltes vermochte der Verfasser des zweiten Makkabäerbuches das Gefühl des Triumphes nicht zu unterdrücken: „Um dieser Dinge willen", sagt er mit Bezug auf die „Blüte des Hellenismus", in Jerusalem, „kam eine schlimme Zeit über sie, und gerade die, deren Lebensart sie nachzueifern sich bemühten und denen sie in allen Stücken gleichzukommen trachteten, erhielten sie zu Feinden und Rächern."[51]

Es ist denn auch urkundlich belegt, daß unter dem Hohenpriester Menelaos eine Bürgerschaft als Institution, d. h. eine Volksversammlung, nicht existierte. In Makk 2,11,27–33 ist ein Schreiben Antiochos' IV. aus dem Spätherbst des Jahres 165 v. Chr.[52] an „die *Gerusia* und die übrigen Juden" erhalten, das von Menelaos erwirkt worden war.[53] Die im Präskript gebrauchte Anredeformel hätte anders lauten müssen, wenn sich in Jerusalem die typischen Organe einer Polis hätten ausbilden lassen, nämlich: Βασιλεὺς 'Αντίοχος τῶν ἐν Ιεροσολύμοις 'Αντιοχέων τῇ βουλῇ καὶ τῷ δήμῳ χαίρειν.[54] Denkbar wäre auch die Variante gewesen, daß der Nennung der höchsten Magistrate die Formel καὶ (τῶν ἐν Ιεροσολύμοις 'Αντιοχέων) τῇ πόλει χαίρειν[55] gefolgt wäre.

Die in dem königlichen Brief gebrauchte Anrede war also nicht an die für eine Polis typischen Organe gerichtet. Sie stimmt freilich auch nicht mit dem Präskript überein, dessen sich die königliche Kanzlei später im Verkehr mit dem jüdischen Ethnos bediente. Besonders auffällig ist, daß Name und Titel des Hohenpriesters fehlen, die sonst an erster Stelle genannt sind.[56] Dies erklärt sich je-

[50] Makk 2,5,11 ff.; Makk 1,1,29 ff.; vgl. hierzu oben S. 127 f.
[51] Makk 2,4,16.
[52] Zur Datierung vgl. oben S. 46.
[53] Zu Text und Interpretation des Briefes vgl. oben S. 42 f.
[54] Vgl. C. B. Welles, Royal Correspondance in the Hellenistic Period, New Haven 1934, Nr. 5; Nr. 15; Nr. 31; Nr. 32; Nr. 38; Nr. 41; vgl. Nr. 72.
[55] Vgl. Welles Royal Correspondance (s. o. Anm. 54) Nr. 43; Nr. 45; zu beiden Anredeformen vgl. M. Holleaux, Une inscription de Séleucie de Piérie, BCH 57, 1933, 22–24 = Études d'epigraphie et d'histoire grecques, Tome III, Paris 1942, 213–215.
[56] Makk 1,11,30; 13,36; 15,2.

doch aus den Begleitumständen, unter denen der Brief geschrieben wurde. Der Hohepriester Menelaos war, wie dem Schreiben selbst zu entnehmen ist, dem König in die Oberen Satrapien nachgereist, um ihn zur Rücknahme des Religionsverbots zu veranlassen.[57] Er hielt sich also am Hof des Königs auf, und ihn brieflich anzureden, wäre in diesem Falle unsinnig gewesen, insbesondere wenn er selbst der Überbringer und Interpret des königlichen Schreibens war. Wie sehr die königliche Kanzlei in ihrer Korrespondenz den jeweiligen Umständen Rechnung trug, zeigt der Brief Demetrios' I. an das jüdische Ethnos in Makk 1,10,25: Βασιλεὺς Δημήτριος τῷ ἔθνει τῶν Ιουδαίων χαίρειν. Der König vermied es, den damals amtierenden Hohenpriester Jonathan anzureden, weil dieser von dem Usurpator Alexander Balas ernannt worden war. Andererseits ist die damalige verfassungsmäßige Ordnung Judäas genau bezeichnet: τῷ ἔθνει τῶν Ιουδαίων. In dem Schreiben Antiochos IV. wird gerade das vermieden. Es ist einerseits an die dem Menelaos hörige *Gerusia*, also den Ältestenrat des offiziellen jüdischen Gemeinwesens, gerichtet, andererseits an alle Juden, vor allem an die Aufständischen, die die Autorität ihrer zum Heidentum abgefallenen jüdischen Obrigkeit nicht mehr anerkannten. Der Inhalt des Schreibens, die Rücknahme des über Judäa verhängten Religionsverbots, war darüber hinaus wegen der religiösen Bedeutung des Heiligen Landes für *alle* Juden von allergrößtem Interesse. Es ist deshalb leicht begreiflich, daß der König sein Schreiben nicht nur an den Ältestenrat des jüdischen Gemeinwesens, sondern an die Juden schlechthin adressierte.

Das jüdische Gemeinwesen, dem der abtrünnige Hohepriester Menelaos und sein Ältestenrat vorstanden, war also weder das alte hierokratisch verfaßte jüdische Ethnos[58] noch eine wirkliche hellenistische Polis. Es war ein hypertrophes, in einer staatsrechtlichen Grauzone angesiedeltes Gebilde, das im Sommer 163 v. Chr. im Zuge der religiösen Restitution liquidiert und durch die alte Ethnosverfassung ersetzt wurde.

Immerhin scheint der Menelaos hörige Ältestenrat den Anspruch, eine den griechischen Städten gleichgestellte Polis zu repräsentieren, bis zu einem gewissen Grade nach außen hin aufrecht erhalten zu haben. Eine entsprechende Schlußfolgerung wird meines Erachtens durch Makk 2,6,8 nahegelegt. Dort ist von einem Psephisma an die Judäa benachbarten griechischen Städte die Rede, das diese aufforderte, den Religionszwang auf die Juden auszudehnen, die in ihren Mauern lebten. Im Wortlaut heißt es: Ψήφισμα δὲ ἐξέπεσεν εἰς τὰς ἀστυγείτονας Ἑλληνίδας πόλεις Πτολεμαίου ὑποθεμένου τὴν αὐτὴν ἀγωγὴν κατὰ τῶν Ιουδαίων ἄγειν καὶ ⟨αὐτοὺς ἀναγκάσαι⟩[59] σπλαγχνίζειν, τοὺς δὲ μὴ προαιρουμένους μεταβαίνειν ἐπὶ τὰ Ἑλληνικὰ κατασφάζειν.

Nach griechischer Terminologie bezeichnet ψήφισμα bekanntlich den Be-

[57] Makk 2,11,29 und 32; vgl. oben S. 45.

[58] Das Verbot der jüdischen Religion und die Umwidmung des Heiligtums an ‚Zeus Olympios' bedeutete die Vernichtung des Priester- und Levitenstandes: vgl. unten S. 132.

[59] Diese – notwendige – Textergänzung ist von Chr. Habicht vorgeschlagen worden: 2. Makkabäerbuch, 230 (Anm. b zu 6,8).

schluß einer Korporation, im politischen Bereich vor allem den einer Volks- oder Ratsversammlung.[60] In diesem Sinn spricht der Verfasser des zweiten Makkabäerbuches in 12,4 von einem ψήφισμα der Bürger von Ioppe. Dagegen soll das Wort in Makk 2,6,8 nach Auffassung der modernen Übersetzer und Interpreten soviel wie königlicher Befehl bedeuten. Die Parallelen, die für dieses Wortverständnis angeführt werden[61], tragen freilich die ihnen aufgebürdete Beweislast nicht. In Josephos, Ant. Jud. 18,69 ist der fragliche Ausdruck τῷ ψηφίσματι τοῦ θανεῖν, im eigentlichen Wortsinn das von einem Richterkollegium gefällte Todesurteil, auf den Entschluß des Decius Mundus übertragen, ‚sich selbst zu richten'. Josephos verwendet in dem herangezogenen Text mehrfach Ausdrücke der Rechtssprache.[62] Ψήφισμα wird von ihm im Sinne von Urteilsspruch gebraucht, und zwar so, daß von dem konstitutiven Aspekt ‚Mehrheitsvotum' abstrahiert wird und der Gesichtspunkt ‚Selbstverurteilung' übrigbleibt. In Makk 2,6,8 liegt hingegen ein bildlicher Sprachgebrauch mit Sicherheit nicht vor. Ganz unzulässig ist die Berufung auf Josephos, Ant. Jud. 13,262, da dort das von einem Teil der Handschriften überlieferte ψηφισθέντα aus dem allein sinnvollen ψηλαφηθέντα entstanden ist: Die jüdischen Gesandten fordern dem Bericht des Josephos zufolge den Senat auf, dafür zu sorgen, daß die „Anschläge", die Antiochos VII. Sidetes gegen einen Senatsbeschluß unternommen habe, keine Rechtskraft erlangten. Unter ψηλαφηθέντα sind die „Versuche" des Königs zu verstehen, die seleukidische Oberhoheit – durch Geiselnahme und Schleifen der Mauern Jerusalems – wieder aufzurichten; das Wort ψηφισθέντα ergäbe in diesem Zusammenhang überhaupt keinen Sinn. Auch Esth 3,7 und 9,24 in der griechischen Übersetzung der Septuaginta helfen nicht weiter. Mit ψήφισμα ist dort das sumerisch-assyrische Wort *pur* = (steinerne) ‚Stimmurne', ‚Los' übersetzt. Den Übersetzern scheint vorgeschwebt zu haben, daß *pur* dem griechischen ψῆφος entspreche. Sie gaben deshalb die Auslosung des Tages, an dem alle Juden im Persischen Reich umgebracht werden sollten, mit ψήφισμα ποιεῖν wieder. Die Übersetzung mag nicht in jeder Hinsicht geglückt erscheinen: Jedenfalls ist deutlich, daß auch hier ψήφισμα nicht den Befehl eines einzelnen bedeutet.

Die seleukidische Kanzleisprache gebraucht selbstverständlich niemals das Wort ψήφισμα im Sinne eines königlichen Befehls. Die Beteiligung von ‚Freunden' des Königs an den einem Befehl vorausgehenden Beratungen erlaubte nicht, den Entschluß des Königs als ψήφισμα zu bezeichnen.[63] Das Beratergremium konnte seinen Einfluß geltend machen, entscheidungsbefugt waren nicht die ‚Freunde', sondern der König.

Der oben zitierte Text (Makk 2,6,8f.) wäre demnach unter Wahrung des

---

[60] Vgl. zuletzt F. Quaß, Nomos und Psephisma. Untersuchungen zum griechischen Staatsrecht, Zetemata 55, München 1971, 2ff.

[61] Vgl. F.-M. Abel, Les livres des Maccabées, Paris 1949, 363 (Komm. z. Stelle).

[62] Vgl. vor allem θάνατον ἐπιτιμᾶν αὑτῷ und ὁ μὲν ἐπεψήφιζέν τε τῇ οὕτω τελευτῇ . . .

[63] In dem durch Josephos, Ant. Jud. 12,149 überlieferten Brief Antiochos' III. an Zeuxis heißt es dementsprechend: . . . βουλευσαμένῳ μοι μετὰ τῶν φίλων . . . ἔδοξεν . . .

Wortsinnes von ψήφισμα so zu übersetzen „Ein (Korporations)beschluß wurde auf Betreiben des Ptolemaios[64] den benachbarten griechischen Städten vorgelegt, mit den Juden auf dieselbe Weise zu verfahren und sie zu zwingen, vom Opferfleisch zu essen, diejenigen aber niederzumachen, die nicht bereit seien, zur hellenischen Lebensweise überzutreten."

Ausgehen konnte ein solcher Beschluß unter den gegebenen Umständen nur von dem Ältestenrat der abtrünnigen jüdischen Gemeinde. Auf Betreiben des Strategen von Koilesyrien und Phoinikien wandte er sich an die benachbarten ‚souveränen' griechischen Städte und demonstrierte durch seine diplomatische Initiative, daß die Gemeinde in Jerusalem ihnen gleichgestellt war. Eine solche Geste konnte freilich nicht darüber hinwegtäuschen, daß die Verfassungsänderung in Jerusalem sich längst als Fehlschlag erwiesen hatte. Wenige Jahre später stürzte dann zusammen mit Menelaos der abtrünnige Ältestenrat, das letzte Requisit der gescheiterten hellenistischen Reform.

[64] Gemeint ist Ptolemaios, Sohn des Dorymenes, damals Stratege von Koilesyrien und Phoinikien: vgl. Chr. Habicht, 2. Makkabäerbuch, 223 (Anm. a zu 4,45).

# IV. Die Religionsverfolgung

## 1. *Der Ereigniszusammenhang*

Im Dezember des Jahres 168 v. Chr. erließ Antiochos IV. das für Judäa geltende Religionsedikt. Der jüdische Kultus wurde verboten, das ‚Gesetz' aufgehoben, das Heiligtum nach dem Olympischen Zeus benannt und den Juden eine heidnische Religion aufgezwungen. Dieses Religionsedikt aus dem gescheiterten hellenistischen Reformansatz herzuleiten, ist nicht möglich. Denn von der Etikettierung der Religionsverfolgung als μετάθεσις ἐπὶ τὰ 'Ελληνικά einmal abgesehen: Ein ursächlicher Zusammenhang zwischen hellenistischer Reform und Religionsedikt besteht nicht.

Die Religionsverfolgung des Antiochos ist in der Geschichte des Hellenismus ein so singuläres Phänomen, daß es jeder Erklärung und jeden Verständnis zu spotten scheint. Unbegreiflich ist es deshalb nicht, wenn neuerdings sogar die Auffassung laut wird, das unlösbare Rätsel auf sich beruhen zu lassen: *„It is best to confess, however, that there seems no way of reaching an understanding of how Antiochus IV. came to take a step so profoundly at variance with the normal assumptions of government in his time.*"[1]

Annehmbar ist dieser Vorschlag jedoch nicht. Wie sich herausstellen wird, ist es durchaus möglich, das Paradoxon, das „eigentliche und einzige Rätsel in der Geschichte des seleukidischen Jerusalem"[2] zu verstehen und zu erklären – dann nämlich, wenn die Verfolgung und die Wiederherstellung der jüdischen Religion in den zugehörigen pragmatischen Ereigniszusammenhang gestellt werden.

Es ist bereits dargelegt worden, daß das Religionsedikt im Zuge einer militärischen Straf- und Sicherungsaktion erlassen wurde.[3] Antiochos IV. war gegen Ende des Jahres 170 v. Chr. von Ägypten in einen Krieg um den Besitz von Koilesyrien und Phoinikien verwickelt worden. Im Spätsommer des Jahres 169 v. Chr. hatte er auf der Rückkehr von seinem ersten ägyptischen Feldzug unter Mithilfe des Hohenpriesters Menelaos den Jerusalemer Tempelschatz geplündert und das Allerheiligste betreten. Im Sommer des folgendes Jahres, während des zweiten ägyptischen Feldzugs, folgte die Reaktion. Der abgesetzte Hohepriester Jason unternahm einen Anschlag auf die Heilige Stadt; die Bevölkerung erhob sich gegen Menelaos, also auch gegen Antiochos IV. Der amtierende Ho-

---

[1] F. Millar, The Background to the Maccabean Revolution: Reflections on Martin Hengel's ‚Judaism and Hellenism', JJS 29, 1978, 17.

[2] Die Formulierung gehört Elias Bickermann (Gott der Makkabäer, 92).

[3] Die folgende Darstellung basiert auf der in Abschnitt II vorgenommenen Quellenanalyse. Sie wird unten in Kapitel 3 ‚Steuerdruck und Tempelraub' und 4 ‚Die Ursachen' ergänzt und untermauert werden.

hepriester mußte in die Jerusalemer Zitadelle flüchten, seine Herrschaft brach zusammen.

Diese Ereignisse faßte der König als offenen Abfall auf. Nach seinem von den Römern erzwungenen Abzug aus Ägypten ließ er im Frühherbst des Jahres 168 v. Chr. Jerusalem durch den Mysarchen Apollonios einnehmen und nach Kriegsrecht bestrafen. Dann wurde innerhalb der Heiligen Stadt eine befestigte seleukidische Militärsiedlung, die sogenannte Akra, angelegt. Angesiedelt wurden Nichtjuden, das ‚Volk eines fremden Gottes'. Im Dezember 168 v. Chr. folgten schließlich im Einvernehmen mit Menelaos das Religionsedikt, die Entweihung des Heiligtums und die Aufnahme heidnischer Kultübungen...

Dieser Ereigniszusammenhang läßt vermuten, daß die Religionsverfolgung des Antiochos den Schlußpunkt jener umfassenden Straf- und Sicherungsaktion darstellt, durch die der König die Widersetzlichkeit der Juden gegen seinen Protégé, den Hohenpriester Menelaos, und folglich gegen seine Oberherrschaft brechen wollte.

Diese Vermutung wird durch den Fortgang der Ereignisse gestützt. Die jüdischen Frommen leisteten zunächst passiven, dann aktiven Widerstand gegen die ihnen aufgezwungene heidnische Gottesverehrung. Der Guerillakrieg fand in Judas Makkabaios einen glänzenden Führer. Weder der Befehlshaber der seleukidischen Militärsiedler noch der Stratege von Koilesyrien und Phoinikien wurden mit den ihnen unterstellten Kräften des Aufstandes Herr. Im Jahr 165 v. Chr. hatte Judas Makkabaios die Herrschaft über das flache Land gewonnen. Begrenzte Aufgebote lokaler seleukidischer Befehlshaber konnten sie ihm nicht mehr streitig machen. Selbst die militärische Befriedungsaktion des Kanzlers Lysias, dem Antiochos IV. bei seinem Aufbruch nach den Oberen Satrapien im Frühjahr die Regierung des westlichen Reichsteils anvertraut hatte, endete mit einer militärischen Niederlage. Daraufhin zögerte Lysias nicht, das Steuer der gegenüber den Juden verfolgten Politik herumzuwerfen und die Restitution der traditionellen Religion und Lebensordnung einzuleiten.

Auch der abtrünnige Hohepriester Menelaos reagierte den Umständen entsprechend. In einer verzweifelten Wende suchte er beim König für sich und seine Anhänger zu retten, was vermeintlich zu retten war. Er vereinbarte mit dem König, daß das Religionsverbot zurückgenommen wurde und er wieder als Hoherpriester des wiederhergestellten Jahwekultes fungieren sollte.

Dieses Mannöver wußte jedoch Judas Makkabaios zu durchkreuzen. Er eroberte das Heiligtum und ließ seinerseits den traditionellen Kult wiederaufnehmen. Darüber hinaus verstand er es durch seine aggressive Politik, zu verhindern, daß eine zu seinen Lasten gehende friedliche Übereinkunft zwischen der Reichsgewalt und den jüdischen Frommen zustande kam. Eine solche Lösung strebte der Kanzler Lysias an. Solange Antiochos IV. lebte, waren ihm die Hände freilich gebunden. Der König hielt bis zuletzt an der Herrschaft seines Parteigängers Menelaos fest. Nach dem Tod Antiochos' IV. (im November/Dezember 164 v. Chr.) gewann Lysias als Vormund des Nachfolgers endlich freie Hand. Als Judas Makkabaios die Wiederaufnahme der Verhandlungen durch einen Angriff auf die Akra durchkreuzte, mobilisierte Lysias die diesseits des Euphrats verfügbaren Teile des Reichsheeres und schlug Judas Makkabaios vernichtend. Der Weg zu einer Vereinbarung mit den jüdischen Frommen war endlich frei: Das Heiligtum und seine Privilegien wurden offiziell restituiert, und an die Spitze der wiederhergestellten jüdischen Hierokratie trat ein neuer Hoherpriester namens Alkimos.

Dieser Hergang ist in mehrerer Hinsicht aufschlußreich. Er belegt, daß schon vor der Eroberung und Wiedereinweihung des Tempels durch Judas Makkabaios das Religionsedikt des Jahres 168 v. Chr. außer Kraft gesetzt und die Restitution ins Auge gefaßt war. Weder der Kanzler Lysias noch der abtrünnige Hohepriester Menelaos noch Antiochos IV. scheinen ideologisch begründete Hemmungen gehabt zu haben, das Religionsedikt wieder aufzuheben. Sie alle folgten in diesem Punkt einem pragmatischen Motiv. Sie trugen dem jüdischen Widerstand Rechnung und glaubten, durch Nachgeben in der Religionsfrage die Loyalität Judäas zurückgewinnen zu können. Lysias versicherte den Aufständischen, daß er ihnen Urheber weiterer Wohltaten werden würde, wenn sie ihre Loyalität zum Reich unter Beweis stellen würden.[4] Antiochos IV. sicherte den Aufständischen, die die Waffen niederlegen und „zurückkehren" würden, Straffreiheit und die herkömmliche Lebensweise nach dem ‚Gesetz' zu.[5] Antiochos V. erklärte sich ohne Umschweife bereit, das Heiligtum zu restituieren, da die Juden nun einmal entschlossen seien, an ihren eigenen Lebensformen festzuhalten.[6]

Der seleukidischen Reichsgewalt ging es um Loyalität und um das Einkommen hoher Steuern[7], dem Hohenpriester Menelaos um Herrschaft und Leben. Ideologischer Bekehrungseifer ist nirgends auszumachen.

Wenn aber die seleukidische Seite und der abtrünnige Menelaos sich in dieser Weise verhielten, dann liegt es in Anbetracht der Umstände, unter denen das Religionsedikt des Jahres 168 v. Chr. erging, denkbar nahe, auch in der Religionsverfolgung einen – freilich untauglichen – Versuch zur Befriedung des unruhigen, aufrührerischen Landes zu erblicken.

Bevor der damit bezeichneten Spur näher nachgegangen werden kann, muß freilich der *prima facie* näherliegenden Erklärung der Religionsverfolgung nachgegangen werden: daß sie das Werk ideologischer Überzeugungstäter gewesen sei.

## 2. *Eine religiöse Reformation des Judentums?*

Im Mittelalter und in der frühen Neuzeit mußte die Annahme selbstverständlich erscheinen, daß Antiochos IV. den Glaubenszwang um der Glaubenseinheit wil-

---

4 Makk. 2,11,19.
5 Makk 2,11,30f.
6 Makk 2,11,24f.
7 Vgl. hierzu unten S. 111ff.

len verhängt habe. Insofern erschien sein Vorgehen wenigstens im Prinzip gerechtfertigt. Verwerflich galt es nur insofern, als der heidnische König nicht beanspruchen durfte, den ‚wahren' Glauben zu besitzen. Wie weit man damals davon entfernt war, in der Religionsverfolgung ein Problem zu sehen, zeigt eine diesbezügliche Äußerung John Wycliffs: *Recolemus quomodo fidei uniformitas facit in membris militantis ecclesiae unitatem. Unde gentiles principes licet in errore fidei perseverent nituntur reducere suas provincias ad fidei unitatem ut patet de Antiocho illustri primo Maccabaeorum.*[1]

Diese Interpretation gewann im Zeitalter der Glaubensspaltung eine eminente aktuelle Bedeutung. Antiochos IV. mochte als Irrender oder als Antichrist betrachtet werden: Immer wurde sein Vorgehen vom dogmatischen Wahrheitsanspruch der christlichen Konfessionen her verstanden und ihm unterstellt, daß er die Einheit in jenem Glauben angestrebt habe, den er für den wahren hielt.[2] Annehmbar ist ein derartiges Verständnis nicht. Für das antike Heidentum wäre die Forderung nach Vereinheitlichung des religiösen Glaubens schlechthin unbegreiflich gewesen. Jeder Privatmann verehrte seine persönlichen Götter, jede Gemeinde ihre eigenen Gottheiten, und niemand kam auf den Gedanken, fremden Göttern die Göttlichkeit zu bestreiten oder gar ihre Verehrung zu unterdrücken. Die antiken Großreiche konnten ohne eine entsprechend motivierte Toleranz keinen Bestand haben, ja, man ist berechtigt, in ihr eine Grundbedingung ihrer Existenz zu sehen. Für die heidnischen Oberherren des Jerusalemer Tempels, Perserkönige, Ptolemäer, Seleukiden und römische Kaiser, war denn auch der Gott der Juden ein wirklicher Gott, dem sie in ihrem Namen Opfer darbringen ließen.[3] Der Monotheismus, die strenge Exklusivität der jüdischen Lebensform und die oftmals festgestellte Fremdenfeindlichkeit mochten vielen heidnischen Beobachtern exotisch, ja, anmaßend und abstoßend anmuten: Das hinderte sie jedoch nicht, das jüdische ‚Gesetz' als den ‚Nomos' eines fremden Volkes zu respektieren.[4] Griechen wie Römer waren in dieser Hinsicht ausgesprochene Traditionalisten. Zumindest in intellektuellen Kreisen gab es darüber hinaus sogar Sympathien für den Universalismus des jüdischen Allgottes, der einem philosophischen Gottesbegriff weitaus mehr zusagen mußte als die bunte Welt des homerischen Götterhimmels.[5]

Gewiß, die ‚Entdeckung' der Juden durch die Griechen führte keineswegs zu einem tieferen Verständnis des rätselhaften Volkes.[6] Seine Heiligen Schriften

---

[1] J. Wycliff, De Christo et adversario suo, 655 ed. R. Buddensieg.

[2] Vgl. hierzu die Hinweise von E. Bickermann, Gott der Makkabäer, 39f.

[3] Vgl. E. Bickermann, La Charte séleucide de Jérusalem, REJ 100, 1935, 28–32 mit Quellenbelegen.

[4] Vgl. Tacitus, Hist. 5,5,1 über jüdische Kultbräuche: *Hi ritus quoque modo inducti antiquitate defenduntur.*

[5] Vgl. Hekataios, FGrHist 264 F 6,5; Strabon, Geogr. 16,35 (zur Frage der poseidonischen Herkunft des Textstückes vgl. unten S. 104 mit Anm. 21; Varro bei Augustin, C.D. 4,31 = Varro fr. 1,59 ed. R. Agahd: M. Terentii Varronis antiquitates rerum divinarum, JbPhilSuppl. 24, 1898, 163; Ps Longinos, De sublim. 9,9.

[6] Dies wird neuerdings zu Recht betont durch A. Momigliano, Alien Wisdom. The Limits of Hel-

wurden zwar ins Griechische übersetzt, aber sie blieben der griechischen Welt fremd. Die Griechen erblickten in den Juden nur das, was sie sehen wollten: ein – austauschbares – Beispiel für die ‚Weisheit des Ostens'. In dieser Sehweise wurden die jüdischen Priester wie die Magier und die indischen Gymnosophisten zu Weisen stilisiert, Moses repräsentierte den Typus des großen Lehrers und Gesetzgebers der Frühzeit (er war sozusagen der Lykurg der Juden), die jüdische Theokratie rückte in unmittelbare Nähe zum platonischen Idealstaat, und die Religion Jahwes wurde als konkrete Erscheinungsform der ‚natürlichen' d.h. ‚philosophischen', Gottesvorstellung interpretiert. Diese idealisierende *interpretatio Graeca* mag oberflächlich und klischeehaft sein, sie mag ein ziemlich schiefes Bild der jüdischen Wirklichkeit zeichnen, und man kann hinsichtlich ihrer Verbreitung in der griechischen Welt denken, wie man will. Aber sie zeigt doch unwiderleglich immerhin das eine: In der griechischen Oberschicht der frühhellenistischen Zeit gab es keinen fanatischen, prinzipiellen Judenhaß, keinen die Atmosphäre vergiftenden ‚Antisemitismus'.

Es ist von diesen Voraussetzungen her gar nicht einzusehen, warum ein hellenistischer Herrscher auf den Gedanken verfallen konnte, dem jüdischen (oder irgendeinem anderen) Volk eine Religion aufzuzwingen, die diesem fremd war. Ein solches Unterfangen stünde in so eklatantem Widerspruch zu der allgemeinen religiösen Toleranz, zu der ‚öffentlichen Meinung' über das Judentum sowie zu der Regierungspraxis der hellenistischen Großreiche, daß es schlechthin unverständlich wäre.

Deshalb ist es auch nicht recht glaublich, daß Antiochos IV. die jüdische Religion aus Judenhaß verfolgt habe.[7] Der offene, aggressive ‚Antisemitismus' der antiken Welt war eine Reaktion auf die Kämpfe der Makkabäerzeit und die sich anschließende gewaltsame Expansion des jüdischen Tempelstaates. Einen Nährboden für kollektive Wahnvorstellungen hat es vorher kaum gegeben, und ‚Antisemitismus' in der rassistischen Bedeutung des Wortes, dieses illegitime Kind des Darwinismus, ist ohnehin erst ein Produkt des ausgehenden neunzehnten Jahrhunderts. Gewiß ist es nicht völlig undenkbar, daß Antiochos IV. persönlich, aus welchen persönlichen Gründen auch immer, gegen das Judentum

lenization, Cambridge 1978², 82 ff. = dt. Hochkulturen im Hellenismus, München 1979, 103 ff. Zu den Vorstellungen, die in vormakkabäischer Zeit von griechischen Autoren wie Hekataios von Abdera, Theophrast, Megasthenes, Klearchos von Soloi und Hermippos von Smyrna verbreitet wurden, vgl. auch M. Hengel, Judentum und Hellenismus, 464–469. Die einschlägigen Texte sind von M. Stern neu herausgegeben und kommentiert worden: Greek and Latin Authors on Jews and Judaism, Vol. I, Jerusalem 1976, 8 ff.

[7] So I. Heinemann, der im übrigen Antiochos IV. das Motiv der Stärkung der Reichseinheit unterstellt: Wer veranlaßte den Glaubenszwang der Makkabäerzeit?, MGJ 82, 1938, 164 ff. Gerade Heinemann hatte aber wenige Jahre vorher klargestellt daß Zeugnisse des Judenhasses erst für die Zeit nach der Wende vom zweiten zum ersten Jahrhundert v. Chr. nachweisbar sind: s. v. Antisemitismus, RE Suppl. 5 (1931), 3 ff. Die feindselige Schilderung der Juden durch den ägyptischen Priester Manetho – sie stammt aus dem frühen dritten Jahrhundert v. Chr. – ist nationalägyptisch gefärbt: FGrHist. 609 F 10 (= Josephos, Contr. Apion. 1,223–253); für die Einstellung der griechischen Oberschicht innerhalb und außerhalb Ägyptens ist Manethos Judenfeindlichkeit nicht repräsentativ.

voreingenommen gewesen wäre. Gegen eine solche Annahme spricht jedoch schon der Umstand, daß er die Religionsverfolgung aufhob, als es ihm aus Gründen der bloßen politischen Opportunität geboten erschien. Vollends widerlegt wird sie durch die Tatsache, daß die Juden außerhalb Palästinas in ihrem Glauben und ihrer Lebensordnung völlig unbehelligt geblieben sind.[8]

Spätestens seit dem Ende der europäischen Glaubenskriege und der Aufklärung des achtzehnten Jahrhunderts war die Einheit des Glaubens als solche kein selbstverständliches Ziel der Politik mehr. Dementsprechend wurde das der Religionsverfolgung des Antiochos unterstellte Motiv ‚säkularisiert'. Der Glaubenszwang wäre demnach ein Mittel zur Beseitigung des Partikularismus gewesen. Griechische Religion und griechische Kultur sollten angeblich die Königsherrschaft stärken und das Seleukidenreich nach innen und nach außen festigen: Aus diesem Grunde also hätten die Juden ihre Sonderart aufgeben müssen.[9] Dies war der Staatszweck des aufgeklärten Absolutismus, und tatsächlich erschien im neunzehnten Jahrhundert Antiochos IV. als das antike Gegenstück Kaiser Josephs II. oder besser noch, als dessen Karikatur.[10] Denn von persönlichen Unzulänglichkeiten abgesehen: Welcher Abstand trennt nicht den Verfolger der jüdischen Religion von dem aufgeklärten Urheber des Toleranzediktes?

Theodor Mommsen wußte zuviel von den Verhältnissen der antiken Welt, um eine solche Politik nicht für eine Torheit zu halten. Spätere Generationen ließen sich in ihrem durch Zeitumstände gefärbten Vorurteil nicht mehr beirren. Sie glaubten zu wissen, daß Antiochos sein Reich durch den Rückgriff auf griechische ‚Kultur' und ‚Nationalität' vor dem Untergang zu bewahren suchte. Ulrich von Wilamowitz-Moellendorf brachte den damals modernen Gedanken auf die schlichte Formel: „Der Hellenengott sollte ihm sein Reich vor Römern und Parthern retten."[11] So geschah es, daß Antiochos IV. durch die Brille ‚moderner' Ideologien gesehen wurde – mochte es die der religiösen oder die der nationalen

---

[8] Nach Makk 2,6,8 versuchte der Stratege von Koilesyrien und Phoinikien, Ptolemaios, Sohn des Dorymenes, die Judäa benachbarten griechischen Städte zur Übernahme des Religionsediktes zu veranlassen. Wahrscheinlich wollte er verhindern, daß gesetzestreue Juden sich dem Glaubenszwang durch Flucht aus Judäa zu entziehen suchten. Die Verfolgung der jüdischen Religion erstreckte sich also auf Judäa und die unmittelbar benachbarten Gebiete. Was Samaria anbelangt, so gelang es den ‚Sidoniern von Sichem' eigenmächtige Übergriffe königlicher Funktionäre durch eine Eingabe an den König abzuwenden (die diesbezüglichen Urkunden hat Josephos, Ant. Jud. 12, 258–264 überliefert: vgl. unten S. 142f.). Die bedeutende jüdische Diaspora in Babylonien und Persien blieb unbehelligt, ebenso die jüdische Gemeinde von Antiocheia am Orontes; vgl. E. Bickermann, Gott der Makkabäer, 121f.

[9] Zur Deutung der Religionsverfolgung seit dem frühen neunzehnten Jahrhundert vgl. die wertvollen Hinweise Elias Bickermanns in: Gott der Makkabäer, 44–46. Das Thema verdient eine gründliche Untersuchung unter wissenschaftsgeschichtlichen Gesichtspunkten.

[10] Th. Mommsen, Römische Geschichte, Bd. II, Berlin 1903[9], 59: „. . . so war doch der Plan, hellenisch-römische Weise und hellenisch-römische Kultur überall in seinem Lande einzuführen und seine Völker in politischer wie in religiöser Weise auszugleichen unter allen Umständen eine Torheit, auch abgesehen davon daß dieser karikierte Joseph II. persönlich einem solchen gigantischen Unternehmen nichts weniger als gewachsen war . . ."

[11] U. von Wilamowitz-Moellendorf, Volk, Staat, Sprache, in: Reden und Vorträge, Berlin 1913[3], 145.

Einheit sein. Dem Seleukidenkönig wurde unter Berufung auf Makk 1,1,41 die Absicht unterstellt, überall in seinem Reich den Partikularismus auszurotten: „Damals schrieb der König seinem ganzen Reich vor, alle sollten zu einem einzigen Volk werden, und jeder solle seine Eigenart aufgeben." Doch schon im neunzehnten Jahrhundert war darauf hingewiesen worden, daß diese pauschale Behauptung unglaubwürdig ist.[12] Antiochos IV. hat niemals den selbstmörderischen Versuch unternommen, den vielen in seinem Reiche wohnenden Völkern griechische Religion und griechische Lebensweise aufzuzwingen. Elias Bickermann war völlig im Recht, als er noch einmal klarstellte, daß Religionsverfolgung und Glaubenszwang auf Judäa beschränkt waren und daß die Motive, die die Wissenschaft Antiochos IV. unterstellte, die jeweils herrschenden Ideologien widerspiegeln: „Die heute [d.h. im Jahre 1937: Anm. d. Verf.] herrschende Lehre ist von gestern und unter bestimmten Zeitverhältnissen entstanden. Ihr sind ganz andere ‚herrschende' Ansichten vorangegangen, die ebenfalls die Aktion des Epiphanes nach den Ideen der jeweiligen Zeitströmungen verstanden. Die Wissenschaft ‚modernisierte' stets Antiochos, mag das ‚Moderne' für eine Generation die persönliche Politik eines Potentaten des 17. Jahrhunderts und für andere der Kulturkampf sein."[13]

Wenn aber allein das jüdische Ethnos dem Glaubenszwang unterworfen wurde und dieser sich nicht aus der seleukidischen Herrschaftspraxis erklären läßt, dann bleibt nur übrig, seine Ursachen in spezifisch innerjüdischen Verhältnissen zu suchen. Tatsächlich gibt es Quellenhinweise, daß Antiochos IV. dem Rat des jüdischen Hohenpriesters Menelaos folgte, als er das Religionsedikt erließ.[14] Ja, mehr noch: der Seher der vierten Vision im Buche Daniel deutet an, daß der König abtrünnigen Juden Gehör schenkte: „... und während seiner Rückkehr wird er sein Augenmerk richten auf die, die den Heiligen Bund verlassen haben."[15] In seinem Kommentar zur Stelle hat Hieronymus, auf den geschichtlichen Forschungen des Porphyrios fußend, den Sinn des Textes folgendermaßen verdeutlicht: *Postquam eum* [sc. Antiochos IV.] *de Aegypto pepulerunt Romani indignans venerit contra Testamentum Sanctuarii, et ab his invitatus sit qui dereliquerant legem Dei et se caerimoniis miscuerant ethnicorum.*[16]

Abgesehen davon, daß sich die Abtrünnigen in die Kulte der Heiden erst ‚mischen' konnten, nachdem das Religionsedikt erlassen war[17]: Die zitierte Stelle des Kommentars scheint die Auffassung nahezulegen, daß Antiochos IV. in einer innerjüdischen Auseinandersetzung Partei ergriff, als er das ‚Gesetz' außer Kraft setzte und dem Land eine ihm fremde Religion aufzwang. Elias Bicker-

---

[12] Von C. L. W. Grimm, Das erste Buch der Maccabäer. Kurzgefaßtes Handbuch zu den Apokryphen des Alten Testaments. 3. Lieferung, Leipzig 1853, 25 f.

[13] E. Bickermann, Gott der Makkabäer, 48.

[14] Makk 2,13,4 und Josephos, Ant. Jud. 12,384; vgl. dazu unten S. 130.

[15] Dan 11,30.

[16] Hieronymus, Comm. in Danielem 715 C ed. Migne.

[17] Fremde Religionen waren im Heiligen Land verboten: vgl. dazu unten S. 128; auch der jüdische ‚Seher' setzt in Dan 11,31 voraus, daß der heidnische Kult erst durch königlichen Befehl eingeführt wurde.

mann hat diese Schlußfolgerung gezogen und in dem Hohenpriester Menelaos einen religiösen Reformator erblickt. Dieser habe, so wird unterstellt, die jüdische Religion nach dem Bild ihrer *interpretatio Graeca* umformen, die ,reine' Gottesverehrung der unverdorbenen Frühzeit von den abergläubischen ,späten' Elementen des ,Gesetzes' reinigen und so der Absonderung des jüdischen Volkes ein Ende bereiten wollen: „Wie die unverdorbenen Naturmenschen der griechischen Theorie verehrten also die ,Söhne der Akra', Menelaos und seine Gesinnungsgenossen, den Himmelsgott der Vorfahren ohne Tempel und Bildsäulen, unter freiem Himmel auf dem Altar der auf dem Zion stand, frei vom Joch des Gesetzes, in gegenseitiger Toleranz mit den Heiden. Was kann menschlicher, natürlicher sein, als daß sie diese Toleranz den noch verblendeten Glaubensgenossen aufzwingen wollten. Das war die Verfolgung des Epiphanes."[18]

Bickermann zufolge waren die Urheber des Glaubenszwanges ,Reformjuden'. Ihr Motiv wäre die Angleichung an die vom ,Hellenismus' geprägten Völker des Vorderen Orients gewesen, und sie hätten unter dem beherrschenden Eindruck hellenistischer Religionswissenschaft gestanden.

Diese geistvolle These hat Martin Hengel in seinem materialreichen Buch über „Judentum und Hellenismus" gründlich zu untermauern versucht.[19] Auf diese Weise ist aber, wenn auch gegen den Willen des Autors, deutlich geworden, daß sie in den Quellen keine Stütze findet. Es hat offenbar keine griechische Religionswissenschaft gegeben, die auf die jüdische Religion sozusagen die genetische Betrachtungsweise der Wissenschaft des neunzehnten Jahrhunderts angewendet hätte.[20] Gewiß ist der meist auf Poseidonios zurückgeführte Exkurs über die Juden, den Strabon seinen *Geographica* eingefügt hat, in diesem Sinne interpretiert worden.[21] Aber selbst wenn Interpretation und Zuweisung zutreffend wären, wäre damit nichts über die Motive ausgesagt, die mehr als ein Jahrhundert, bevor Poseidonios seinen Exkurs über die Juden verfaßte, den jüdischen Hohenpriester zu seiner vermeintlichen ,Reformation' veranlaßten. Nicht einmal die poseidonische Herkunft des fraglichen Stückes ist indessen gesichert, und deutlich ist lediglich, daß es die jüdische Expansion unter den Hasmonäern und die Annahme des Königtitels durch Alexander Jannaios voraussetzt.[22] In Hinblick auf diese Erfahrung wird die Geschichte des jüdischen Tempelstaates als Entartung einer in die Tyrannis umschlagenden Priesterherrschaft gedeutet. Was die in diesem Zusammenhang kritisierten ,abergläubischen' Bräuche anbelangt, so hat der heidnische Autor ganz verschwommene Vorstellungen. Die Behauptung, die Juden übten die Beschneidung der Mädchen aus, ist notorisch falsch und verrät die Unwissenheit ihres Urhebers. Es ist somit unmöglich anzu-

---

[18] E. Bickermann, Gott der Makkabäer, 133.

[19] M. Hengel, Judentum und Hellenismus, 464 ff., besonders 548 ff.

[20] So mit Recht schon I. Heinemann, MGJ 82, 1938 (s. o. Anm. 8), 156–159.

[21] Strabon, Geogr. 16,35–37; zur Interpretation vgl. M. Hengel, Judentum und Hellenismus, 470 f. mit reichen Literaturhinweisen. Die poseidonische Herkunft des Textstückes wird neuerdings bestritten: vgl. M. Stern, a. a. O. (s. o. Anm. 7) 264–266.

[22] So Strabon, Geogr. 16,40 im engen Anschluß an 37.

nehmen, daß der Text Vorstellungen von ‚Reformjuden' aus der ersten Hälfte des zweiten Jahrhunderts v. Chr. wiedergibt.

Man mag es mit Martin Hengel für ‚denkbar' halten, daß es „im vormakkabäischen Jerusalem eine breite einflußreiche Strömung gegeben hat, die die einengenden Schranken des Ritualgesetzes als ‚Aberglauben' verwarf".[23] Und ebenso läßt sich mit dem Gedanken spielen, daß die jüdischen ‚Hellenisten' bei Abraham und den Erzvätern das Ideal einer ‚natürlichen' und ‚vernünftigen' Religion verwirklicht fanden und die durch abergläubische Bräuche verfälschte ‚mosaische' Religion ablehnten.[24] Angesichts des Fehlens entsprechender Aussagen der Quellen läßt sich über solche ‚Möglichkeiten' nicht sinnvoll diskutieren.

Erst im fünften Jahrhundert n. Chr. hat der Samaritaner und neuplatonische Philosoph Marinos seinen Übertritt zum Heidentum im Sinne der These Elias Bickermanns begründet: Seine Stammesgenossen seien von der ursprünglichen Lehre Abrahams abgewichen. Dies war möglicherweise ein *ad hoc* erfundener Rechtfertigungsgrund. Eine Verbindungslinie zu der Gedankenwelt des frühhellenistischen Judentums, geschweige denn zu Menalaos und den sogenannten Reformjuden, läßt sich jedenfalls nicht ziehen.[25] Was die Verherrlichung Abrahams durch Kleodemos Malchos[26], Artapanos[27] und den samaritanischen Anonymus, Ps.-Eupolemos[28], anbelangt, so ist in ihr keine Abwertung des ‚Gesetzgebers' Moses impliziert. Für Artapanos ist gesichert, daß Abraham und Moses in gleicher Weise den jüdischen Erstheits- und Vorrangsanspruch verkörpern sollten[29], und es besteht kein Grund für die Annahme, daß die übrigen Autoren beide gegeneinander ausgespielt hätten. Höchstens ließe sich sagen, daß die bevorzugte Verherrlichung Abrahams als des ‚Vaters' und ‚Lehrers' vieler Völker auf der Absicht beruht haben könnte, das hohe Alter jüdischer ‚Weisheit' zu demonstrieren und so den Erstheitsanspruch zu untermauern. Dies war eine Variante des vertrauten Schemas, nach dem orientalische Völker sich der griechischen Welt zu präsentieren pflegten[30], und bedeutete alles andere als eine Absage an die ‚nationale' Tradition. Vielmehr ging es darum, dem eigenen Volk einen Ehrenplatz in der hellenistischen Welt zu sichern. Eine so beschaffene Verknüpfung des eigenen mit den anderen Völkern war bei den Juden selbst durch

[23] M. Hengel, Judentum und Hellenismus, 551 f.

[24] M. Hengel, Judentum und Hellenismus, 552 f.

[25] Zu Marinos vgl. Damascius, Vita Isidori nach Photios, Bibl. 345 b ed. Bekker. Soweit in jüdischen Schriften des zweiten Jahrhunderts v. Chr. auf das Verhältnis Abrahams zum Heiligen Bund und zum Gesetz eingegangen wird, wurde er an den ‚Gesetzgeber' Moses angeglichen: vgl. Ben Sira 44,20; zu Abraham im Jubiläenbuch vgl. M. Hengel, Judentum und Hellenismus, 553.

[26] FGrHist 727 F 1.

[27] FGrHist 726 F 1 und 2.

[28] FGrHist 724 F 1 und 2.

[29] FGrHist 726 F 3.

[30] Den hellenistisch-orientalischen Autoren war daran gelegen, das hohe Alter und den Wert der jeweiligen ‚nationalen' Überlieferung ins Licht zu stellen: Manethos Αἰγυπτιακά (FGrHist 609), Berossos' Βαβυλωνιακά (FGrHist 680), Demetrios' Περὶ τῶν ἐν τῇ Ιουδαίᾳ βασιλέων (FGrHist 722) stehen insofern in einer Linie mit den jüdischen und samaritanischen Schriftstellern des zweiten Jahrhunderts v. Chr.

die Politik des Glaubenszwanges nicht diskreditiert worden. Der Historiker Eupolemos, ein prominenter Anhänger des Judas Makkabaios, war so unbefangen, Moses zum Lehrer der Phoiniker und Griechen zu machen[31], und noch der Verfasser des ersten Makkabäerbuches nahm keinen Anstoß an der Zwecklegende einer ‚Verwandtschaft' zwischen Juden und Spartanern.[32] So ist es mehr als unwahrscheinlich, daß von einem so beschaffenen jüdischen ‚Hellenismus' ein Impuls zur Beseitigung des ‚Gesetzes' und der jüdischen Religion ausgegangen wäre.

Elias Bickermann und Martin Hengel verweisen auf Philons Auseinandersetzung mit solchen Juden, „die mit Geringschätzung auf Angehörige und Freunde herabsehen, die Gesetze übertreten, in denen sie geboren und erzogen wurden, an der väterlichen Sitte rühren, die kein berechtigter Tadel trifft und von ihr abfallen".[33] Diese Einstellung Menelaos und seinen Anhängern zuzuschreiben, ist indessen nicht gerechtfertigt. Denn abgesehen davon, daß Philon keinen Hinweis auf einen etwa vorhandenen Zusammenhang gibt: Der von ihm kritisierten Haltung fehlt der ‚reformatorische' Impuls, der doch wenigstens nach Auffassung Elias Bickermanns und Martin Hengels dem Hohenpriester Menelaos eigen gewesen sein müßte. Sie ist areligiös und basiert auf dem areligiösen Motiv, sich im Interesse der Assimilation an eine nichtjüdische Umwelt der lästigen Fesseln nationaler Sonderart zu entledigen. Philon bezieht sich vermutlich auf Erfahrungen in Alexandrien, wo die jüdische Minderheit einem starken Assimilationsdruck ausgesetzt war. Religiöse Gleichgültigkeit und laxe Einstellung gegenüber dem ‚Gesetz' gab es gewiß auch in Judäa während des frühen zweiten Jahrhunderts v. Chr. Auch ohne Vorliegen entsprechender Zeugnisse müßte damit gerechnet werden.[34] Einzelne Juden mochten auf Grund ihrer Lebenserfahrung bezweifeln, ob Gott sich um menschliche Angelegenheiten kümmere: Der Lehren Epikurs bedurften sie dazu nicht.[35] Solche Zweifel können jedoch nicht im mindesten jenes Eifern gegen das ‚Gesetz' erklären, das die Religionsverfolgung des Epiphanes kennzeichnet.

Psychologisch ist dieses Eifern von der Voraussetzung her, daß die ‚Reformjuden' durch griechische Religionsphilosophie inspiriert gewesen seien, am allerwenigsten verständlich. Denn wer dem philosophischen Glauben an *einen* höchsten Gott anhing, hielt es fur gleichgültig, wie dieser Gott hieß: „Es ist kein Unterschied, ob man Gott den ‚Höchsten' nennt oder Zeus oder Adonai oder Sabaoth oder Ammon wie die Ägypter oder Papios wie die Skythen."[36] Im

---

[31] Eupolemos, FGrHist 723 F 1 a und b; vgl. oben S. 72.

[32] Makk 1,12,6–26 und 14,20–23; auch in Makk 2,5,9 wird von der Stammesverwandtschaft zwischen Juden und Spartanern wie von einer feststehenden Tatsache gesprochen: vgl. auch oben S. 72.

[33] Philon, Vita Mos. 1,31; vgl. Confus. ling. 2f.

[34] Vgl. M. Hengel, Judentum und Hellenismus, 252ff.; im einzelnen bleibt freilich ganz unklar, inwieweit die beklagte religiöse Gleichgültigkeit und die Abwendung vom Gesetz auf das Konto ‚hellenistischer' Einflüsse (was immer das sein mag) gesetzt werden darf.

[35] Vgl. Ben Sira 16, 17–23.

[36] Kelsos bei Origines, Contr. Cels. 5,41 (45); ähnlich Varro fr. I 58b ed. Agahd (s. o. Anm. 6).

Lichte einer solchen Einstellung mußte die Benennung des namenlosen Heiligtums der Juden nach Zeus Olympios sachlich höchst überflüssig erscheinen.

Und was die jüdische Seite anbelangt: Jahwe mit Zeus gleichzusetzen, war auch für gebildete Juden der Diaspora nicht undenkbar. Der jüdische Verfasser des Aristeasbriefes läßt den fiktiven heidnischen Briefschreiber dem König Ptolemaios II. Philadephos die universale jüdische Gottesauffassung in Anlehnung an den philosophischen Glauben an einen Schöpfergott so erklären: „Denn, wie ich genau erforscht habe, garantiert derselbe Gott, der ihnen das Gesetz gab, das gute Gelingen Deiner Regierung. Denn als Beherrscher und Schöpfer aller Dinge verehren sie denselben Gott, den alle Menschen verehren, wir aber, o König, nennen ihn (nur) in anderer Weise ‚Zeus' und ‚Dis'. Damit aber haben die Alten treffend ausgedrückt, daß der, durch den alles belebt und erschaffen wird, auch alles leitet und beherrscht."[37] In diesem Punkt mochte selbst für einen aufgeklärten Juden ein Rest von Unbehagen bleiben. Der jüdische ‚Philosoph' Aristobul ersetzte die Götternamen ‚Dis' und ‚Zeus', die er in dem von ihm zitierten jüdischen Orpheustestament und in Versen des Arat vorfand, durch das Wort ‚Gott' und fügte hinzu: „Wie es sich gehört, haben wir interpretiert, indem wir das in den Gedichten vorkommende ‚Dis' und ‚Zeus' entfernten, denn ihr Sinn bezieht sich auf Gott, deshalb wurde es von uns (auch) so ausgedrückt. Nicht zu Unrecht führen wir dies zu den zuvor gestellten Fragen an. Denn alle Philosophen sind sich darüber einig, daß man von Gott heilige Begriffe haben müsse, worauf am meisten unsere Richtung Wert legt."[38]

Aristobul vermochte den entscheidenden Punkt, auf den es ihm ankam, genau zu bestimmen. Jene zwei Juden, die an einem Panheiligtum in Oberägypten Inschriften anbrachten, auf denen sie Gott – nicht etwa Pan Euhodos, dem Gott des Heiligtums – für ihre Errettung aus Gefahr dankten, konnten es nicht, aber der gleiche Gedanke schwebte ihnen zumindest vor. Für sie war Pan, wegen der naheliegenden Volksetymologie, der ‚All'gott schlechthin, und aus diesem Grunde bezeichneten sie ihn mit dem bloßen Gottesnamen: ϑεός.[39]

Diese aus der Diaspora stammenden Zeugnisse verraten zweierlei: eine (verständliche) Annäherung an die dem Hellenismus geläufige Vorstellung, daß unter verschiedenen Namen alle den *einen* universalen Gott verehrten und daß die Juden die Heiligkeit dieses Gottes in besonderer Weise respektierten, indem sie es vermieden, ihn beim Namen zu nennen. Das spezifisch jüdische ‚Gesetz' ist, wie die zitierte Stelle aus dem Aristeasbrief zeigt, nicht im mindesten in Frage gestellt worden, und es wäre verwunderlich, wenn dies geschehen wäre. Denn die Auffassung, der zufolge alle unter verschiedenen Namen den *einen* Gott verehr-

---

[37] Ps.-Aristeas 15 f.; zur Tendenz des Werkes vgl. V. Tcherikover, The Ideology of the Letter of Aristeas, HThR 51, 1958: „*Judaism is a combination of a universal philosophy with the idea of monotheism.*"

[38] Aristobul bei Eusebios, Praep. ev. 13,12,7 f.

[39] OGIS 73 und 74 = Corpus Inscriptionum Judaicarum, ed. J.B. Frey, Vol. II, Rom 1952, 445 Nr. 1537 und 1538: Θεοῦ εὐλογία / Θε⟨υ⟩όδοτος Δωρίωνος / 'Ιουδαῖος σωϑεὶς ἐκ πε / λ(άγ)ους und Εὐλογεῖ τὸν ϑεὸν / Πτολεμαῖος / Διονυσίου / 'Ιουδαῖος.

ten, implizierte keine Abschwächung oder ,Aufweichung' der jüdischen Religion, sondern ihre Bekräftigung. Alle Philosophen forderten, wie Aristobul sagt, daß man von Gott heilige Begriffe haben müsse, und gerade das Judentum – ,unsere Richtung', wie er sich ausdrückte – lege darauf am meisten Wert. Der Einfluß hellenistischer Geistigkeit legte somit keineswegs den Gedanken nahe, das ,Gesetz' zu verwerfen und die Religion der Väter einer radikalen ,Reformation' zu unterziehen.

Auch wenn angenommen wird, daß Menelaos und seine ,Gesinnungsgenossen' nach sozialer Herkunft, Bildung und Lebensstil der griechischen Oberschicht nahestanden, bliebe das Eifern gegen das ,Gesetz' und die traditionelle Gottesverehrung völlig unverständlich. Ein ,aufgeklärter' Kopf konnte es tatsächlich für verwunderlich halten, daß das private wie das öffentliche Leben durch eine Fülle peinlich eingehaltener religiöser Vorschriften und Pflichten reglementiert war. In diesem Sinne äußerte sich Polybios zur römischen Religion.[40] Auf der einen Seite zögerte er nicht, die Religiosität der Römer als Aberglauben – δεισιδαιμονία – zu bezeichnen, die bei den meisten auf Geringschätzung stoße. Auf der anderen schrieb er ihr eine staatserhaltende Bedeutung zu, weil allein sie es ermögliche, die vernunftlose Menge zu beherrschen. Selbst Freigeister, die den sogenannten Gottesbeweisen der Philosophen ausgesprochen skeptisch gegenüberstanden, respektierten die *religion civile* als Grundlage der gesamten privaten und öffentlichen Ordnung. In *De natura deorum* legte Cicero dem *pontifex* (und Anhänger der kritischen Philosophie des Karneades) C. Aurelius Cotta ein solches Credo in den Mund: ... *mihique ita persuasi Romulum auspiciis Numam sacris constitutis fundamenta iecisse nostrae civitatis* ...[41] Die hier zu Wort kommende Einstellung war keineswegs originell. Sie war in den Oberschichten der hellenistisch-römischen Welt weitverbreitet.[42] Der jüdische Hohepriester mochte persönlich von der Religion der Väter denken, was er wollte: Sie umzustürzen, hätte nichts anderes bedeutet, als die gesamte Lebensordnung, auf der seine Stellung und die der priesterlichen Klasse beruhte, zu vernichten. Inwieweit dies seinem Interesse entsprach, bleibt zu untersuchen; aus dem Einfluß hellenistischen Denkens erklärt es sich jedenfalls nicht. Dieser Einfluß konnte eine agnostische oder skeptische Einstellung gegenüber der Religion fördern, aber er stärkte zugleich die Respektierung der traditionellen *religion civile*. Was die offizielle Religion anbelangt, so bildete die geistige Welt des Hellenismus nicht den Nährboden für radikalen Umsturz.

Elias Bickermann hat selber den Beweis dafür geliefert, daß der Hohepriester Menelaos kein vom Geist griechischer ,Religionswissenschaft' inspirierter Reformator gewesen sein kann.[43] Er hat gezeigt, daß zwar dem namenlosen Gott

---

[40] Polybios 6,56,6–15.

[41] Cicero, De nat. deor. 3,5; zu den Parallelstellen vgl. den Kommentar von A. St. Pease, M. Tulli Ciceronis De natura deorum libri, Vol. II, Cambridge/Mass. 1958, 986 s. v. *fundamenta iecisse*.

[42] Zur religiösen Haltung in hellenistischer Zeit vgl. M.P. Nilsson, Geschichte der griechischen Religion, Bd. II, München 1961² (HdAW V.2.2) 190–200.

[43] Zum folgenden vgl. E. Bickermann, Gott der Makkabäer, 91–115.

auf dem Zion der Name des Olympischen Zeus beigelegt, ein griechischer Kult jedoch nicht eingeführt wurde. Auf Grund des Religionsediktes wurde das Jerusalemer Heiligtum nach dem Vorbild syrisch-kanaanäischer Anlagen in einen mauerumgürteten Heiligen Hain umgewandelt, in dessen Mitte ein Altarfetisch – der ‚Greuel der Verwüstung' – auf dem seiner Bestimmung entfremdeten alten Brandopferaltar aufgestellt war. Der Gott, der hier unter der offiziellen Bezeichnung Zeus Olympios verehrt wurde, blieb der ‚Gott des Himmels' (so war er schon in der aramäischen Reichssprache der Perser genannt worden), aber er durfte nicht mehr nach dem mosaischen Kultgesetz verehrt werden. An seine Stelle trat ein syrisch-kanaanäischer Kult: die Bomolatrie (die Verehrung eines Altarfetischs), das Opfern ‚unreiner' Tiere und die Tempelprostitution. Mit dem Kultgesetz fielen auch die Beschränkung auf den *einen* Gott und seine kultische Verehrung an der *einen* Heiligen Stätte. Überall in Jerusalem und Judäa mußten Altäre und Heilige Haine errichtet werden, und neben den unter dem Namen des Zeus Olympios verehrten Baal Schamin, den ‚Herrn des Himmels' traten Dionysos-Dusares, der Gott der Nabatäer, und vielleicht doch Athene-Allat, die syrische Himmelskönigin.[44]

Hellenisch war an der den Juden aufgezwungenen heidnischen Götterverehrung nur die *denominatio*, die uneigentliche Benennung des namenlosen Gottes auf dem Zion. Griechische Namen hatten die namenlosen Gottheiten der Phoiniker längst empfangen. Baal Schamin hieß bei ihnen Zeus Olympios, der Baal von Berytos Poseidon, der Melkart – d. h. ‚König' – von Tyros Herakles.[45] Aber während diese Götter weiter nach herkömmlichem Ritus verehrt wurden, war die *denominatio* des jüdischen Gottes von einer religiösen ‚Revolution' begleitet. Ihr Ziel war der radikale Bruch mit allem, was bisher heilig gewesen war. Allein die Tatsache, daß den Juden die verabscheute orientalische Götterverehrung der syrisch-arabischen Umwelt aufgezwungen wurde, war eine ungeheuerliche Provokation. Nicht nur, daß Sabbat und jüdische Feste zu feiern bei Todesstrafe untersagt war: Jeder einzelne wurde gezwungen, an den heidnischen Kultveranstaltungen teilzunehmen und von dem Fleisch der geopferten Schweine zu kosten. Schließlich wurde auch die Beschneidung mit der Todesstrafe bedroht. Dies war ebensowenig wie der erzwungene Verzehr von Schweinefleisch in syrisch-kanaanäischen Kultbräuchen begründet. Auch in Syrien wurde die Beschneidung geübt, und ebenso war dort der Genuß von Schweinefleisch verpönt. Das Religionsedikt Antiochos' IV. führte also weder einen griechischen noch einen rein syrischen Kult in Judäa ein. Der Zeus Olympios (oder angeblich auch Iuppiter Capitolinus), den der König verehrte[46], hatte mit dem

---

[44] Nach Malalas, p. 207 ed. Dindorf wurde der salomonische Tempel dem Olympischen Zeus und Athene gewidmet (zu Malalas' Darstellung der Geschichte der Makkabäer vgl. E. Bickermann, Les Maccabées de Malalas, Byzantion 21, 1951, 63–83).

[45] Vgl. E. Bickermann, Anonymous Gods, JWI 1, 1937/38, 187 196. Wichtig ist das Zeugnis Philons von Byblos, FGrHist 790 F 2,7 τοῦτον (sc. τὸν ἥλιον) γὰρ (φησίν) θεὸν ἐνόμιζον μόνον οὐρανοῦ κύριον, Βεελσάμην καλοῦντες, ὅ ἐστι παρὰ Φοίνιξι κύριος οὐρανοῦ, Ζεὺς δὲ παρ' Ἕλλησιν.

[46] Dies wird von mehreren antiken Autoren bezeugt: Polybios 26,1 a; Strabon, Geogr. 9,17; Livius 41,20,8 f.; Velleius Paterc. 1,10,1; Vitruv 7, praef. 15.

Himmelsgott, den die Juden verehren mußten, nichts als den offiziellen Namen gemein. Daß auf dem Zion kein hellenischer Gott verehrt wurde, ist in der vierten Vision des Buches Daniel vorausgesetzt: „Er [sc. Antiochus IV.] mißachtet selbst die Götter seiner Väter ..., stattdessen verehrt er den Gott der Festungen, einen Gott, den seine Väter nicht gekannt haben, verehrt er mit Gold und Silber, mit Edelsteinen und Kostbarkeiten.“[47] Diese Äußerung darf freilich nicht dahingehend mißverstanden werden, daß der König dem unhellenischen Kult persönlich angehangen hätte, mit dem er die Juden bedachte. Im Mittelpunkt seiner Gottesverehrung stand der höchste panhellenische Gott: Zeus Olympios. Die Aussage des Buches Daniel ist vielmehr so zu verstehen, daß der auf der Akra verehrte Gott, Baal Schamin, sozusagen Ζεὺς 'Ακραῖοις, nicht zu den Gottheiten gehörte, die die Seleukiden verehrt hatten.[48]

Was den Hohenpriester Menelaos betrifft, so ist mit Sicherheit auszuschließen, daß er als geistiger Urheber einer unhellenischen Kultübung vom Geist griechischer Religionswissenschaft inspiriert gewesen sei. Aber auch der syrisch-kanaanäische Charakter der den Juden aufgezwungenen Religion berechtigt nicht zu der Auffassung, daß Menelaos als überzeugter Verehrer Baal Schamins seinem Volk den ‚wahren‘ Glauben bringen wollte. Dagegen spricht schon der Umstand, daß weder das Verbot der Beschneidung noch der erzwungene Verzehr des Fleisches geopferter Schweine sich aus syrisch-kanaanäsischen Kultbräuchen herleiten lassen. Dem Hohenpriester Menelaos ging es darum, die im Heiligen Bund wurzelnde Identität des ausgewählten Volkes zu zerbrechen. Der völlige Bruch mit der Vergangenheit, das Eifern gegen das ‚Gesetz‘ war nicht das Werk eines religiösen Reformators, und ganz gewiß läßt sich das alles nicht aus dem ‚Geist‘ des Hellenismus erklären. Schon der Begriff ‚Reformjudentum‘ ist, auf Menelaos und seine Anhänger angewendet, schief. Dieser ist ein Produkt des neunzehnten Jahrhunderts und nicht des hellenistischen Zeitalters. Elias Bickermann hat die Religionsverfolgung des Epiphanes aus dem Blickwinkel einer modernen innerjüdischen Problematik gesehen und dieses Vorverständnis auch keineswegs verhüllt: „Die Reformatoren unter Epiphanes erinnern an die jüdische Reformbewegung in den vierziger Jahren des 19. Jahrhunderts, als Männer wie G. Riesser, A. Geiger und I. Eichhorn die Sabbatreform, die Aufhe-

---

47 Dan 11,37f.

48 Vgl. E. Bickermann, Gott der Makkabäer, 115f.; den ‚Gott der Festungen‘, von dem das Buch Daniel spricht, mit einem auf den Berghöhen verehrten Baal Schamin gleichzusetzen, wird durch eine Inschrift aus Skythopolis nahegelegt, die eine Weihung für Ζεὺς 'Ακραῖος enthält: vgl. M. Hengel, Judentum und Hellenismus, 518. Neuerdings identifiziert J.-G. Bunge, Der „Gott der Festungen“ und der „Liebling der Frauen“. Zur Identifizierung der Götter in Dan 11,36–39, JSJ 4, 1974, 169–182, diesen ‚Gott der Festungen‘ wieder mit Zeus oder Iuppiter Capitolinus und den rätselhaften ‚Liebling der Frauen‘, den Antiochos IV., der ‚Vision‘ des Buches Daniel zufolge, zusammen mit seinen väterlichen Göttern verschmähte, mit Dionysos. Wie sehr diese Deutung in die Irre geht, zeigt schon die Nachricht in Makk 2,6,7 über die den Juden aufgezwungene Verehrung des Dionysos: Von dem Interpretationsansatz Bunges her gesehen hätte der König diesen ‚Liebling der Frauen‘ ebenso wie den ‚Gott der Festungen‘ ehren müssen. Daniel behauptet aber das Gegenteil, also kann Bunges Interpretation nur auf falschen Voraussetzungen beruhen.

bung der Speisegesetze vorschlugen und die Beschneidung für unverbindlich erklärten. Auch sie standen im Banne einer nichtjüdischen Umwelt und waren beeinflußt durch Theorien der (protestantischen) Wissenschaft über die Entstehung des Pentateuchs."[49]

Elias Bickermann hat die Auffassung, der zufolge der Glaubenszwang einer allgemeinen oder einer speziell auf die Juden bezogenen Hellenisierungspolitik Antiochos' IV. entsprungen sei, endgültig als falsch erwiesen. Aber seine eigene These, die einem jüdischen religiösen Reformator das Ziel einer Hellenisierung des Judentums zuschreibt, projiziert ebenso wie die von ihm kritisierte Auffassung eine moderne Problematik in die anders gelagerten antiken Verhältnisse. Eine griechische Religionswissenschaft, die auf die Bibel die historisch-genetische Betrachtungsweise angewendet hätte, gab es schlechterdings nicht. Der Einwand, den schon Isaak Heinemann erhoben hatte, ist unwiderlegbar: „Daß Juden des Altertums Beschneidung und Speisegesetze für nachmosaisch gehalten hätten, ist völlig ausgeschlossen."[50]

Das Religionsedikt Antiochos' IV. ist also weder aus seleukidischer Herrschaftspraxis noch aus der Geistes- und Religionsgeschichte des Hellenismus zu erklären. Es ist insbesondere auch nicht das Produkt innerjüdischer Reformationsbestrebungen. Die naheliegende Frage, warum der König dem angeblichen Reformator Menelaos den weltlichen Arm hätte leihen sollen, stellt Elias Bikkermann bezeichnenderweise nicht, und er hätte sie von den Voraussetzungen seiner These her auch gar nicht beantworten können. Dennoch ist der Glaubenszwang nicht unerklärlich, nur muß der Blickwinkel so gewählt werden, daß das Religionsedikt in Beziehung zu den spezifischen Verhältnissen gesetzt werden kann, auf die es reagierte.

## 2. *Steuerdruck und Tempelraub*

Das Verbot der jüdischen Religion und der Glaubenszwang lassen sich weder aus dem Bekehrungseifer eines jüdischen ‚Reformators' noch aus einer Religionspolitik Antiochos' IV. erklären. Die Zwangsmaßnahmen waren vielmehr das letzte Mittel, mit dem der Hohepriester Menelaos und sein königlicher Schutzherr den Ergebnissen einer verfehlten Politik zu entkommen suchten, für die beide die Verantwortung trugen: Antiochos IV. hatte mit Hilfe seines Parteigängers Menelaos aus Judäa soviel Geld wie irgend möglich herauszupressen versucht, und dieser war bereit gewesen, für das Hohepriesteramt jeden Preis zu bezahlen.

Als Antiochos III. durch die Schlacht beim Paneion an den Jordanquellen (200 v. Chr.) Koilesyrien und Phoinikien gewann, war eine solche Entwicklung nicht im entferntesten abzusehen. Judäa war unter Führung des Hohenpriesters

---

[49] E. Bickermann, Gott der Makkabäer, 132.
[50] I. Heinemann, MGJ 82,1938 (s.o. Anm. 8), 158.

Simon des Gerechten so rechtzeitig auf die seleudikische Seite übergegangen, daß es zunächst von dem Wechsel der Oberherrschaft sogar zu profitieren schien[1]: Nicht nur, daß der König die traditionelle Lebensordnung des jüdischen Ethnos bestätigte und den Opferdienst durch eine jährliche, in Geld und Naturalien ausgezahlte Beihilfe unterstützte. Er verzichtete darüber hinaus auf die Besteuerung des Holzes und der Materialien, die für die Ausbesserung des bei der Belagerung der ptolemäischen Besatzung beschädigten Heiligtums benötigt wurden. Den Einwohnern Jerusalems und den Geflüchteten, die sich bis zu einem festgesetzten Termin wieder in der Stadt niederließen, wurde eine dreijährige Abgabenfreiheit gewährt und für die Zeit nach Ablauf dieser Frist ein Drittel des Tributs erlassen. Wer im Verlauf des Krieges versklavt worden war, sollte zusammen mit seinen Kindern die Freiheit erhalten und in seinen Besitz restituiert werden. Die Oberschicht des jüdischen Ethnos – Ältestenrat, Priesterschaft und Teile des levitischen Kultpersonals – wurden von der Kopf- und Salzsteuer sowie dem Kranzgeld befreit.

Zehn Jahre später unterlag Antiochos III. in der Schlacht bei Magnesia den Römern (190 v. Chr.). Die ihm auferlegten Friedensbedingungen waren hart[2]: Der König mußte unter anderem alle Besitzungen westlich des Taurosgebirges abtreten. Er verlor auf diese Weise reiche Einnahmequellen, insbesondere die meisten und ergiebigsten Edelmetallvorkommen. Darüberhinaus wurden ihm gewaltige Zahlungsverpflichtungen auferlegt. Neben Naturallieferungen für die in Kleinasien operierende römische Armee[3] waren insgesamt 15 000 euböische Talente Kriegsentschädigung aufzubringen: 500 bei Abschluß des Präliminarfriedens, 2500 nach Ratifikation des Vertrags, der Rest in zwölf gleichen Jahresraten zu 1000 Talenten.[4]

Das geschwächte, verkleinerte Seleukidenreich mußte Summen aufbringen, die seine Leistungskraft überstiegen. Dem König blieb nichts anderes übrig, als die Steuerschraube anzuziehen und das in den Tempeln lagernde Kapital an Edelmetallen und Geld zu konfiszieren. Dies bedeutete nicht nur für die betroffenen Heiligtümer und privaten Einleger Enteignung und Verlust materieller Güter. Es war darüber hinaus ein Sakrileg, ein Religionsfrevel, der alle Gläubigen in ihren heiligsten Gefühlen verletzen mußte. Die Seleukiden litten jedoch

[1] Zum folgenden vgl. den durch Josephos, Ant. Jud. 12,138–144 überlieferten Brief Antiochos' III. an Ptolemaios, Sohne des Thraseas, Strategen von Koilesyrien und Phoinikien (zu seiner Person vgl. OGIS 230). E. Bickermann hat das Dokument eingehend und grundlegend interpretiert: La Charte séleucide de Jérusalem, REJ 100, 1935, 4–35.

[2] Vgl. Polybios 21,17 f.; Livius 37,45; Diodor 29,10; Appian, Syr. 38.

[3] Im Jahre 189 v. Chr. mußte der römischen Armee Getreide nach Antiocheia am Mäander geliefert werden; darüber hinaus mußte sich Antiochos III. auf Verlangen des Konsuls Cn. Manlius Vulso verpflichten, auch die pergamenischen Hilfstuppen der Römer zu versorgen: Livius 38,13,8–10; im Frühjahr 188 v. Chr. wurde erneut Getreide an die römische Armee geliefert: Polybios 21,41,10–12; Livius 38,37,7–9.

[4] Hinzu kamen noch die Rückzahlung einer alten Schuld an Eumenes II. von Pergamon in Höhe von 400 Talenten und Getreidelieferungen auf die Eumenes auf Grund einer alten, zwischen seinem Vater und Antiochos III. getroffenen Vereinbarung Anspruch erhob: Polybios 21,17,6.

unter ständiger Geldnot, und sie haben deshalb die Loyalität ihrer Untertanen und damit die Stabilität ihres Reiches auf eine harte Probe gestellt, der auf die Dauer beide nicht standhalten konnten.[5] Antiochos III. hatte schon im Jahre 209 v. Chr. Zuflucht zu gewaltsamer Konfiskation genommen, indem er die aus Edelmetall gefertigten Teile des Tempels der Aine (Anahita) in Ekbatana entfernen und die so gewonnenen 4000 Talente zur Finanzierung seines Ostfeldzuges ausprägen ließ.[6] Als er nach dem Friedensschluß von Apameia sich auf gleiche Weise Geld beschaffen wollte, fand er den Tod: Bei dem Versuch, den Tempelschatz des in der Elymais gelegenen Heiligtums des Zeus/Belos zu plündern, wurde er im Jahre 187 v. Chr. von der aufgebrachten Bevölkerung erschlagen.[7]

Sein Sohn und Nachfolger Seleukos IV. war auf vorsichtige Stabilisierung bedacht und scheint sich stärker zurückgehalten zu haben. Immerhin ist durch den Bericht des zweiten Makkabäerbuches bekannt, daß er sich in den Besitz von Geldern setzen wollte, die im Jerusalemer Heiligtum thesauriert waren.[8] Ob er nur die Überschüsse des Opferetats, d.h. die Mittel, die nicht für den Opferdienst aufgebraucht worden waren, wieder einziehen oder auch die privaten Einlagen konfiszieren wollte, ist nicht völlig klar. Die Überschüsse des Opferetats durfte der König zurückfordern, und dem Bericht zufolge war er auf sie durch seinen Vertrauensmann, den Tempelvorsteher Simon, aufmerksam gemacht worden. Doch scheint der Verfasser des zweiten Makkabäerbuches vorauszusetzen, daß der Kanzler Heliodor seine Hand auch auf die privaten, im Tempel deponierten Mittel legen wollte. Ihr Wert – es waren 400 Silber- und 200 Goldtalente – entsprach nach dem damaligen Wertverhältnis der beiden Metalle (1:12 $^1/_2$) einem Betrag von 2900 Silbertalenten.[9] Wie immer aber die Instruktionen des Heliodor lauteten oder er sie ausgelegt haben mochte, weder die Überschüsse aus dem Opferetat noch die privaten Einlagen im Heiligtum sind beschlagnahmt worden. Warum die Mission Heliodors scheiterte, ist in das Dunkel frommer Legendenbildung gehüllt: Im zweiten Makkabäerbuch sind zwei voneinander abweichende einschlägige Versionen kontaminiert. Immerhin hat der Bericht einige Nachrichten bewahrt, die die Umrisse des Geschehens zumindest ahnen lassen[10]: Demnach hatte Onias III. unter Hinweis darauf, daß das im Tempel lagernde Geld und Edelmetall Privatpersonen gehöre, die Auslieferung verweigert. Als Heliodor diesen Einwand nicht gelten ließ, soll die ganze Stadt in Aufruhr geraten sein. Schließlich wird berichtet, daß der Tempelvorste-

[5] Zu den Tempelplünderungen der Seleukiden vgl. B. Niese, Geschichte der griechischen und makedonischen Staaten, Bd. III, Gotha 1903, 89, 215, 218, F. Altheim, Weltgeschichte Asiens im griechischen Zeitalter, Bd. II, Halle/Saale 1948, 49 f.; E. Bickermann, Gott der Makkabäer, 66 f.; ders., Les institutions des Séleucides, Paris 1938, 121 f.; H.H. Schmitt, Untersuchungen zur Geschichte Antiochos d. Gr. und seiner Zeit, Historia Einzelschr. H. 6, Wiesbaden 1964, 101–103.

[6] Polybios 10,27,12 f.

[7] Diodor 28,3 und 29,15; Strabon, Geogr. 16,1,18; Justin 32,2,1 f.

[8] Zu diesem Bericht Makk 2,3,1–10 vgl. E. Bickermann, Héliodore au temple de Jérusalem, AIPhO 7, 1939–1944, 5–40.

[9] Vgl. O. Mørkholm, Antiochus IV, 136 Anm. 6 zu Makk 2,3,11.

[10] Zum folgenden vgl. Makk 2,3,10–12; 3,14–22 und 4,1 f.

her Simon gegen den Hohenpriester den Vorwurf erhob, Heliodor an der Erfüllung seines Auftrags gehindert und die „schlimmen Dinge" in Jerusalem verursacht zu haben. Das dürfte die Schlußfolgerung rechtfertigen, daß es in Jerusalem, möglicherweise mit Wissen und Willen Onias' III., zu einer bedrohlichen Situation gekommen ist und Heliodor es deshalb vorzog, unverrichteterdinge nach Antiocheia zurückzukehren. Immerhin war auf diese Weise in Jerusalem jene Eskalation vermieden worden, die Antiochos III. in der Elymais das Leben gekostet hatte: Heliodor kam mit dem Leben davon, und der Tempelschatz blieb fürs erste unangetastet.

Der Sieg, den der Hohepriester Onias III. davongetragen hatte, ließ jedoch seinen Rivalen, den Tempelvorsteher Simon, nicht ruhen. Mit Rückendeckung durch den Strategen von Koilesyrien und Phoinikien, Appollonios, Sohn des Menestheus, verleumdete und terrorisierte er den Hohenpriester, so daß dieser sich genötigt sah, sich an den König zu wenden.[11] Bevor jedoch Seleukos IV. den Konflikt in Judäa beilegen konnte, wurde er von Heliodor ermordet.[12] Antiochos, dem Bruder des Ermordeten, gelang es unter Übergehung seines in Rom als Geisel lebenden Neffen, des späteren Königs Demetrios I., den Thron zu besteigen[13]; Jason, der Bruder Onias' III., zog Gewinn aus dem Herrscherwechsel und kaufte von dem neuen König die hohenpriesterliche Würde. Diese überraschende Wendung findet ihre Erklärung in den damaligen Umständen. Die Legitimität Antiochos' IV. war bekanntlich nicht unanfechtbar, und seine Position war anfangs so prekär, daß er die Frau seines Bruders heiraten und deren Sohn namens Antiochos als Mitregenten annehmen mußte. Er hatte also Rücksichten auf eine etablierte ‚Hofpartei' zu nehmen, und gerade deshalb war er darauf angewiesen, seine Position allmählich zu stärken, indem er ergebene Parteigänger, die Loyalität der Armee und wenigstens die wohlwollende Neutralität Roms gewann. Dazu brauchte er zunächst und vor allem Geld. Seleukos IV. war mit der Zahlung der letzten Kriegsentschädigungsraten in Rückstand geraten, und sein Bruder hielt es deshalb für geraten, sich den Römern durch vollständige Schuldentilgung zu empfehlen. Im Jahre 173 v. Chr. hatte er genug Geld angesammelt, um Apollonios, den Sohn des Menestheus, die gesamte noch ausstehende Summe nebst reichen Geschenken überbringen zu lassen.[14] Weiterhin war Antiochos IV. daran gelegen, durch wahrhaft königliche Freigebigkeit Prestige und Einfluß in der griechischen Welt zu gewinnen.[15] Und gerade weil seine Stellung in den ersten Jahren seiner Herrschaft durch den ihm aufgenötigten Mitregenten und darüber hinaus durch die Thronansprüche seines Neffen De-

---

[11] Makk 2,4,3–6.

[12] Appian, Syr. 233; vgl. Dan 11,20.

[13] Zum Regierungsantritt Antiochos' IV. und den Vorbelastungen, unter denen die Anfänge seiner Herrschaft standen, vgl. O. Mørkholm, Antiochus IV of Syria, 38–50; daneben J.-G. Bunge, Theos Epiphanes (Zu den ersten fünf Regierungsjahren Antiochos' IV. Epiphanes), Historia 23, 1974, 57–85.

[14] Livius 42,6,6–8.

[15] Die erhaltenen Zeugnisse seiner Spenden und Gunsterweise hat O. Mørkholm, Antiochus IV, 55–63, zusammengestellt.

metrios potentiell gefährdet war, versuchte er, mit reichen Gaben einflußreiche ‚Freunde' zu gewinnen und in ihrer Loyalität zu bestärken. Jedenfalls hebt der Verfasser des ersten Makkabäerbuches, sicher nicht ohne Grund, hervor, daß Antiochos IV. freigebiger als die früheren Könige Geschenke verteilen ließ.[16]

Schon bei Antritt seiner Regierung war also der neue Herrscher um Geld verlegen. Hier setzte Jason, der Bruder Onias' III., an. Er bot für die Übertragung der hohepriesterlichen Würde eine Erhöhung des Jahrestributs von 300 auf 360 Talente und verpflichtete sich, „aus anderen Einkünften" 80 Talente hinzuzulegen. Weiterhin versprach er, für das ihm erteilte Privileg, in Jerusalem Gymnasium und Ephebie einzuführen sowie die Bürgerliste der projektierten Polis der „Antiochier in Jerusalem" anzulegen, eine einmalige Zahlung von 150 Talenten zu leisten.[17]

Woher Jason diese 150 Talente nahm ist ebenso unbekannt wie die Quelle jener „anderen Einkünfte", aus denen er eine jährliche Zulage zum Tribut in Höhe von 80 Talenten finanzieren wollte. Denkbar ist, daß er die jährlich wiederkehrende Zahlung von 80 Talenten aus den regelmäßigen Einkünften des Tempels und des Kultpersonals zu bestreiten beabsichtigte. Falls diese Annahme zutrifft, wäre die Abgabenlast der Bevölkerung wenigstens durch diese von Jason eingegangene Verpflichtung nicht erhöht worden. Anders verhält es sich mit der Erhöhung des Tributs um 60 Talente. Bekanntlich handelt es sich bei diesem Tribut um eine Pauschalsumme, die autonome Gemeinwesen, im Falle Judäas der Hohepriester im Namen des jüdischen Ethnos, jährlich an den König abzuführen hatten.[18] Der tributpflichtigen Einheit – Stadt, Ethnos, Dynast – blieb es überlassen, die auferlegte Zahlungsverpflichtung auf die einzelnen Steuerpflichtigen umzulegen. Wie das im einzelnen geschah, ist mangels einschlägiger Quellen nicht mit Sicherheit feststellbar. Doch sprechen einige Indizien dafür, daß im Seleukidenreich der Tribut durch eine Besteuerung des Grundbesitzes aufgebracht wurde.[19] Für Judäa ist bezeugt, daß Antiochos III. neben dem pauschalierten Tribut Einnahmen aus direkten und indirekten Steuern, Kopf- und Salzsteuer sowie Kranzgeld, zuflossen.[20] Weiterhin ist bekannt, daß die Einnahmen, die die Priester aus ihrem Opferdienst zogen, mit einer pauschalierten Sondersteuer belegt waren.[21] Für die Finanzierung des Tributs scheint also im wesentlichen nur die Besteuerung der Einnahmen übrig geblieben zu sein, die aus Grundbesitz gezogen wurden. Für diese Annahme sprechen die wenigen auf

---

[16] Makk 1,3,30.

[17] Makk 2,4,8 f.; daß unter Seleukos IV. der Tribut 300 Talente betrug, geht aus Sulpicius Severus, 2,7,15 hervor: für (Seleucus) Nicator ist Philopator zu lesen.

[18] Vgl. E. Bickermann, Les institutions des Séleucides (s.o. Anm. 5) 105–111.

[19] Vgl. M. Rostovtzeff, Studien zur Geschichte des römischen Kolonates, Leipzig-Berlin 1910, 244 und ders., The Social and Economic History of the Hellenistic World, Bd. I, Oxford 1952², 466.

[20] Josephos, Ant. Jud. 12,142; zu diesen Steuern vgl. E. Bickermann, Les institutions des Séleucides (s.o. Anm. 5) 111–114.

[21] Makk 1,10,42; sie zahlten 15.000 Silberschekel, bis ihnen Demetrios I. diese Abgabe erließ; ihre Anfänge reichen bis in die Zeit der persischen Herrschaft zurück: vgl. Josephos, Ant. Jud. 11,297.

uns gekommenen Zeugnisse. Seleukos II. Kallinikos gewährte den Bürgern von Smyrna für Stadt und Land Befreiung vom Tribut.[22] In Judäa erließ Antiochos III. nur den Einwohnern der Stadt Jerusalem, also nicht den Bewohnern des Landes, ein Drittel der Tributzahlung.[23] In einer die Verpachtung öffentlichen Landes betreffenden Urkunde aus Mylasa ist ausdrücklich festgehalten, daß die Pächter ebenso wie die bäuerlichen Eigentümer den auf sie entfallenden Anteil der Abgaben zu tragen hätten, die an die königliche oder die städtische Kasse abgeführt werden mußten.[24] Der φόρος muß also, aus dem Blickwinkel der Steuerpflichtigen, ein *tributum soli* gewesen sein. Wie er kalkuliert wurde, ob nach dem Wert des Grundbesitzes oder nach dem Ernteertrag, bzw. bei städtischen Grundbesitz nach dem Mietwert oder den Mieteinnahmen, mag je nach lokalen Traditionen und Bedingungen verschieden gewesen sein. Was Judäa anbelangt, so scheint der Ernteertrag die Hauptbemessungsgrundlage der Abgaben gewesen zu sein. In der hohepriesterlosen Zeit zwischen 159 und 152 v. Chr. ließ der König wahrscheinlich anstelle des pauschalierten Tributs von den Abgabepflichtigen direkt diejenigen Ernteanteile erheben, aus denen vorher der Tribut finanziert worden war.[25] Gegen diese Annahme spricht nicht,

---

[22] OGIS 228,7 f.: ἐπικεχώρηκε δὲ τοῖς [Σμυρ] ναίοις τάν τε πόλιν καὶ τὴν χώραν αὐτῶν ἐλευθέραν εἶμεν καὶ ἀφορολόγητον.

[23] Josephos, Ant. Jud. 12,244.

[24] Le Bas-Waddington, Asie Mineure III, 404: καὶ τάς τε εἰσφορὰς διορθώσονται πάσας [καὶ τὰ] προσπίπτοντα ἐκ τοῦ βασιλικοῦ ἢ [πολι] τικοῦ.

[25] Makk 1,10,30; über die Herkunft dieser Abgabe und über ihr Verhältnis zum Tribut bestehen unterschiedliche Auffassungen, die allesamt anfechtbar sind. E. Bickermann hat erwogen, sie auf die Konfiskationen zurückzuführen, die die Könige in den Wirren des Makkabäeraufstandes vornahmen; die Abgaben seien demnach keine Steuern gewesen, sondern Pachtanteile für die Überlassung von Königsland; Bickermann nimmt deshalb an, daß die Abgabe von Ernteanteilen die Tributpflichtigkeit unberührt gelassen hätte: vgl. Les institutions des Séleucides (s. o. Anm 5) 132 mit 179 f. Diese Vermutung ist jedoch unhaltbar: Sie setzt voraus, daß die Juden mehr abgeben mußten als sie produzierten, denn es bleibt unerfindlich, wie zusätzlich zu der hohen Besteuerung der Ernteerträge noch Pachtabgaben in Höhe von einem Drittel der Feldfrüchte und der Hälfte der Baumfrüchte aufgebracht werden konnten. – Ganz in die Irre geht M. Rostovzeff, The Social and Economic History of the Hellenistic World, Oxford 1953², Bd. I, 467 f. Er meint, die in Makk 1,10,30 erwähnte Naturalabgabe sei in Judäa seit jeher üblich gewesen, und verweist auf die Höhe der in Ägypten dem König zufallenden Ernteanteile. Er bedenkt nicht, daß in Ägypten die abgabepflichtigen Bauern Pächter von Königsland waren, während Judäa als autonomes Ethnos einen Tribut zahlte. – Prinzipiell richtig faßt A. Mittwoch, Tribute and Land-Tax in Seleucid Judea, Biblica 36, 1955, 352–361 die Erhebung einer Naturalsteuer durch den König als Äquivalent für den abgeschafften Tribut auf. Er irrt nur darin, daß er die Umwandlung der Besteuerungsart unter Berufung auf Makk 1,1,29 mit der Bestrafung des aufständischen Jerusalems durch den königlichen Offizier Apollonios (168 v. Chr.) zusammenbringt (so auch O. Mørkholm, Antiochus IV, 145 f.) Daß dessen Titel ursprünglich μυσάρχης = „Befehlshaber der Myser" lautete und daß die seltsame Bezeichnung in Makk 1,1,29 ἄρχων φορολογίας = „Befehlshaber der Tributeinsammlung" durch einen Lesefehler bei der Rückübersetzung des Titels aus dem Hebräischen ins Griechische zustande gekommen ist, ist längst erkannt worden (vgl. oben S. 32 Anm. 13). Tatsächlich wird im ersten Makkabäerbuch die Tätigkeit des betreffenden Offiziers in einer Weise beschrieben, die es ausschließt, in ihm einen Beauftragten für die Änderung der Besteuerung zu sehen. Es ist indessen nicht schwer, die Zeit zu bestimmen, in der der Tribut durch die in Makk 1,10,30 vorausgesetzte Besteuerung durch königliche Funktionäre ersetzt worden ist: Als nach dem Tod des Alkimos (159 v. Chr.) kein neuer Hoherprie-

daß der Tribut ein fixer Betrag war, die jährliche Abgabemenge aber entsprechend dem Ernteergebnis jährlichen Schwankungen unterworfen war. Der Geldbetrag, der den Gegenwert der Naturalabgaben darstellte, wird vermutlich im großen und ganzen konstant geblieben sein, wie immer die Ernte ausfiel. Verknappung der Lebensmittel bewirkte ja einen Anstieg, erhöhtes Angebot ein Fallen der Preise. Demnach wäre es wohl möglich gewesen, die pauschalierte Geldsumme des Tributs im wesentlichen durch Erhebung eines gleichbleibenden Anteils am Ernteertrag zu finanzieren. Die Frage, ob dieser Anteil in Naturalien abgeliefert wurde oder in eine dem Marktwert entsprechende Geldforderung umgewandelt wurde, läßt sich nicht beantworten. Wie immer die Antwort ausfiele: Am Prinzip der Tributfinanzierung würde sich dadurch nichts ändern.

Unter der Voraussetzung, daß der Hohepriester den Tribut Judäas hauptsächlich durch eine lineare Besteuerung des landwirtschaftlichen Ertrags aufbrachte, lassen sich alle Nachrichten, die auf den Tribut und die königlichen Anteile am Ernteertrag bezug nehmen, zu einem widerspruchsfreien Bild des zunehmenden Steuerdrucks zusammenfügen, dem Judäa in seleukidischer Zeit ausgesetzt war. Schon die 300 Talente, die Seleukos IV. bezog, müssen die Bauern hart belastet haben. In augusteischer Zeit betrug das Steueraufkommen, das Archelaos, der älteste Sohn des Königs Herodes, aus den ihm zugefallenen Reichsteilen – Judäa, Idumäa und Samaria – bezog, insgesamt 600 Talente.[26] Es darf angenommen werden, daß Judäa mindestens die Hälfte dieser Summe aufgebracht hat. Das größtenteils wenig ertragreiche Idumäa und das kleine Samaria, dem der römische Kaiser zudem ein Viertel des Tributs erlassen hatte[27], können die Steuerkraft Judäas, der Kernlandschaft des Archelaos zugefallenen Herrschaftsgebietes, nicht im entferntesten erreicht haben. Die Annahme, daß unter Archelaos der Tribut Judäas ungefähr die gleiche Höhe wie unter Seleukos IV. gebracht hat, darf indessen nicht zu der falschen Schlußfolgerung einer gleichen steuerlichen Belastung führen. Der jüdische Priesterstaat besaß zur Zeit Seleukos' IV. nicht den Umfang, den Judäa in augusteischer Zeit angenommen hatte. Er hatte keinen Anteil an der Küstenebene, und die drei samaritanischen Bezirke im Norden und Nordwesten, Aphairema, Ramathaim und Lydda, wurden ihm erst unter Demetrios II. im Jahr 145 v. Chr. zugeschlagen.[28] Das bedeutet, daß um das Jahr 175 v. Chr. die Steuerlast, die der jüdische Bauer zu tragen hatte, größer als in augusteischer Zeit war.

---

ster ernannt wurde und Bakchides im Auftrag Demetrios' I. Judäa einer straffen militärischen Kontrolle unterwarf, gab es die lokale Instanz nicht mehr, die den Tribut einsammeln und im Namen des jüdischen Ethnos abliefern ließ. Hingegen waren damals zahlreiche seleukidische Funktionäre und Garnisonen im Lande stationiert, so daß die durch die Vakanz des Hohenpriesteramtes überfällig gewordene Umwandlung der Besteuerung ohne Schwierigkeiten vorgenommen werden konnte.

[26] Josephos, Ant. Jud. 17,320, der sich mit dieser Angabe selbst korrigiert: In Bell. Jud. 2,97 waren die Einnahmen, gewiß zu niedrig, auf 400 Talente beziffert worden.

[27] Vgl. Josephos, Bell. Jud. 2,93; Ant. Jud. 17,319.

[28] Makk 1,11,34; vgl. M. Noth, Geschichte Israels, Göttingen 1969[7], 339 und E. Schürer, History I, 182 mit Anm. 23.

Nach neuesten Schätzungen machte die Steuerlast unter der Herrschaft des Archelaos ungefähr 14% der Produktion aus.[29] Wenn das richtig ist, muß sie zur Zeit Seleukos' IV. erheblich größer gewesen sein. Waren schon in römischer Zeit die Lebensverhältnisse in Judäa hart, die Ernährung und Bekleidung der großen Masse der Bevölkerung außerordentlich dürftig[30], so muß doch verglichen mit den Verhältnissen der seleukidischen Zeit ein bescheidener Wohlstand geherrscht haben. Die 60 Talente, um die Jason den Tribut erhöhte, bedeuteten unter diesen Umständen eine harte zusätzliche Belastung.

Es sollte noch schlimmer kommen. Menelaos, ein Bruder des Tempelvorstehers Simon, überbot Jason um volle 300 Talente, und auf dieser Geschäftsgrundlage erhielt er vom König das Hohepriesteramt.[31] Auch wenn diese Summe nicht völlig auf die Ernteabgaben aufgeschlagen worden ist, müßte sich die Belastung der bäuerlichen Bevölkerung in einer Weise vergrößert haben, daß sie deren Leistungsfähigkeit überschritt. Dazu stimmt die Tatsache aufs beste, daß Menelaos gar nicht in der Lage war, seine dem König gegebene Zusage aus dem Steueraufkommen zu erfüllen. Offenbar entsprachen das Drittel der Feldfrüchte und die Hälfte der Baumfrüchte, die Demetrios I. später in der hohepriesterlosen Zeit zwischen 159 und 152 v. Chr. einziehen ließ, der obersten Belastungsgrenze. Als Menelaos die versprochenen Zahlungen an den König nicht leistete, wurde er zunächst von Sostratos, dem Kommandanten der seleukidischen Besatzung, an die übernommene Verpflichtung gemahnt, zuletzt mußte er nach Antiocheia gehen, um sich vor dem König zu verantworten.[32] Dieser war am Vorabend des Krieges gegen Ägypten mehr denn je auf reichen Geldzufluß angewiesen.

In seiner Bedrängnis verfiel Menelaos auf den Ausweg, goldene Gefäße heimlich aus dem Tempel entwenden zu lassen. So gewann er die Mittel, die er brauchte, um den König zufriedenzustellen und die für seine Zwecke notwendigen Bestechungen zu finanzieren. Der Tempelraub des Hohenpriesters nahm einen solchen Umfang an, daß in Jerusalem ein offener Aufstand ausbrach, dem unter anderem Lysimachos, der Bruder und Stellvertreter des Menelaos, zum Opfer fiel.[33]

Schon damals hätte Antiochos IV. sehen müssen, daß sein Protégé keinerlei Rückhalt mehr in Judäa besaß und die Politik rücksichtsloser Ausbeutung gefährliche Konsequenzen nach sich ziehen mußte. Aber er hatte keine Wahl und sprach Menelaos von der Anklage frei, die der jüdische Ältestenrat gegen den Hohenpriester wegen der Vorgänge in Jerusalem anstrengte.[34] Vor und während des Krieges mit Ägypten brauchte er einen willfähigen Kollaborateur, der sich, um nicht die Macht zu verlieren, zum Erfüllungsgehilfen einer konfiskato-

[29] A. Ben-David, Talmudische Ökonomie. Die Wirtschaft des jüdischen Palästina zur Zeit des Mischna und des Talmud, Bd. I, Hildesheim-New York 1974, 304f.

[30] Für die Einzelheiten ist auf A. Ben-David, a. a. O. (s. o. Anm. 29) 291ff. zu verweisen.

[31] Makk 2,4,23.

[32] Makk 2,4,27–29.

[33] Makk 2,4,32–42.

[34] Makk 2,4,43–49.

rischen Besteuerung machen ließ. Nach dem ersten ägyptischen Feldzug lieferte Menelaos dem zurückkehrenden König den Tempel zur Plünderung aus.[35] Angeblich fielen diesem 1800 Talente in die Hände. Die heiligen Geräte, der am Tempel angebrachte Goldschmuck, Silber, Gold, kostbare Geräte „und was er sonst von den versteckten Schätzen finden konnte", wurden fortgeschleppt. Wieviel von den 2900 Talenten, die zur Zeit Seleukos' IV. im Tempel deponiert gewesen sein sollen, die Eigentümer in Sicherheit gebracht hatten und wieviel bereits vorher den räuberischen Händen des Hohenpriesters zum Opfer gefallen war, ist nicht mehr herauszufinden.

Folgt man den Zahlenangaben der Makkabäerbücher, so sind in den sechs Jahren von der Thronbesteigung Antiochos' IV. bis zur Plünderung des Tempels (175–169 v. Chr.) aus dem kleinen Judäa ungeheure Beträge in die Kasse des Königs geflossen. Jason zahlte in den zwei Jahren seiner Hohenpriesterschaft[36] 880 Talente; hinzu kamen die 150 Talente, mit denen er dem König die Ermächtigung zur hellenistischen Reform abkaufte. Menelaos zahlte 4 Jahresraten zu 740 Talenten, die er durch harten Steuerdruck und heimlichen Tempelraub zusammenbrachte, insgesamt also 2960 Talente. Schließlich fielen dem König durch die Plünderung des Tempels noch einmal 1800 Talente in die Hände. In der Gesamtsumme von ca. 5790 Talenten sind die Erträge der Kopf- und Salzsteuer, des Kranzgeldes und der Zölle ebensowenig enthalten wie die Bestechungsgelder, die Menelaos aus entwendetem Tempelgut gewann. Schon die errechneten 5790 Talente stellten, gemessen an der Wirtschaftskraft Judäas eine riesige Summe dar. Sie entsprach etwa einem Drittel der Kriegsentschädigung, die die Römer Antiochos III. auferlegt hatten, und sie belief sich auf das Dreifache des Betrags, der nach dem unter Seleukos IV. geltenden Steuersatz in sechs Jahren hätte abgeführt werden müssen (1800 Talente).

Steuerdruck und Tempelraub waren gewiß nicht auf Judäa beschränkt. Es mochte noch hingehen, daß Antiochos IV. nach Kriegsrecht die Tempel Ägyptens ausplünderte, bedenklich waren die Übergriffe gegen die in seinem Reich gelegenen Heiligtümer. Das berühmte Fest von Daphne, auf dem der König im Herbst (?) des Jahres 166 v. Chr.[37] vor Aufbruch nach den Oberen Satrapien in Gegenwart zahlreicher griechischer Festgesandtschaften prunkvolle Heerschau hielt, finanzierte er aus finanziellen Beiträgen seiner ‚Freunde' und aus dem Erlös eines großangelegten Tempelraubs.[38] Nach Polybios hätte der König die

---

[35] Makk 1,1,21–24; in der Paralleldarstellung in Makk 2,5,11–16 sind zwei Ereignisse, der Tempelraub des Jahres 169 v. Chr. sowie die in das folgende Jahr gehörende Behandlung der Stadt Jerusalem nach Kriegsrecht kontaminiert: vgl. oben S. 36–38.

[36] Er wurde, Makk 2,4,23 zufolge, μετὰ δὲ τριετῆ χρόνον abgelöst. Diese Zeitangabe bezieht sich auf den Amtsantritt Jasons, der in das Herbstjahr 175/174 v. Chr. fällt; angesichts der inklusiven Rechnungsweise besagt sie, daß er im Laufe des Jahres 173/172 v. Chr. von Menelaos abgelöst wurde.

[37] Zur Datierung vgl. neuerdings J.-G. Bunge, Die Feiern Antiochos' IV. Epiphanes in Daphne 166 v. Chr. Zu einem umstrittenen Kapitel syrischer und jüdischer Geschichte, Chiron 6, 1976, 55 ff.

[38] Polybios 31,4,9.

„meisten" Heiligtümer ausgeplündert: ἱεροσυλήκει δὲ καὶ τὰ πλεῖστα τῶν ἱερῶν. Einzelnachrichten stützen diese generalisierende Behauptung. Die Notwendigkeit der Geldbeschaffung zwang Antiochos IV. über den Tag von Daphne hinaus, sich Geld durch Tempelraub zu beschaffen. Abgesehen von der Plünderung des Heiligtums der Dea Syria in Hierapolis, die Granius Licinianus erwähnt[39], weiß die Überlieferung zu berichten, daß er bei seinem Aufenthalt in den Oberen Satrapien einen Anschlag auf das in der Elymais gelegene Heiligtum der Nanaia/Artemis unternahm.[40] Im Lichte dieser Nachricht ist die Behauptung des ersten Makkabäerbuches nicht von vornherein unglaubwürdig, daß auch der Feldzug nach den Oberen Satrapien (über dessen Motive in der modernen Forschung keine Übereinstimmung besteht[41]) der Geldbeschaffung diente.[42]

Diese Raubzüge mußten freilich die betroffenen orientalischen Reichsangehörigen gegen ihren räuberischen Oberherrn aufbringen und die seleukidische Herrschaft, die im iranischen Hochland ohnehin wenig effektiv war, aufs schwerste gefährden. Das Vorgehen des Königs trieb die untertänigen Landschaften Persis und Elymais in den offenen Aufstand und trug so entscheidend dazu bei, daß sie dem Reich endgültig verloren gingen. Wie das im einzelnen geschah, ist dem Gesichtskreis des Historikers entzogen. Besser sind wir über die besonderen Umstände unterrichtet, unter denen sich eine analoge Entwicklung in Judäa vollzog. Hier kam es noch während des zweiten ägyptischen Feldzugs, im Sommes des Jahres 168 v. Chr., zu einem offenen Aufstand gegen den Hohenpriester und damit auch gegen dessen königlichen Schutzherrn. Bei seiner Rückkehr aus Ägypten ließ Antiochos IV. Jerusalem hart bestrafen, und er traf Sicherheitsvorkehrungen, um weiteren Rebellionen an diesem neuralgischen Punkt seines Reiches vorzubeugen. Wie bereits gezeigt wurde, gehören in diesen Zusammenhang auch das Verbot der jüdischen Religion und der Glaubenszwang.

### *3. Ursachen und Hintergründe der Religionsverfolgung*

Als Antiochos IV. im Hochsommer des Jahres 168 v. Chr. auf die ultimative römische Forderung hin Ägypten räumte, war die seleukidische Oberherrschaft in Koilesyrien und Phoinikien erschüttert. Einer späten, aber auf guten Quellen basierenden Überlieferung zufolge mußte er die abgefallene phoinikische Stadt Arados gewaltsam zurückgewinnen und seine Strafaktion auf ganz Phoinikien

[39] Gran. Licin. p. 5.
[40] Vgl. Polybios 31,9; Appian, Syr. 352; Makk 2,1,15; 9,2; Makk 1,6,1–4; Josephos, Ant. Jud. 12,358 f.; Porphyrios, FGrHist 260 F 53 und 56.
[41] Vgl. O. Mørkholm, Antiochus IV, 172 ff. (mit Literaturhinweisen).
[42] Makk 1,3,31.

ausdehnen.[1] Wahrscheinlich hatte sich hier während des zweiten ägyptischen Feldzugs eine Abfallbewegung ausgebreitet. Sie erfaßte in Koilesyrien zumindest Judäa, möglicherweise war auch Samaria mitbetroffen.[2]

Es ist keineswegs überraschend, sondern für die labilen Machtverhältnisse und Herrschaftsstrukturen der hellenistischen Welt eher typisch, daß es mitten im Krieg zu einer solchen, für Antiochos IV. gewiß nicht ungefährlichen Verwicklung kam. Die Auseinandersetzungen, die überall in den kleinen Städten und Gemeinwesen um den Besitz der politischen Macht ausgetragen wurden, pflegten sich ja schon im Griechenland des fünften Jahrhunderts mit den außenpolitischen Rivalitäten der ‚Großmächte' zu verflechten. Diese Interdependenz von Innen- und Außenpolitik erfuhr in den größeren Verhältnissen der hellenistischen Welt eine Ausweitung. Gerade in den umstrittenen Randzonen der Großmächte gehörte es bekanntlich zum politischen Alltag, daß in den Städten und sonstigen kleinen politischen Gebilden die Herrschenden Rückhalt durch Anlehnung an eine der großen Mächte suchten, während ihre Gegner mit Hilfe der jeweils rivalisierenden Großmacht an die Herrschaft zu gelangen trachteten. Auf der anderen Seite dienten die inneren Konflikte der Kleinen den Großen als bequemes Mittel der Herrschaftssicherung oder -erweiterung. Dieses Mittel der politischen Machttechnik fand seinen Ansatzpunkt an der politischen Struktur der Großreiche, die bekanntlich keine Einheitsstaaten waren, sondern, von der direkten Beherrschung des Königslandes abgesehen, eine Oberherrschaft über zahlreiche Städte, Tempelorganisationen, Stammesverbände und Dynastien ausübten.[3]

---

[1] Porphyrios, in: FGrHist 260 F 56: . . . *capiet* [sc. Antiochos] *Aradios resistentes et omnem in litore Phoinicis vastabit provinciam*. Die Historizität dieser Nachricht ist umstritten. E. Bickermann, Gott der Makkabäer, 68 hat sie akzeptiert, O. Mørkholm, Antiochus IV, 122–124 auf Grund folgender Argumente verworfen: 1. Die Münzemissionen der Stadt wiesen keine Unterbrechung auf, und somit sei Arados auch nicht gewaltsam eingenommen worden. 2. Prophyrios kommentiere zwei Verse des Buches Daniel (11,44 f.), die kein *vaticinium ex eventu* enthielten, sondern Zukunftsphantasien. – Das auf die Münzprägung von Arados bezogene Argument ist jedoch nicht stichhaltig. Aus der von O. Mørkholm gegebenen Aufstellung (a. a. O. 123) ist für die Jahre 169/168 und 168/167 v. Chr. eine auffällige Reduktion der emittierten Typen ersichtlich. Noch im Jahre 170/169 v. Chr. wurden Tetrachdrachmen, Drachmen und Bronzen (Typ Ae 1) ausgegeben, 169/168 v. Chr. nur Drachmen, 168/167 v. Chr. nur Bronzen (Typ Ae 1). Für das folgende Jahr sind wieder drei Typen nachweisbar: Drachmen und Bronzen (Typ Ae 2 und Ae 3). Eine im Spätsommer 168 v. Chr. gegen Arados unternommene militärische Aktion wäre mit diesem Befund durchaus vereinbar. Schwieriger ist die richtige Einschätzung der Kommentierung von Daniel 11,44 f. durch Porphyrios. Die Angabe, daß Antiochos IV. bei seiner Rückkehr aus Ägypten Arados eingenommen und die phoinikische Küstenebene verwüstet habe, ist mit Nachrichten über den Feldzug des Königs im Norden und Osten seines Reiches (165/164 v. Chr.) verbunden, deren Historizität unbestritten ist. Dies könnte bedeuten, daß auch die Nachricht über die Einnahme von Arados Vertrauen verdient und ihre undurchsichtige chronologische Einordnung in F 56 eher dem Exzerptor Hieronymus als Porphyrios selbst anzulasten ist: vgl. F. Jacoby, Komm. z. Stelle, FGrHist. II B, 883.

[2] Vielleicht war dies der Grund, daß im Herbst des Jahres 168 v. Chr. auch auf dem Garizim, dem Heiligtum der Samaritaner, ein *Epistates*, d. h. Militärbefehlshaber, stationiert wurde: Makk 2,5,28.

[3] Allgemein über den Zusammenhang zwischen innerstädtischen ‚Parteien' und monarchischer

Besonders prekär war die Lage in der Strategie Koilesyrien und Phoinikien, die von alters her ein Zankapfel zwischen Seleukiden und Ptolemäern war. Das jüdische Gemeinwesen war in diesen Konflikt hineingestellt. Die Machtrivalität, die in Jerusalem zwischen mächtigen Familien um den Besitz des Hohenpriesteramtes ausgetragen wurden, verflochten sich unter den gegebenen Bedingungen unentwirrbar mit dem bald schleichenden, bald offenen Krieg der Großmächte. Nach dem Sechsten Syrischen Krieg (170–168 v. Chr.) hatte sich aus der Verflechtung des innen- und außenpolitischen Konflikts eine so heillos verfahrene Situation ergeben, daß das im Dezember 168 v. Chr. ausgesprochene Verbot der jüdischen Religion vom Standpunkt ihrer Urheber aus gesehen verständlich gemacht werden kann. Dazu ist es freilich nötig, die Genesis jener ausweglosen Situation zu rekonstruieren, auf die das Religionsedikt Antiochos' IV. reagierte.

Ägypten hatte sich mit dem Verlust Südsyriens im Jahre 200 v. Chr. niemals abgefunden. Seit dem Jahre 176 v. Chr. strebte die von Lenaios und Eulaios geleitete vormundschaftliche Regierung offen die Rückgewinnung der an Antiochos III. abgetretenen Gebiete an.[4] Sympathien für die Ptolemäer gab es, dem Zeugnis des Polybios nach zu urteilen, in Koilesyrien und Phoinikien gerade bei der breiten Masse der Bevölkerung.[5] Angesichts der Verschärfung des Steuerdrucks, zu der sich die seleukidischen Oberherren nach dem Frieden von Apameia (188 v. Chr.) genötigt sahen, sind sie begreiflich genug. Möglicherweise hat die ptolemäische Regierung schon im Winter 175/174 v. Chr. versucht, Gewinn aus der zweifelhaften Legitimität Antiochos' IV. zu ziehen. Porphyrios berichtet, daß der neue König bei seiner Thronbesteigung in Südsyrien von der proptolemäischen Partei nicht anerkannt wurde.[6] Antiochos IV. war bereits damals gezwungen, eine aufflackernde Abfallbewegung im Keime zu ersticken. Die Zeugnisse hierfür sind spärlich, aber eindeutig. Der Seher der vierten Vision des Buches Daniel[7] bezieht sich ebenso auf die diesbezüglichen Verwicklungen wie Josephos in seinem Bericht über das Ende des Tobiaden Hyrkanos.[8]

Die Familie der Tobiaden war durch die Verbindung mit den Ptolemäern im dritten Jahrhundert v. Chr. zu Reichtum und überregionaler Bedeutung gelangt. Unter dem zweiten Ptolemäer ist Tobias, ihr Ahnherr, als Befehlshaber der jüdisch-makedonischen Kleruchen in der Ammonitis bezeugt. Sein Sohn Josephos stieg unter Ptolemaios III. Euergetes angeblich bis zum Generalsteuerpächter in

‚Herrschaft' über die Stadt: A. Heuß, Stadt und Herrscher des Hellenismus in ihren staats- und völkerrechtlichen Beziehungen, Klio Beiheft 39, 1937 (NDr 1963), 208–215.

[4] Vgl. hierzu O. Mørkholm, Antiochos IV, 66–73.

[5] Polybios 5,86,10.

[6] FGrHist 260 F 49: ... *Antiochus Epiphanes, cui primum ab his qui in Syria Ptolemaeo favebant non dabatur honor regius.*

[7] Dan 11,24.

[8] Josephus, Ant. Jud. 12,228–236; zu den Tobiaden vgl. zuletzt M. Hengel, Judentum und Hellenismus, 486–503 mit Literatur. Seine Vermutung, daß Hyrkanos Herrschaft und Leben erst nach der Rückkehr Antiochos' IV. von seinem zweiten ägyptischen Feldzug verlor, findet in den Quellen keine Stütze.

Phoinikien und Koilesyrien auf. Während der Kämpfe, die zwischen Antiochos III. und den Ptolemäern ausgetragen wurden, d.h. seit dem Jahr 221 v.Chr., ging Josephos' Einfluß zurück, und der Streit um das väterliche Erbe führte seine Söhne in verschiedene Lager: Während die älteren sich in Jerusalem behaupteten und im Jahr 200 v. Chr. den Übertritt des jüdischen Ethnos ins Lager der Seleukiden mitvollzogen, entwich der jüngere – er trug den Namen Hyrkanos – in die Ammonitis, wo er trotz seiner proptolemäischen Parteistellung eine weitgehend unabhängige Position behauptete und einen mit dem Jerusalemer Heiligtum konkurrierenden jüdischen Tempel errichtete.[9] Wie Flavios Josephos berichtet, nahm sich Hyrkanos nach dem Regierungsantritt Antiochos IV. aus Furcht vor dem neuen König das Leben, und dieser konfizierte dessen gesamten Besitz. Vermutlich hatte er zu denen gehört, die Antiochos IV. die Anerkennung verweigert hatten.

Mit Hyrkanos aber war zur Regierungszeit Seleukos' IV. der Hohepriester des jüdischen Ethnos, Onias III., in nähere Beziehungen getreten, vermutlich um einen Rückhalt gegen die Jerusalemer Tobiaden und den mit ihnen verbündeten Tempelvorsteher Simon zu gewinnen.[10] Dieser bemühte sich, gestützt auf das Vertrauen des Königs, die Position des Hohenpriesters zu untergraben. Nachdem der von Simon initiierte Versuch Seleukos' IV. gescheitert war, den Tempelschatz ganz oder teilweise einzuziehen, richtete der Tempelvorsteher gegen Onias III. den Vorwurf der Verschwörung gegen das Reich. Er stiftete mit Rükkendeckung des Strategen von Koilesyrien und Phoinikien Mordanschläge an, die vermutlich Anhänger des Hohenpriesters trafen[11], und dieser war genötigt, an den König zu appellieren. Bevor Seleukos IV. den innerjüdischen Konflikt beilegen konnte, wurde er ermordet. Eine Entscheidung blieb seinem Bruder und Nachfolger vorbehalten.

Antiochos IV. glaubte, mit Jason, dem Bruder des in Verdacht der Illoyalität geratenen Hohenpriester, einen neuen, zudem gewinnträchtigen Anfang machen zu können. Indessen blieben für Judäa wie für die gesamte Strategie Koilesyrien und Phoinikien innere Instabilität und äußere Gefährdung bestehen. Von der anhaltend feindseligen Haltung der ägyptischen Regierung erfuhr Antiochos IV. im Jahre 174/173 v.Chr. (?) durch Apollonios, Sohn des Menestheus, der ihn bei der Regierung Ptolemaios' VI. Philometor in Alexandreia vertreten hatte. Er hielt es deshalb für geraten, einen militärischen Demonstrationszug in die gefährdete Strategie zu unternehmen. Er stattete Jerusalem einen Besuch ab und wandte sich dann mit der Armee nach Phoinikien, um dort Quartier zu neh-

[9] Die Anlage ist identisch mit den Ruinen von Quasr el-'Abd bei 'Araq el-Emir im Wadi es-Sir: vgl. die Interpretation des Grabungsbefundes durch P. W. Lapp, The Second and Third Campaigns at 'Arâq el-Emîr, BASO 171, 1963, 29f.; vgl. auch M. Hengel, Judentum und Hellenismus, 496–500.

[10] Auf Beziehungen zwischen Hyrkanos und Onias III. läßt Makk 2,3,10f. schließen; zur Parteistellung der Jerusalemer Tobiaden vgl. Josephos, Ant. Jud. 12,239.

[11] Makk 2,4,1–6.

men.[12] Möglicherweise ist die Verleihung des Könignamens an die Bürgerschaft von Ptolemais/Akko, sofern sie damals stattfand[13], mehr als eine bloße Umbenennung gewesen, sondern Ausdruck einer Neukonstituierung der Bürgschaft, durch die das Bürgerrecht der proseleukidischen Partei gesichert wurde.

Was Judäa anbelangt, so benutzte Menelaos, ein Bruder des Tempelvorstehers Simon, die günstige Gelegenheit, die ihm im Jahre 173/172 v. Chr. eine offizielle Mission nach Antiocheia bot, um sich das Hohepriesteramt zu erkaufen. Der König brauchte Geld und war auf loyale, einflußreiche Herrschaftsträger in den untertänigen Gemeinden angewiesen. Menelaos bot eine Erhöhung des Tributes, der sich nur durch konfiskatorische Besteuerung und durch Tempelraub aufbringen ließ, und er wußte sich bei Antiochos IV. in der Pose eines einflußreichen Mannes einzuschmeicheln.[14] Menelaos mag sich seiner Beziehungen zu den Jerusalemer Tobiaden und anderen großen Familien gerühmt haben. Das alles konnte den Makel nicht tilgen, daß er nicht aus der hohepriesterlichen Familie stammte und somit zur Bekleidung des höchsten Amtes nicht legitimiert erschien.[15] Daß mit seiner Erhebung zum Hohenpriester gegen die alten, wohlerworbenen Rechte der Oniaden verstoßen wurde, konnte auch dem König nicht unbekannt sein. Inwieweit im Rate der ‚Freunde des Königs' die möglichen Folgen erwogen worden sind, läßt sich nicht sagen. Nur soviel ist sicher, daß die Vorteile, die mit der Ernennung des Menelaos verknüpft zu sein schienen, den Ausschlag zu seinen Gunsten gaben.

Damit aber war eine verhängnisvolle Entscheidung gefallen. Unter den Voraussetzungen, unter denen der neue Hohepriester in das höchste Amt gelangt war, mußte er sich die erdrückende Mehrheit der Bevölkerung zu Feinden machen. Vor allem war die gefährliche Grenzlinie zwischen steuerlicher Bedrükkung und einer Verletzung der *sacra* der jüdischen Kultgemeinde überschritten, als Menelaos im Jahre 171/170 v. Chr. daranging, sich die benötigten Geldsummen durch Tempelraub zu verschaffen.

Dieses Sakrileg wurde ruchbar und führte im Jahre 170 v. Chr. zu weiteren Verwicklungen, die die Stellung des Menelaos völlig unhaltbar werden ließen.[16] Onias III., der nach seiner Absetzung in Daphne, dem Villenvorort Antiocheias, lebte, erhielt Kenntnis vom Tempelraub des Menelaos und überführte ihn. Menelaos hielt es daraufhin für geraten, sich des lästigen Mahners und potentiellen Rivalen durch Mord zu entledigen. Er gewann durch Bestechung Andronikos,

---

[12] Makk 2,4,21 f.; zur umstrittenen Bedeutung des πρωτοκλισία genannten Staatsaktes – etwa: Inaugurationsfeier? – vgl. Chr. Habicht, 2. Makkabäerbuch, 219 (Komm. bz. 4,21).

[13] Daß die Bürgerschaft sich seit der Regierungszeit Antiochos IV. als 'Αντιοχεῖς οἱ ἐν Πτολεμαΐδι bezeichnete, bezeugen die Münzen: vgl. E. Schürer, History II, 123 mit Literatur; eine genauere Datierung des Beginns jener Benennung scheint jedoch unmöglich zu sein, so daß die oben ausgesprochene Vermutung eine unverbindliche Erwägung darstellt.

[14] Makk 2,4,24: καὶ δοξάσας αὐτὸν τῷ προσώπῳ τῆς ἐξουσίας [sc. Menelaos].

[15] Zu seiner Herkunft aus der priesterlichen Sippe Bilga vgl. zuletzt M. Hengel, Judentum und Hellenismus, 508 f. (auf Grund von Makk 2,3,4 und 4,23).

[16] Zum folgenden vgl. Makk 2,4,32–50; zur Datierung der Ereignisse vgl. die folgende Anmerkung.

einen hohen seleukidischen Funktionär, der Onias aus seinem Asyl lockte und umbringen ließ.[17] Die Tat löste in Antiocheia Empörung aus. In Jerusalem aber war ein offener Aufstand ausgebrochen, als auch dort der heimliche Tempelraub bekannt geworden war. Lysimachos, der Bruder und Stellvertreter des Menelaos, kam in den Straßenkämpfen ums Leben. Wie die Unruhen beendet wurden, ist unbekannt. Wahrscheinlich griff die in Jerusalem stationierte seleukidische Garnison ein. Die Folge war, daß sich auch der Ältestenrat gegen den Hohenpriester stellte und ihn beim König verklagen ließ. Doch drang er nicht durch. Menelaos erreichte, angeblich durch Bestechung des Ptolemaios, des Sohnes des Dorymenes, Strategen von Koilesyrien und Phoinikien, seinen Freispruch und die Hinrichtung der vom Ältestenrat bestellten Ankläger. Unverständlich ist das Urteil des Königs nicht. Er sah in den Anklägern des von ihm eingesetzten Hohenpriesters Aufrührer[18], und er hätte sich selbst desavouiert, wenn er Menelaos wegen Tempelraubs abgesetzt hätte. Wie konnte man ihm zumuten, am Vorabend eines großen Krieges seinen Parteigänger in Judäa fallenzulassen? An Menelaos' Loyalität brauchte er gewiß nicht zu zweifeln; dieser war auf Gedeih und Verderb auf den Schutz des Königs angewiesen.

Die Klage, die der Ältestenrat gegen den Hohenpriester angestrengt hatte, war ein Menetekel: Menelaos hatte nicht nur die Masse des Volkes, sondern auch seine Führer, die in der *Gerusia* vorherrschende Priesterschaft, gegen sich aufgebracht. Der Tempelraub hatte an den Lebensnerv des Standes gerührt, der seine ganze Existenz der Unverletzlichkeit des Tempels verdankte. Wahrscheinlich organisierten sich damals die Frommen in der συναγωγὴ 'Ασιδαίων, die sich angesichts eines illegitimen, mit Tempelraub und Mord befleckten Hohenpriesters zur strengen Heiligung des ‚Gesetzes' und in der Erwartung göttlichen Eingreifens absonderte.[19]

---

[17] Makk 2,4,33 f.; Vers 38 zufolge hätte der König Andronikos wegen dieses Rechtsbruchs hinrichten lassen. Nach einer anderen Version (Diodor 30,7,2; Johannes Antiochenus, FGH 4,558, fr. 58) wurde Andronikos durch den König beseitigt, weil er als sein Werkzeug bei der Ermordung eines Sohnes seines Bruders und Vorgängers ein gefährlicher Mitwisser gewesen sei. O. Mørkholm, Antiochus IV of Syria, 44 ff. hat wahrscheinlich gemacht, daß der ermordete Prinz mit Namen Antiochos durch den König bei seiner Thronbesteigung adoptiert und zum Mitregenten erhoben worden war. Auf Grund der neuen, im Jahre 1954 veröffentlichten babylonischen Königsliste (vgl. oben S. 17 mit Anm. 6) wird die Beseitigung des Mitregenten Antiochos in den August des Jahres 170 v. Chr. datiert. Die Hinrichtung des Andronikos mag tatsächlich dazu gedient haben, ein lästiges Werkzeug zu beseitigen. Ihn deshalb von dem Mord an Onias III. freizusprechen, geht jedoch nicht an. Vielmehr kann dieses Aufsehen erregende Verbrechen den erwünschten Vorwand geboten haben, einen unbequemen Mitwisser zu beseitigen, besonders wenn die Ermordung des Prinzen der des Onias unmittelbar vorausgegangen war: so schon A. von Gutschmid, Der zehnte Griechenkönig im Buche Daniel, RhM N.F. 15, 1860, 316 ff.; vgl. V. Tcherikover, Hellenistic Civilization and the Jews, 469.

[18] Nach J. Wellhausen, Über den geschichtlichen Wert des zweiten Makkabäerbuches im Verhältnis zum ersten, NGG 1905, 125 wären die Hingerichteten die Anführer des Aufstandes in Jerusalem gewesen. Dies würde das Todesurteil des Königs zwangloser erklären, als es in Makk 2,4,48 geschieht. Umso bemerkenswerter ist unter dieser Voraussetzung der Umstand, daß die Verurteilten der Gerusia angehörten.

[19] H. Stegmann, Die Entstehung der Qumrangemeinde, Diss. Bonn 1971, 243 hält die Gründung der Vereinigung für eine Reaktion auf die Ermordnung Onias' III. Das ist nicht gesichert. Sofern

Im November 170 v. Chr. brach offener Krieg zwischen Ägypten und dem Seleukidenreich aus. Als Antiochos IV. bei seiner Rückkehr vom ersten ägyptischen Feldzug im Hochsommer des Jahres 169 v. Chr. die Auslieferung des Jerusalemer Tempelschatzes verlangte, konnte der Hohepriester Menelaos, selbst wenn er es gewollt hätte, diesem Ansinnen keinen Widerstand entgegensetzen. Aber er beschränkte sich nicht auf passive Duldung, sondern leistete aktive Beihilfe: „Hiermit noch nicht zufrieden, wagte der König es, den heiligsten Tempel der ganzen Erde zu betreten, wobei ihm Menelaos als Führer diente, der zum Verräter an den Gesetzen und an seinem Vaterland geworden war."[20] Der Plünderung des Tempels fielen auch der Vorraum des Allerheiligsten zum Opfer, und der König betrat den Ort, wo der Gott auf dem Zion im Verborgenen wohnte. Die heiligen Kultgeräte, Leuchter, Schaubrottisch und Rauchopferaltar, wurden fortgeschleppt. Erst Judas Makkabaios ließ nach Einnahme des Tempelbezirks im Dezember 165 v. Chr. die heiligen Geräte neu anfertigen und im Tempelhaus aufstellen.[21] Dieses stand seit der Entweihung, d. h. schon seit dem Hochsommer des Jahres 169 v. Chr., leer.[22] Der Gottesdienst im Tempelhaus ruhte seitdem, nur noch das Tagesopfer konnte auf dem im Freien gelegenen Brandopferaltar dargebracht werden. Der Kult Jahwes wurde also nicht mehr in völliger Übereinstimmung mit dem ‚Gesetz' ausgeübt. Das Volk befiel lähmendes Entsetzen: „Da kam große Trauer über das Land Israel. Die Vornehmen und Ältesten stöhnten auf; die Mädchen und jungen Männer verloren ihre Kraft, und die Schönheit der Frauen verfiel. Jeder Bräutigam stimmte die Totenklage an, die Braut saß trauernd in ihrem Gemach. Das Land zitterte um seine Bewohner. Das ganze Haus Jakob war mit Schande bedeckt."[23]

Die Reaktion des ausgebeuteten und in seinen heiligsten Gefühlen beleidigten Volkes ließ nicht lange auf sich warten: Es erhob sich im Sommer des Jahres 168 v. Chr.[24] Anlaß bot der Überfall, den der abgesetzte Hohepriester Jason mit einer verhältnismäßig geringen Streitmacht auf Jerusalem unternahm, als sich das Gerücht verbreitet hatte, der König sei auf seinem zweiten ägyptischen Feldzug verstorben. Daraufhin erhoben sich die Massen gegen Menelaos, der Zuflucht in der von einer seleukidischen Garnison gehaltenen Zitadelle suchte. Jason konnte jedoch trotz seines rücksichtslosen Vorgehens, dem viele Menschen zum Opfer fielen, die Herrschaft nicht erringen. Er war zu kompromittiert, als daß er die Autorität eines allgemein anerkannten Führers des Aufstandes hätte gewinnen können.[25]

---

aber aus der Einleitung der sog. Damaskusschrift 1,5–11 (E. Lohse, Die Texte aus Qumran, Hebräisch und Deutsch, Darmstadt 1964, 67) sich entnehmen läßt, daß die Vereinigung der Chasidim etwa zwischen 172 und 170 v. Chr. entstanden ist, so kann ihre Gründung nur als Antwort der Frommen auf die Verfehlungen des gottlosen Hohenpriesters Menelaos interpretiert werden.

[20] Makk 2,5,15.

[21] Vgl. Makk 1,1,21 mit 4,51.

[22] Darauf hat E. Bickermann, Gott der Makkabäer, 103 aufmerksam gemacht.

[23] Makk 1,1,25–28; der Text ist Teil eines Klageliedes, das wie andere vergleichbare Stücke aus der Zeit der unter Antiochos IV. erlittenen Bedrängnis stammt.

[24] Zu den Berichten, Makk 1,1,29–40 und Makk 2,5,1–26 vgl. oben S. 32 ff.

[25] Zu seiner Beurteilung durch gesetzestreue Juden vgl. Makk 2,5,6–10.

Antiochos IV. aber faßte die Vorgänge in Jerusalem als Abfall auf.[26] Es muß mangels einschlägiger Quellen offenbleiben, ob die ptolemäische Regierung den Anschlag Jasons angezettelt hatte. Wichtiger ist, daß unter den gegebenen Umständen der Sturz des seleukidischen „Parteigängers" einem Parteiwechsel des jüdischen Ethnos gleichgekommen wäre. Dem König blieb nichts anderes übrig, als seine Oberherrschaft mit allen Mitteln unverzüglich wiederherzustellen, zumal sein Prestige durch den von den Römern erzwungenen, demütigenden Abzug aus Ägypten einen schweren Schlag erlitten hatte.

Im Herbst des Jahres 168 v. Chr. wurde die aufrührerische Stadt durch Apollonios, den Befehlshaber des mysischen Söldnerkorps, eingenommen und geplündert, ein Teil der Bevölkerung wurde versklavt. Dann wurde in der sogenannten Davidstadt eine befestigte Militärsiedlung angelegt. Nichtjüdische Kleruchen zogen dort ein und bildeten unter dem *Epistates* Philippos ein eigenständiges, sich selbst verwaltendes Gemeinwesen.[27] Der Verfasser des ersten Makkabäerbuches nennt sie das ‚Sündervolk'.[28] Ausgestattet wurden die Militärsiedler mit Land, das der König vermutlich, wie immer in solchen Fällen, konfiszieren ließ. Ob außer Jerusalem noch andere Plätze in Judäa auf die gleiche Art gesichert wurden, bleibt unklar. Eine diesbezügliche Aussage im Buch Daniel: „Und er [sc. Antiochos IV.] setzt in die starken Festungen das Volk eines fremden Gottes"[29], ist zu vieldeutig, als daß sie eine solche Annahme sichern könnte.

Rebellische Gebiete durch Ansiedlung landfremder Bevölkerungsteile zu befrieden, gehörte seit langem zum Herrschaftsinstrumentarium orientalischer Großreiche. Die Seleukiden hatten sich seiner in großem Maßstab bedient. Die ersten Herrscher dieses Hauses hatten Syrien, Kleinasien und das iranische Hochland durch eine vielgliedrige Kette makedonisch-griechischer Militärsiedlungen gesichert.[30] Aber die Volkskraft Griechenlands und Makedoniens war begrenzt. Nicht erst der Verlust Kleinasiens im Jahre 190 bzw. 188 v. Chr. hat den Zustrom der Siedler aus dem Westen abgeschnitten, er war schon vorher versiegt. Antiochos III. mußte auf orientalische Siedler zurückgreifen. Nachdem es in Lydien und Phrygien zu Rebellionen gekommen war, wurden zwischen den Jahren 212 und 205 v. Chr. auf Befehl des Königs 2000 jüdische Familien aus Babylon und Mesopotamien an befestigten Plätzen und strategisch wichtigen

---

[26] Makk 2,5,11; zum proptolemäischen Charakter des Jerusalemer Aufstandes vgl. Josephos, Bell. Jud. 1,32. Schon zu Beginn des Krieges hatte sich die ptolemäische Regierung Chancen ausgerechnet, durch Bestechung seleukidischer Offiziere die kampflose Übergabe von Städten und Festungen zu erreichen: Diodor 30,16.

[27] Makk 1,1,29–35 und Makk 2,5,11–26.

[28] Makk 1,1,34; 3,45; 14,36. E. Bickermann, Gott der Makkabäer, 72 meint, daß zusammen mit den fremden Kleruchen abtrünnige Juden in der Akra angesiedelt wurden. Das ist jedoch nicht richtig. Abtrünnige Juden fanden dort Zuflucht, als in der Zeit des Religionsverbots Judas Makkabaios mit den Aufständischen die Kontrolle über Judäa und Jerusalem gewonnen hatte: vgl. Makk 1,6,23–26 (ungenau Josephos, Ant. Jud. 12,252).

[29] Dan 11,29.

[30] Zur Anlage von Militärsiedlungen, κατοικίαι, im Seleukidenreich und zur Dienstpflicht der κατοικοῦντες vgl. G. M. Cohen, The Seleucid Colonies. Studies in Founding, Administration and Organization, Historia Einzelschr. 30, Wiesbaden 1978, 11 ff. und 45 ff.

Punkten angesiedelt.[31] Neben Juden wurden damals auch Kadarker, d.h. iranische Söldner, in Westkleinasien angesiedelt. Auf ihre Siedlung in Telmessos nimmt im Jahre 181 v. Chr. Eumenes II. in einem Brief bezug.[32] Umgekehrt lassen sich anatolische Kleruchen im iranischen Hochland nachweisen.[33] Das aber bedeutet: Der Vorstellung, daß Antiochos IV. zahlreiche orientalische Gemeinden mit Griechen besiedelt und zu Poleis mit griechischer Verfassung umgestaltet habe[34], fehlt nicht nur die Quellengrundlage, ihr fehlt darüber hinaus jegliche innere Wahrscheinlichkeit. Wo sollte Antiochos IV. griechische Siedler hernehmen, wenn schon sein Vater gezwungen war, auf Orientalen zurückzugreifen? Die Militärsiedler in der Jerusalemer Akra waren gewiß keine Griechen. Der Verfasser des zweiten Makkabäerbuches schreibt dem Kanzler Lysias unter anderem die Absicht zu, Jerusalem zu einem Siedlungsplatz für Griechen zu machen.[35] Diese Nachricht mag zutreffend oder nicht zutreffend sein, eines geht aus ihr klar hervor: Im Jahr 165 v. Chr., also drei Jahre nach Anlage der Akra, gab es in Jerusalem keine griechischen Siedler. Welcher ethnischen Herkunft die κατοικοῦντες waren, die Antiochos IV. nach Judäa verpflanzte, läßt sich nicht mit Sicherheit sagen. Victor Tcherikover meint, daß sie aus der syrisch-kanaanäischen Umwelt stammten.[36] Denkbar ist auch, daß es sich um kleinasiatische Söldner handelte; denn Philippos, *Epistates* in der Jerusalemer Akra, war seiner Herkunft nach ein Phryger.[37]

Wenn es auch ein ebenso altes wie bewährtes Mittel der Herrschaftssicherung war, ein rebellisches Land durch fremdstämmige Militärsiedler zu befrieden, so konnte es sich im Falle Judäas jedoch nicht bewähren. Den Kolonisten wurde traditionsgemäß zugestanden, nach ihren eigenen Gesetzen und ihrer väterlichen Religion zu leben.[38] Judäa aber war das Heilige Land der Juden. Hier durfte kein anderer Gott als Jahwe verehrt werden, und die Juden hatten schon in der Vergangenheit, wie Pseudo-Hekataios ausdrücklich feststellt, der Verehrung fremder Götter fanatischen und gewaltsamen Widerstand entgegen-

---

[31] Der auf die Ansiedlung der babylonischen Juden bezügliche Brief des Königs an den Strategen Zeuxis ist erhalten: Josephos, Ant. Jud. 12, 148–153; das Dokument wurde zuletzt interpretiert von G. M. Cohen, a. a. O. (s. o. Anm. 28) 5–9; zur Zeitstellung der Umsiedlungsaktion vgl. H. H. Schmitt, Untersuchungen zur Geschichte Antiochos des Großen und seiner Zeit, Historia Einzelschr. 6, Wiesbaden 1964, 85. Die Bestreitung der Authentizität des Briefes durch J.-D. Ganger, Beiträge zur jüdischen Apologetik: Untersuchungen zur Authentizität von Urkunden bei Flavius Josephus und im I. Makkabäerbuch, Bonner Biblische Beiträge 49, Köln und Bonn 1977 ist unbegründet: vgl. A. Momigliano, in: CPh 77, 1982, 258 f.

[32] Vgl. M. Segre, Iscrizioni di Licia, Clara Rhodos 9, 1938, 190.

[33] Vgl. W. W. Tarn, The Greeks in Bactria and India, Cambridge 1952², 9.

[34] So H. H. Schmitt, a. a. O. (s. o. Anm. 31) 104: „Zahlreiche orientalische, allenfalls oberflächlich hellenisierte Gemeinden sind unter seiner Regierung mit Griechen besiedelt und zu Poleis mit griechischer Verfassung umgestaltet worden“; ähnlich 122 (jedesmal ohne Quellenbelege!).

[35] Makk 2,11,3.

[36] V. Tcherikover, Hellenistic Civilization and the Jews, 194 f.

[37] Makk 2,5,22.

[38] Vgl. das Schreiben Antiochos' III. an Zeuxis bei Josephos, Ant. Jud. 12,150: βούλομαι τοίνυν . . . νόμοις αὐτοὺς χρῆσθαι τοῖς ἰδίοις.

[39] Vgl. Pseudo-Hekataios, FGrHist 264 F 21 (= Josephos, Contr. Apion. 1,193): ἔτι γε μὴν τῶν

gesetzt.[39] Zur Wahrung der Heiligkeit Jerusalems hatte noch Antiochos III. angeordnet, daß auch die Fremden die Heiligkeit des Ortes achten und nur das Fleisch rituell geschlachteter, ‚reiner' Tiere verzehren sollten.[40]

Die auf der Akra in unmittelbarer Nähe des Tempels angesiedelten Fremden, die nach ihren eigenen Gesetzen lebten, ‚verunreinigten' also das Land. Sie waren, nach den Worten des Sehers im Buche Daniel, das Volk eines fremden Gottes. Das Heiligtum, heißt es im ersten Makkabäerbuch, wurde öde wie eine Wüste[41], weil die Juden die entweihte Heilige Stätte mieden. Der Kult Jahwes, die Feste und Sabbate konnten gar nicht mehr begangen werden, wie es dem ‚Gesetz' entsprach. Jerusalem war also höchstens in einem vordergründigen Sinn ‚befriedet' worden. Jedermann wird die explosive Stimmung des bis aufs Blut gereizten Volkes in der sprichwörtlichen Ruhe vor dem Sturm gespürt haben.[42]

Alle die beschriebenen Maßnahmen waren dazu bestimmt, die Herrschaft des Menelaos und damit die Oberherrschaft seines königlichen Schutzherrn über Judäa zu sichern. Der Hohepriester freilich mußte es am besten wissen, daß unter den besonderen Bedingungen des Heiligen Bundes die militärische Befriedungsaktion ihr Ziel nicht erreichen konnte. Durch das, was er getan hatte, war er als Hoherpriester für das jüdische Volk untragbar geworden. Wie der Verfasser des zweiten Makkabäerbuches anläßlich der Plünderung des Tempels im Jahre 169 v. Chr. bemerkt, war er zum „Feind seines Volkes" und zum „Verräter an den Gesetzen" geworden.[43] Durch Steuerdruck, Entwendung von Tempelgut, Mord an dem exilierten Hohenpriester Onias III. und aktive Beihilfe zum Tempelraub des Jahres 169 v. Chr. hatte er alle Schichten des Volkes gegen sich aufgebracht, die Bauern nicht minder als die Priesterschaft. Die Frommen hatten sich längst von ihm abgewendet und bildeten als eine gesonderte Vereinigung – die συναγωγὴ 'Ασιδαίων – sozusagen einen Staat im Staat. Bereits im Jahre 170 v. Chr., nachdem bekannt geworden war, daß Menelaos sich an dem Tempelschatz vergriffen hatte, war in Jerusalem ein Aufstand ausgebrochen. Der priesterlich-aristokratische Ältestenrat hatte sich gegen seinen Hohenpriester gestellt und, wenn auch vergeblich, Klage gegen ihn vor dem König erhoben.

Menelaos' Politik hatte das Heiligtum ruiniert. Es war geplündert und entweiht worden, zuletzt waren ‚Männer eines fremden Gottes' in seiner unmittelbaren Nähe angesiedelt worden, damit der Hohepriester vor seinem eigenen Volk Schutz finde. Der heidnische Kult aber, den die Fremden in den Mauern

---

εἰς τὴν χώραν (φησί) πρὸς αὐτοὺς ἀφικνουμένων νεὼς καὶ βωμοὺς κατασκευασάντων ἅπαντα ταῦτα κατέσκαπτον ...

[40] Zu dem einschlägigen *Programma* Antiochos' III. (= Josephos, Ant. Jud. 12,145 f.) vgl. E. Bikkermann, Une proclamation séleucide relative au temple de Jérusalem, Syria 25, 1946–1948, 67–86.

[41] Makk 1,1,38 f.

[42] V. Tcherikover, Hellenistic Civilization and the Jews, 194 ff. hat mit Recht auf die Unverträglichkeit von jüdischem ‚Gesetz' und der Ansiedlung von ‚Heiden' in Jerusalem hingewiesen; er irrt nur in der Annahme daß zwischen der Anlage der Akra und dem Religionsverbot eine Zeitspanne von mehr als einem Jahr liege: vgl. dazu oben S. 31 ff.

[43] Makk 2,5,15.

der Heiligen Stadt ausübten, verunreinigte Stadt und Land. Ein jüdischer Kult, der den strengen Reinheitsvorschriften des ‚Gesetzes' Rechnung trug, konnte nicht mehr vollzogen werden. Solange aber die Religion der Väter und das ‚Gesetz' im jüdischen Volk eine lebendige Macht waren, konnte es keine Ruhe in Judäa geben. Am allerwenigsten durfte sich der ‚Verräter' Menelaos sicher fühlen.

So könnte es nicht verwundern, wenn der Hohepriester die ‚Flucht nach vorn' angetreten und den radikalen, unter den gegebenen Umständen folgerichtigen Plan gefaßt hätte, den Juden die väterliche Religion zu nehmen und so die Wurzel des jüdischen Widerstandes auszurotten. Tatsächlich ist es gut bezeugt, daß Menelaos der intellektuelle Urheber des Religionsverbots war, das Antiochos IV. im Dezember des Jahres 168 v. Chr. über Judäa verhängte.[44] Eine entsprechende Nachricht überliefern unabhängig voneinander der Verfasser des zweiten Makkabäerbuches und Josephos. Die Version des jüngeren Autors ist die sachlich bessere und führt näher an die Informationsquelle heran, aus der die Nachricht stammt.[45] Beide Autoren beziehen sich auf eine Äußerung des Kanzlers Lysias, die dieser im Sommer 163 v. Chr. vor Antiochos V. im Rat der ‚Freunde des Königs' machte, als es darum ging, den kompromittierten abtrünnigen Hohenpriester Menelaos einer Verständigung mit den an ihrem Glauben festhaltenden Juden zu opfern. Im zweiten Makkabäerbuch ist die fragliche Äußerung des Lysias so wiedergegeben: καὶ Λυσίου ὑποδείξαντος τοῦτον αἴτιον εἶναι τῶν κανῶν. In der präziseren Fassung bei Josephos heißt es: τοῦτον γὰρ ἄρξαι τῶν κακῶν πείσαντ'αὐτοῦ τὸν πατέρα [sc. Antiochos IV.]τοὺς 'Ιουδαίους ἀναγκάσαι τὴν πάτριον θρησκείαν καταλιπεῖν. Und in dem Nachruf, den Josephos, derselben Quelle folgend, dem hingerichten Hohenpriester widmet, wird sogar das Motiv genannt, das Menelaos bestimmte: – καὶ ἵνα αὐτὸς ἄρχη, τὸ ἔθνος ἀναγκάσαντα τοὺς ἰδίους νόμους παραβῆναι. Dem Hohenpriester war demnach die Religionsverfolgung nur Mittel zum Zweck: Worum es ihm ging, war die Erhaltung seiner eigenen Herrschaft.

Wenn Menelaos aber seine Herrschaft und, wie man getrost hinzufügen darf, sein Leben nur dadurch retten konnte, daß er aufhörte, Hoherpriester Jahwes zu sein: Was lag dann für ihn näher, als die Identität des Auserwählten Volkes zu zerbrechen, die Erinnerung an den Heiligen Bund zu zerstören, die Juden von den Wurzeln ihrer geschichtlichen Existenz zu trennen und ein ‚neues' Volk zu schaffen, das von der Erinnerung an seine Geschichte unbelastet war.

Dieser wahrhaft diabolische Plan wurde mit raffinierter Berechnung der jüdischen Mentalität ins Werk gesetzt. Sein geistiger Urheber ging davon aus, daß die jüdische Religion in Auseinandersetzung mit den Baal- und Astartereligionen der syrisch-kanaanäischen Umwelt ihre unverwechselbare Eigenart gewon-

---

[44] Makk 2,13,3–8 und Josephos, Ant. Jud. 12,338 f.

[45] Der Bericht bei Josephos, Ant. Jud. 12,384 f. ist nicht nur substantieller als der in Makk 2,13,3–8, er bewahrt auch die richtige Chronologie: vgl. Chr. Habicht, 2. Makkabäerbuch, 267 (Anm. a zu 13,3) mit Literaturhinweisen. – Auch in Dan 11,30 ist darauf angespielt, daß der König den Glaubenszwang in Absprache mit abtrünnigen Juden verhängte.

nen hatte, daß gerade diese Religionen für den frommen Juden der Inbegriff des Grauens waren.[46] Ebendeshalb wurde auf dem Zion der „Greuel der Verwüstung“, ein Altarfetisch des verfemten Baal Schamin, errichtet, dem Baal möglicherweise eine weibliche Gottheit, Allat/Athene, zugesellt, die Tempelprostitution eingeführt, Dusares/Dionysos überall im Lande an Altären und in Heiligen Hainen verehrt. Judäa wurden also Götter und Kulte aufgezwungen, die dem griechischen König von Haus aus ebenso fremd waren wie der Kult Jahwes. Nichts vermag besser als diese Tatsache zu illustrieren, daß die offizielle Neubezeichnung des Jerusalemer Heiligtums als das des Zeus Olympios eine bloße Formalität war und die den Juden aufgezwungene Religion sich auf das Hellenentum Antiochos' IV. am allerwenigsten zurückführen läßt.

Vom Standpunkt des Hohenpriesters Menelaos ist die Wahl syrisch-kanaanäischer Kulte hingegen leicht zu erklären. Nicht, daß in dem kleinen Judäa der nachexilischen Epoche diese Kulte noch eine lebendige Konkurrenz des Jerusalemer Jahwekultes gewesen wären. Ebensowenig wird man der Vorstellung Raum geben dürfen, daß Menelaos persönlich ein Verehrer Baals gewesen sei. Vor einer solchen Annahme sollte schon der Umstand warnen, daß Menelaos im Herbst des Jahres 165 v. Chr. aus rein pragmatischen Überlegungen dem König zum Verzicht auf das Religionsedikt riet. Wie wenig ihm an der Einführung einer der positiven Religionen der syrisch-kanaanäischen Umwelt gelegen war, zeigen schließlich das Verbot der Beschneidung und das Gebot, vom Fleisch geopferter Schweine zu essen. Weder das eine noch andere ist in syrisch-kanaanäischen Kultbräuchen begründet. Schweinefleisch zu essen, war auch in Syrien verpönt, und die Beschneidung wurde auch dort geübt.[47] Worauf es ihm also ankam, war der Schock der Provokation. Die Juden sollten zum Abfall und zum Übertritt zu einer Religion gezwungen werden, in der alles das heilig war, was bisher unrein und verboten war. Nichts sollte mehr an die Zeichen des Bundes erinnern, den Jahwe mit seinem Volke geschlossen hatte. So wurde eine religiöse ‚Revolution‘ ins Werk gesetzt, ohne daß ihr eine positive religiöse Überzeugung zugrunde lag.

Der geistige Urheber dieser ‚Revolution‘ hatte schwerlich mehr im Sinn als die Rettung von Herrschaft und Leben. Tatsächlich ist seinem Plan Folgerichtigkeit in Hinblick auf diese Absicht wenigstens nicht abzusprechen. Jerusalem als Pilgerstätte, in der die Gläubigen nicht nur aus Judäa, sondern aus einer weitverzweigten Diaspora zusammenströmten, bedeutete für den als Tempelräuber, Mörder und Verräter verhaßten Hohenpriester eine ständige Bedrohung. Die Anwesenheit einer heidnischen, eigene Kulte ausübenden Besatzung hätte die Frommen zum Äußersten gereizt. So schien es ein Gebot der Sicherheit zu sein, wenn der Tempel seine alte überlokale, ja, sogar seine lokale Bedeutung vollständig einbüßte: Die neu eingeführten heidnischen Kulte waren nicht in Jerusa-

[46] Vgl. hierzu O. Eißfeldt, Ba'alšamēm und Jahwe, ZATW 57, 1939, 1–31; ders., Der Gott Karmel, SDAW 1954, 1 sowie ders., s. v. Baal, in: Die Religion in Geschichte und Gegenwart I$^3$, Tübingen 1957, 805 f.

[47] E. Bickermann, Gott der Makkabäer, 134–136.

lem konzentriert, sondern sollten überall im Lande vollzogen werden.[48] Menelaos wollte eben, wenn er schon nicht Hohepriester der Juden in der Heiligsten Stadt der Welt bleiben konnte, wenigstens die Herrschaft über Judäa festhalten – als oberster Priester Baal Schamins in einer kleinen, unbedeutenden Gemeinde.

Durch den religiösen Umsturz befreite Menelaos sich zugleich von der alten herrschenden Klasse, der Priesterschaft, nebst dem übrigen Kultpersonal, den Leviten. Sie waren längst seine erbitterten Feinde geworden. Der alte Ältestenrat, in dem die priesterlichen Geschlechter tonangebend waren, hatte ihn schon im Jahre 170 v. Chr. beim König verklagt. Der Umstand, daß Menelaos damals nicht nur seinen Freispruch, sondern sogar die Verurteilung der vom Ältestenrat bestellten Ankläger bewirkt hatte[49], muß dic Feindseligkeit zwischen Priesterschaft und Hohempriester noch vertieft haben. Mit der alten Oberschicht und dem sie repräsentierenden Organ, der alten Gerusia, konnte Menelaos nicht weiterregieren. Das Religionsedikt schuf auch in dieser Hinsicht eine neue Lage. Es entzog mit einem Schlage Leviten, Priestern und Mitgliedern des Ältestenrates die Lebensgrundlage. Sie bezogen nicht mehr die durch das ‚Gesetz' sanktionierten Abgaben und Anteile, ihre kultische und öffentliche Funktion hatten sie verloren. Damit waren sie als Klasse vernichtet.[50] Menelaos aber gewann die Möglichkeit, sich einen loyalen neuen Ältestenrat an die Seite zu stellen. Von der Familie der nichtpriesterlichen Tobiaden abgesehen, die ohnehin auf Menelaos' Seite gestanden zu haben scheint[51], wurde eine vermutlich begrenzte Anzahl von Kollaborateuren gewonnen. Furcht und Opportunismus werden in diesem Zusammenhang stärkere Motive als religiöse Überzeugung gewesen sein. In der vierten Vision des Buches Daniel ist darauf angespielt, wie dies geschah. Es heißt dort: „Wer ihn [sc. Antiochos IV.] anerkennt, dem mehrt er die Ehre und macht sie zu Herren über viele und verteilt Boden als Preis."[52] Auf diese Weise bildete sich eine kleine Oberschicht grundbesitzender Juden, die als Nutznießer des Umsturzes an die Stelle der alten, von Abgaben lebenden priesterlichen Aristokratie treten sollte. Der Makkabäeraufstand setzte dieser Entwicklung freilich ein frühes Ende. Welches Schicksal die Kollaborateure traf, zeigen die Worte, die Überlebende im Jahre 163 v. Chr. an König Antiochos V. richteten: „Wir haben Deinem Vater bereitwillig gedient; wir haben so gelebt, wie er sagte, und seine Anordnungen befolgt. Deswegen sind uns unsere eigenen Landsleute

---

[48] Vgl. Makk 1,1,47 und 51; 2,15–28; Makk 2,6,7–9; 10,2.

[49] Makk 2,4,43–48.

[50] Obwohl entsprechende Nachrichten in der Überlieferung fehlen, war dies zweifellos eine unmittelbare Wirkung des Religionsedikts und vermutlich eines der Ziele, die seine Urheber verfolgten. Seltsamerweise ist hiervon in der modernen Literatur, soweit ich weiß, nicht einmal andeutungsweise die Rede.

[51] Vgl. Josephos, Ant. Jud. 12,239.

[52] Dan 11,39; die Aussage kann sich, wie aus dem Vordersatz „wer ihn anerkennt" zu entnehmen ist, nicht auf die seleukidischen Militärsiedler der Akra, sondern sinngemäß nur auf jüdische Kollaborateure eziehen, von denen in Dan 11,32 ausdrücklich die Rede ist.

fremd geworden; ja, sie haben jeden von uns, den sie fanden, umgebracht und haben unseren Besitz geraubt."[53]

Weil Antiochos IV. sein Herrschaftsinteresse mit dem des Menelaos verknüpft hatte, folgte er dem Hohenpriester auf seinem gefährlichen Kurs. Ein ideologischer Überzeugungstäter war er so wenig wie Menelaos, und von der selbstmörderischen Idee, den zahlreichen Völkern *eine* Religion aufzuzwingen, und sei es die des Olympischen Zeus, war er gewiß frei. Es liegen genug Zeugnisse vor, daß im Seleukidenreich auch unter Antiochos IV. die traditionelle Vielgestaltigkeit der Religionen unangetastet blieb.[54] Gewiß hat er persönlich an die Stelle des traditionellen Hauptgottes der Dynastie, des Delphischen Apoll, Zeus Olympios gesetzt, und seit seinem Sieg über Ägypten ließ er das Bild dieses Gottes auf seine Münzen prägen. Damit wurde wie mit der um Siegesbeinamen erweiterten Königstitulatur θεὸς Ἐπιφανής und θεὸς Ἐπιφανὴς Νικήφορος auf diesen Sieg Bezug genommen.[55] Weder bildliche Darstellung noch Legende sind indessen vereinheitlicht worden, und es kann keine Rede davon sein, daß Antiochos IV. darangegangen wäre, mit Hilfe einer ‚Reichsreligion' oder gar eines organisierten Herrscherkultes die ‚Reichseinheit' zu fördern.[56] Die Religion des königlichen Hauses und die verschiedenen Religionen der Städte, Stämme und Dynasten des Reiches bestanden von alters her nebeneinander. Antiochos IV. hat daran nichts geändert. Der König mochte persönlich Zeus Olympios opfern und im übrigen der epikureischen Gottesauffassung nahestehen[57], die Religion der Reichsangehörigen blieb davon unberührt. Von Haus aus mußte es ihm gleichgültig sein, ob die Juden Jahwe oder unter dem Namen des Olympischen Zeus Baal Schamin neben anderen orientalischen Gottheiten verehrten, ob ihnen das Schwein als reines oder als unreines Tier galt. In aller Regel respektierten die Herrscher schon aus politischer Klugheit die traditionellen Religionen und Lebensordnungen. Antiochos III. hatte die in Jerusalem geltenden kultischen Reinheitsvorschriften unter seinen ausdrücklichen

---

[53] Makk 1,6,23f.

[54] So mit Recht E. Bickermann, Gott der Makkabäer, 46f. nach C. L. W. Grimm, Das erste Buch der Maccabäer. Kurzgefaßtes Handbuch zu den Apokryphen des Alten Testaments. 3. Lieferung, Leipzig 1853, 25f. (Komm. zu Makk 1,1,42).

[55] Vgl. E. Bickermann, Les institutions des Séleucides, Paris 1938, 239.

[56] Vgl. hierzu die Feststellungen von Mørkholm, Antiochus IV, 126ff., besonders 130–134, die auf sorgfältiger Auswertung des numismatischen Materials beruhen: vgl. ders., Studies in the coinage of Antiochus IV. of Syria, Hist. Filos, Mess. Dan. Vid. Selsk. 40,3,1963. Einen Rückschritt stellt demgegenüber der Aufsatz von J. G. Bunge dar: Münzen als Mittel politischer Propaganda: Antiochos IV. Epiphanes von Syrien, StudClas 16, 1974, 43–52. Gegenüber gewagten historischen Schlußfolgerungen, die aus Münzbildern und -legenden gezogen werden, kann nur auf den gesunden Grundsatz verwiesen werden, den A. H. M. Jones, Numismatics and History (1956) in: The Roman Economy, Oxford 1974, 63 formuliert hat: „*It is nevertheless questionable whether the elaborate messages which some numismatists deduce from coin types were intended to be conveyed by them, and still more questionable whether they were generally understood* . . .

[57] Der aus Laodikeia am Meer stammende Epikureer Philonides bekehrte nach eigenem Zeugnis Antiochos IV. zum Epikureismus: W. Crönert, Der Epikureer Philonides, SPAW 1900,2, 953 Col. 29/30.

Schutz gestellt[58] – eben weil er die Loyalität der neugewonnenen Untertanen befestigen wollte. Überlegungen politischer Zweckmäßigkeit aber waren es auch, die Antiochos IV. veranlaßten, mit dem von seinem Vater verfolgten Kurs in Judäa zu brechen. Menelaos war sein Parteigänger, der letzte, der ihm in Judäa geblieben war, nachdem er den Oniaden Jason fallengelassen hatte. Antiochos IV. hatte mit dem Wechsel der Hohenpriester versucht, seine Einnahmen zu steigern und seine Oberherrschaft zu stabilisieren. Tatsächlich war das erste Ziel auf Kosten des zweiten erreicht worden. Der König stand im Herbst des Jahres 168 v. Chr. vor einer Situation, die er mit dem ‚normalen' politischen Mittel, der Ersetzung des alten durch einen neuen Hohenpriester, nicht bewältigen konnte. Eine personelle Wahlmöglichkeit hatte er nicht mehr. Das Geschlecht, dem das Hohepriesteramt legitimerweise zustand, hatte er sich verfeindet. Jason befand sich auf der Flucht[59], der Sohn Onias' III. ging damals oder später nach Ägypten, wo er den Tempel von Leontopolis gründete.[60] Von dem Hohenpriester Menelaos konnte der König sich auch, selbst wenn er gewollt hätte, nicht mit gutem Grund trennen; denn dieser hatte als sein Werkzeug in Judäa fungiert und war bis zuletzt sein treuer Vasall geblieben. Es war das Dilemma der seleukidischen Politik in Judäa, daß sie für die Aussaugung des Landes den Preis bezahlen mußte, der dem Hohenpriester präsentiert wurde. Denn die seleukidische ‚Partei' in Jerusalem bestand schließlich nur noch aus Menelaos und den Tobiaden, und diese Gruppierung hatte alle einflußreichen Kräfte gegen sich aufgebracht.[61] König und Hoherpriester sahen sich nicht nur mit dem kleinen Kreis der hellenistischen Reformer um Jason konfrontiert – was noch das geringste war –, sondern auch mit der Priesterschaft und der Masse der Bevölkerung, den Bauern. Was ursprünglich weder der König noch der Hohepriester gesehen, geschweige denn gewollt hatte, war eingetreten: Die traditionelle Religion und Lebensordnung des jüdischen Ethnos und die seleukidische Oberherrschaft erschienen unvereinbar.

So entschloß sich der König, dem Rat seines Parteigängers zu folgen. Da er ihn weder fallen lassen konnte noch wollte, mußte er ihm auf dem Weg einer religiösen ‚Revolution' folgen. Für diesen Kurs schien nicht nur der Gesichtspunkt der Herrschaftssicherung zu sprechen, sondern auch das fiskalische Interesse des Königs. Die mit der Vernichtung der hierokratischen Ordnung erfolgte Beseitigung der Abgaben und Anteile, die von der landwirtschaftlichen Produktion für Priester, Leviten und Tempeldienst abgezweigt worden waren, konnten zu der Erwartung ermutigen, daß der Tribut leichter als vorher aufgebracht werden würde.

Freilich ließe sich einwenden, daß der König die Risiken, die der Anschlag auf die jüdische Religion und Lebensordnung in sich barg, hätte sehen und vor der letzten Konsequenz zurückschrecken müssen. Diesem aus der Retrospektive

---

[58] Vgl. oben Anm. 40 und oben S. 77.
[59] Vgl. Makk 2,5,7–10.
[60] Vgl. Josephos, Bell. Jud. 1,32 (= 168 v. Chr.); und Ant. Jud. 12,387f. (= 163 v. Chr.).
[61] Vgl. Josephos, Ant. Jud. 12,239.

naheliegenden Einwand ist jedoch entgegenzuhalten, daß die hellenistischen Herrscher von den Informationen und Ratschlägen abhängig waren, die sie von ihren jüdischen Parteigängern erhielten. Auch die Vergünstigungen, die Antiochos III. nach der Schlacht am Paneion im Jahre 200 v. Chr. den Juden als Lohn für ihren Übertritt gewährte, waren das Ergebnis von Verhandlungen mit den Gesandten von Hohempriester und Ältestenrat gewesen.[62] Damals hatte der König freilich mit einer Führung des jüdischen Ethnos verhandelt, die den notwendigen Rückhalt im eigenen Lande besaß und autorisiert war, in dessen Namen zu sprechen. Im Jahre 168 v. Chr. war die Situation anders. Antiochos IV. mußte sich auf den Rat eines Hohenpriesters verlassen, der zwar sozusagen als einziger loyal geblieben war, aber längst das Tischtuch zwischen sich und seinen Landsleuten zerschnitten hatte. Antiochos IV. war von Haus aus gewiß kein Kenner jüdischer Mentalität und jüdischer Verhältnisse, und er hatte das – freilich selbstverschuldete – Unglück, von einem Ratgeber abhängig zu werden, für den die Vernichtung der Religion seiner Väter die *ultima ratio* der Selbsterhaltung war. Obwohl Menelaos es besser wissen mußte, mag auch er sich über die Widerstandskraft hinweggetäuscht haben, die die Religionsverfolgung im jüdischen Volk wecken mußte. Jedenfalls wird er dem König die Wirkungen des Religionsediktes in einem rosigen Licht dargestellt haben. So wurde er, wie der Kanzler Lysias sich ausdrückte, zum Urheber des Unglücks . . .

Es könnte noch eingewendet werden, daß doch wenigstens in den Beratungen der ‚Freunde des Königs', die sicherlich dem verhängnisvollen Religionsedikt vorangingen[63], die warnenden Stimmen das Übergewicht über den vom Eigeninteresse diktierten Rat des Menelaos hätten gewinnen müssen. Dieser Einwand ist jedoch nur von dem bequemen Standpunkt des Beobachters aus stichhaltig, der die Folgen der damaligen Entscheidung kennt und sich wundert, daß ihre Urheber sie nicht sehen konnten. Zu bedenken ist ja, daß der Rat der ‚Freunde des Königs' aus Griechen bestand, die der König nach eigenem Ermessen in ihre hohe Stellung berief.[64] Daß es unter ihnen Männer gab, die eine spezielle Kenntnis der jüdischen Mentalität und der Verhältnisse Judäas besaßen, ist nicht *a limine* auszuschließen, ist jedoch wenig wahrscheinlich. Die ‚Freunde des Königs' wurden je nach Bedarf für wechselnde diplomatische, militärische und administrative Aufgaben verwendet, und schon dieses Fehlen eines festen Zuständigkeitsbereiches war der Ausbildung einer speziellen, auf intimer Kenntnis lokaler Verhältnisse beruhenden Sachkompetenz nicht eben günstig. Die in Judäa stationierten Militärbefehlshaber – namentlich bekannt sind der Kommandant der Jerusalemer Zitadelle Sostratos und sein Stellvertreter, der Kypriarch Krates[65],

[62] Die jüdische Gesandtschaft hatte Johannes, der Vater des Eupolemos (des Historikers und prominenten Anhängers des Judas Makkabaios), geleitet: Makk 2,4,11.

[63] Als beispielsweise die ‚Sidonier von Sichem' beantragten, daß ihr Heiligtum nach Zeus Hellenios benannt werde, gab Antiochos IV. erst nach Beratung mit seinen ‚Freunden' diesem Antrag statt: Josephos, Ant. Jud. 12, 263.

[64] Vgl. Chr. Habicht, Die herrschende Gesellschaft in den hellenistischen Monarchien, VSWG 45, 1958, 1–16.

[65] Makk 2,4,28 f.

waren mittlere Chargen, die nicht dem ausgewählten Kreis der ‚Freunde des Königs' angehörten. Sie sind gewiß nicht über ihre Meinungen hinsichtlich der Judäa betreffenden Politik befragt worden. Anders steht es mit Ptolemaios, dem Sohn des Dorymenes.[66] Dieser einflußreiche hohe Funktionär, der damals das Amt des Strategen von Koilesyrien und Phoinikien bekleidete, war vermutlich der wichtigste Ratgeber des Königs in allen Fragen, die seinen Amtssprengel betrafen. Ausgerechnet dieser Mann aber stand auf seiten des Menelaos. Er hatte den Hohenpriester schon in dem Verfahren, das der Ältestenrat im Jahre 170 v. Chr. gegen ihn angestrengt hatte, vor einer Verurteilung durch den König bewahrt.[67] Obwohl es zu weit ginge, in ihm den Urheber des Glaubenszwanges zu sehen[68], ist doch schwerlich zu verkennen, daß er Menelaos und die an dessen Person geknüpfte Politik immer unterstützt hat. Er drang darauf, daß dic Religionsverfolgung sich auch auf die Juden erstreckte, die in den Judäa benachbarten griechischen Städten lebten[69], und organisierte den ersten großen Feldzug zur Niederwerfung des Makkabäeraufstandes.[70] Als später der Kanzler Lysias die gescheiterte Judäa-Politik beenden und einen neuen Anfang machen wollte, fiel dieser Ptolemaios als erster dem neuen Kurs zum Opfer: Er wurde durch Ptolemaios, Sohn des Makron, ersetzt.[71] Der Sohn des Dorymenes hatte, wenn irgendeiner, Menelaos den Rücken gestärkt.

Aus allen diesen Umständen läßt sich die verfehlte Entscheidung, die der König auf Anraten des Menelaos traf, ohne weiteres erklären. Zu ihrem vollen Verständnis gehört freilich auch ein Hinweis auf das menschliche Erscheinungsbild Antiochos' IV., in dem sich Tatkraft und Selbstbehauptungswille mit Sprunghaftigkeit und Experimentierfreudigkeit verbanden. Er war zudem von Stimmungen und persönlichen Eindrücken stark abhängig, und er erschien seinen Zeitgenossen als ein unberechbarer, zu unkonventionellen, ja, unangemessenen Reaktionen neigender Charakter. Es hieß von ihm, daß er selbst nicht wisse, was er eigentlich wolle, und daß weder ihm noch anderen feststehe, was für ein Mensch er eigentlich sei. Man zweifelte gar, ob er sich einfach verstellte oder wirklich verrückt sei: *Adeoque nulli fortunae adhaerebat animus per omnia genera vitae errans, uti nec sibi nec aliis quinam homo esset satis constaret. Non adloqui amicos, vix notis familiariter arridere, munificentia inaequali sese aliosque ludificari . . . Itaque nescire quid sibi vellet quibusdem videri; quidam ludere eum simpliciter, quidam haud dubie insanire aiebant.*[72]

So wenig die polemische Überspitzung in diesem Charakterbild zu übersehen ist[73], so deutlich ist doch dem ganzen Zuschnitt der auf Prestige- und Machtge-

---

[66] Zu seiner Person vgl. Chr. Habicht, 2. Makkabäerbuch, 223 (Komm. a zu 4,45).

[67] Makk 2,4,45 f.

[68] Vgl. I. Lévy, Notes d'Histoire hellénistique sur le second Livre des Maccabées. II. Ptolemée fils de Makrôn, AIPhO 10, 1950, 689 f.

[69] Makk 2,6,8 f.

[70] Makk 2,8,8 f.; vgl. Makk 1,3,38.

[71] Vgl. I. Lévy, a. a. O. (s. o. Anm. 68) 691–699.

[72] Livius 41,2–4.

[73] Die Liviusstelle geht auf die Charakterisierung des Königs im verlorengegangenen 26. Buch des

winn angelegten Politik Antiochos' IV. abzulesen, wie sein ruheloser Geist von allen Seiten Anregungen aufgriff und sie in oft wenig durchdachte Experimente umsetzte. Seine Bewunderung für Rom schlug sich in spielerischer Nachahmung römischer Einrichtungen nieder, die nichts bewirkten als Verwirrung und Widerwillen. Antiocheia am Orontes beglückte er mit der Einführung der römischen Magistratur; er selbst verschmähte es nicht, *in toga candida* dort auf Stimmenfang zu gehen und allen Ernstes die Rolle des zu Gericht sitzenden Magistrats zu spielen.[74] Er versuchte die widerstrebenden Antiochier an das blutige Schauspiel römischer Gladitorenkämpfe zu gewöhnen[75], ließ in Athen einen Tempel des Iupiter Capitolinus in gewaltigen Ausmaßen errichten und formierte aus einem Teil seines Heeres eine römische Legion.[76] Das alles ergab kein durchdachtes, mit Umsicht ins Werk gesetztes Reformvorhaben. Sollte er sich überhaupt eine positive Wirkung von seinen Experimenten erhofft haben, so stellt eine solche Erwartung seinem Realitätssinn kein günstiges Zeugnis aus. Sollte etwa Antiocheia ein zweites Rom werden? Oder seine Armee ein Abbild der römischen, obgleich sich die Umorganisation nur auf eine einzige Formation erstreckte?

Experimentierfreudig erwies sich der König auch in Hinblick auf Judäa. Sein Erfindungsreichtum in der Ausbeutung der innerjüdischen Machtrivalitäten war bewundernswert. Er erreichte binnen kurzem eine extreme Steigerung der Einnahmen – aber er ruinierte auf diese Weise die Loyalität des jüdischen Ethnos, die Grundlage also, auf der die seleukidische Oberherrschaft beruhte. Der König sah vor allem auf die kurzfristigen finanziellen Gewinne seiner Politik und begab sich auf diese Weise in das Schlepptau der ebenso eigensüchtigen wie verfehlten Politik des Menelaos. Von dessen Persönlichkeit hat er sich offenbar völlig einnehmen lassen. Die erfindungsreiche Wendigkeit seines Parteigängers, der um einen Ausweg aus Schwierigkeiten nie verlegen erschien, traf bei Antiochos IV. auf verwandte Wesenszüge. So folgte er Menelaos in das Verhängnis, ohne im entferntesten zu ahnen, was er anrichtete. Ja, mehr noch: Wenige Jahre später machte er auch die letzte Kehrtwendung des Menelaos mit: Er widerrief auf dessen Vorstellungen hin das Religionsedikt, um den völlig diskreditierten Hohenpriester an der Macht zu halten. Den klügeren Plan seines Kanzlers Lysias, Menelaos zu opfern und so einen neuen Anfang zu machen, verwarf er.[77] Selbständigkeit des Urteils, vorsichtiges Abwägen von Vor- und Nachteilen sowie konsequentes Verfolgen eines klaren politischen Kurses gehörten eben nicht zu den Stärken des Königs.

Polybios zurück. Erhalten sind einschlägige Exzerpte des Athenaios (10,439 a und 5,193 d = Polybios 26,1 a und 1). Zum Charakterbild Antiochos IV. vgl. auch Polybios 30,26,4–8; Diodor 29,32, 31,26,2 f.; Gran. Licin. p. 8; Porphyrios FGrHist 260 F 54: Eine der Quellen, auf die Polybios sich stützte, waren die Hypomnemata des Ptolemaios VIII. Euergetes II. (FGrHist 234 F 3) – gewiß ein einseitiger, aber darum doch kein unglaubwürdiger Gewährsmann.

[74] Polybios 26,1,5 f.; Livius 41,20,1.

[75] Livius 41,20,11–13.

[76] Polybios 30,25,3.

[77] Vgl. hierzu oben S. 45–47.

Eindrucksvoll belegt wird dies auch durch seine in den ägyptischen Feldzügen verfolgte Politik.[78] Durch militärische Erfolge verführt, wollte er das Land, zumindest indirekt, unter seine Gewalt bringen. Wer *in politicis* kein Analphabet war, hätte sich sagen müssen, daß dies früher oder später die Intervention Roms herausfordern würde. An eine Unterwerfung Ägyptens durfte er sich also nur wagen, wenn er das Risiko eines Konflikts mit Rom einkalkulierte. Über diese elementare Wahrheit ließ er sich wohl durch den Umstand hinwegtäuschen, daß Rom in den Krieg mit Perseus von Makedonien verwickelt war. Als unmittelbar nach der Schlacht bei Pydna Popilius Laenas ihn vor den Toren Alexandrias ultimativ zum Verlassen Ägyptens aufforderte und ihm nicht einmal die Beratung mit seinen Freunden gestatten wollte, brach er unter dem Eindruck der römischen Drohung zusammen. Es zeigte sich, daß er va banque gespielt hatte, und so konnte er sich nur unter Prestigeverlust aus einem Abenteuer zurückziehen, auf das er sich leichtfertig eingelassen hatte.

Was Judäa anbelangt, so ließ sich der König von Menelaos dazu verleiten, den ausweglos erscheinenden Schwierigkeiten mit einer Maßnahme zu begegnen, die den wohlerprobten traditionellen Herrschaftsmaximen stracks zuwiderlief. Wie König Ariarathes V. von Kappadokien gegenüber einer römischen Gesandtschaft bemerkte, entsprach im damaligen Seleukidenreich die Prinzipienlosigkeit der Regierenden der Instabilität der Verhältnisse.[79]

Ungestraft blieb die Verletzung des Toleranzprinzips, auf dem antike Großreiche ruhten, nicht. Die Religionsverfolgung und der mit ihr verknüpfte soziale Umsturz haben Kräfte des Widerstandes geweckt, welche die in Judäa stationierten seleukidischen Streitkräfte nicht mehr bändigen konnten. Der Ungehorsam und passive Widerstand der Frommen steigerten sich zum Guerillakrieg; dann nahm der Glaubenskampf unter Führung des Judas Makkabaios solche Ausmaße an, daß das Seleukidenreich den Aufstand auch unter Einsatz der in Südsyrien stehenden Truppen nicht mehr unter Kontrolle bringen konnte. Die Führer des Aufstandes, die Makkabäer, gehörten zu den Priestergeschlechtern, die durch den Umsturz ihre ideelle und materielle Lebensgrundlage eingebüßt hatten. Die im Volk einflußreiche Vereinigung der Frommen, die συναγωγὴ Ασιδαίων, trat auf die Seite der Aufständischen und verstärkte deren Kräftepotential erheblich.[80] Daß aber auch solche Juden sich den Makkabäern anschlossen, die von Haus aus alles andere als eine engherzige Abschließung von der Welt des Hellenismus im Sinn hatten, kann unter den gegebenen Umständen nicht verwundern. Der Historiker Eupolemos, dessen Vater seinerzeit in Verhandlungen mit Antiochos III. die bekannten Privilegien des jüdischen Ethnos erwirkt hatte[81], machte Moses zum Lehrer der Juden, Phoiniker und Griechen.[82] Das entsprach ganz der Tendenz der jüdischen Hellenisten, das eigene

[78] Vgl. O. Mørkholm, Antiochus IV, 64–101.
[79] Polybios 31,8,4.
[80] Makk 1,2,42f.
[81] Makk 2,4,11.
[82] FGrHist 723 F 1a und b.

Volk der führenden Nation anzugleichen und dabei nicht auf die eigene nationale Tradition zu verzichten. So ist es gut denkbar, daß Eupolemos den Reformern um Jason nahestand. Das hat ihn jedoch nicht daran gehindert, ins Lager der Makkabäer zu gehen. Im Sommer des Jahres 161 v.Chr. leitete er die Gesandtschaft, die im Auftrag des Judas Makkabaios den Aufständischen Rükkendeckung durch Rom sichern sollte.[83] Auf deren Seite kämpften auch Juden, die außerhalb Judäas lebten: jüdische Militärsiedler aus dem Transjordanland, die sogenannten Tubiener.[84] Sie waren seit der Zeit der ptolemäischen Herrschaft an ein Zusammenleben mit Makedonen gewohnt, und gewiß war es kein prinzipieller Haß gegen das ‚Hellenentum', der sie zu den Waffen greifen ließ. Eher war die alte Loyalität zu dem Tobiaden Hyrkanos im Spiel, dessen Herrschaft in der Ammonitis Antiochos IV. ein Ende bereitet hatte. Denkbar ist auch, daß sie in den Sturz des Hyrkanos verwickelt worden waren und dabei ihren Besitz zumindest teilweise verloren hatten. Auch die alte proptolemäische Parteistellung der ammonitischen Tobiaden mag mitbewirkt haben, daß sie gegen die Seleukiden den bewaffneten Kampf, seit dem Religionsedikt als Kampf für den Glauben der Väter und das geschändete Heiligtum, aufnahmen. Die Religionsverfolgung war ein Affront gegen Gefühle und Interessen sehr unterschiedlicher Art. Die jüdischen Hellenisten und die Vereinigung der Frommen, die in strenger Observanz des ‚Gesetzes' lebten, verband vermutlich wenig Sympathie, und der soziale Abstand, der einen Eupolemos von den Söldnern, Bauern und Hirten im Heer des Judas Makkabaios trennte, mochte noch so groß sein – der Kampf für die Wiederherstellung des Heiligtums und der väterlichen Lebensform war der gemeinsame Nenner, auf den sich alle Interessen und Emotionen vereinigen ließen: die strenge religiöse Observanz der Frommen – die Anhänglichkeit der Diaspora an das Heilige Land – das Streben der Priester- und Levitenklasse nach Wiedereinsetzung in ihre alten Rechte – die Forderung der Enteigneten nach einer Neuverteilung des Bodens – sowie das materielle Interesse der Bauern, Händler und Handwerker, die vom Heiligtum gelebt hatten. So hatte das Religionsedikt, von der verschwindenden Minderheit seiner Nutznießer abgesehen, alle Schichten und sehr verschiedene Richtungen innerhalb des Judentums gegen den König und den abtrünnigen Menelaos, den Hohenpriester des Baal Schamin, mobilisiert.

Antiochos IV. war an Herrschaftsstabilisierung und gesicherten Geldeinnahmen interessiert, das Religionsedikt bewirkte das Gegenteil: Das jüdische Ethnos war für ihn nicht mehr beherrschbar, und die Abgaben konnten in dem aufrührerischen Judäa nicht mehr eingetrieben werden: „Auch kamen nur noch wenig Steuern aus dem Land ein", bemerkt der Verfasser des ersten Makkabäerbuches, „wegen des Streites und des Unglücks, das er über das Land ge-

[83] Makk 1,8,17 und Makk 2,4,11.

[84] Makk 2,12,17 (vgl. 35); zu diesen ehemaligen ptolemäischen Kleruchen vgl. M. Hengel, Judentum und Hellenismus, 501f. mit Literatur; vgl. auch A. Schalit, Herodes der Große. Der Mann und sein Werk, Berlin 1969, 197 Anm. 180.

bracht hatte, als er die uralten Bräuche aufhob."[85] Angesichts des notorischen Geldmangels verfielen hohe seleukidische Funktionäre auf ein Heilmittel, das die Krankheit nur noch verschlimmern konnte. Nikanor, Sohn des Patroklos, einer der ‚ersten Freunde' des Königs, beabsichtigte, auf einer Strafexpedition so viele Juden zu versklaven, daß aus dem Verkauf 2000 Talente erlöst werden konnten.[86] Dem Kanzler Lysias wird die Absicht zugeschrieben, Jerusalem zu einem Siedlungsplatz für Griechen zu machen, dem Heiligtum die Steuerfreiheit zu nehmen und das Hohenpriesteramt in ein käufliches Jahresamt zu verwandeln.[87] Alle diese Projekte zerschellten an der militärischen Selbstbehauptung der Aufständischen. Der Versuch, die seleukidische Oberherrschaft über Judäa um jeden Preis auf die Herrschaft des Menelaos zu stützen, hatte zu einer Katastrophe geführt, deren Folgen nicht abzusehen waren ...

[85] Makk 1,3,29.
[86] Makk 2,8,10 f.
[87] Makk 2,11,2 f.

# V. Religionsverfolgung und hellenistische Reform in antiker Deutung

In der Sprache der seleukidischen Kanzlei wurde die den Juden aufgezwungene Annahme einer heidnischen Religion als die von Antiochos IV. angeordnete „Umstellung auf das Hellenische" bezeichnet. Sein Sohn, Antiochos V., spricht in einem erhaltenen Schreiben an seinen Kanzler und Vormund Lysias von τῇ τοῦ πατρὸς ἐπὶ τὰ Ἑλληνικὰ μεταθέσει.[1] In einem von Ptolemaios, Sohn des Dorymenes, angeregten *Psephisma* ersuchte der Menelaos hörige Ältestenrat der Jerusalemer Gemeinde die benachbarten griechischen Städte zur Übernahme des Religionsediktes zu bewegen: Auch die dort lebenden Juden sollten zum μεταβαίνειν ἐπὶ τὰ Ἑλληνικά gezwungen werden.[2] Schließlich bestätigte Antiochos IV. in einem Schreiben, das die Samaritaner von dem die Juden betreffenden Zwang ausnahm, daß die sich (im Gegensatz zu diesen) für ein Leben nach hellenischen Sitten entschieden hätten – τοῖς Ἑλληνικοῖς ἔθεσιν αἱροῦνται χρώμενοι ζῆν.[3]

Mit genuin hellenischer Lebensweise bzw. mit einem echt hellenischen Kult hatte jedoch, wie Elias Bickermann nachgewiesen hat[4], die den Juden aufgezwungene Religion nichts zu tun. Sie war im Kern syrisch-kanaanäisch, und nur die uneigentliche Benennung des namenlosen Gottes auf dem Zion nach dem Olympischen Zeus, seine *denominatio*, war griechisch. Der Himmelsgott, der auf Befehl des Königs im Jerusalemer Heiligtum verehrt werden mußte, war Baal Schamin, und als solcher konnte er wie die vielen Himmelsgötter des syrisch-phoinikischen Raumes als Zeus bezeichnet und interpretiert werden.[5] Der griechische Name diente einerseits den griechischen Kanzleien des Selukidenreiches zur aktenmäßigen Erfassung des Jerusalemer Heiligtums und brachte andererseits zum Ausdruck, daß der auf dem Zion verehrte Gott ‚hellenistisch' im Sinne des damals geläufigen orientalisch-hellenischen Synkretismus war.

In diesem doppelten Sinne ist auch die Etikettierung der gewaltsam eingeführten neuen Religion als μετάθεσις ἐπὶ τὰ Ἑλληνικά zu verstehen. Sie war einerseits ein blasses, bequem zur Hand liegendes Schlagwort, ein bürokratischer Euphemismus, mit dem die seleukidischen Kanzleien dem häßlichen, unerhörten Vorgang einen harmlos klingenden Namen gaben. Andererseits gibt dieses

---

[1] Makk 2,11,24.

[2] Makk 2,6,8.

[3] Josephos, Ant. Jud. 12,363.

[4] E. Bickermann, Gott der Makkabäer, 96ff.; vgl. oben S. 95f.

[5] Vgl. E. Bickermann, a.a.O. (s.o. Anm. 4) 95f.; ders., Anonymous Gods, JWI I, 1937/38, 187ff.; vgl. auch F. Müller, The Background to the Maccabean Revolution: Reflections on Martin Hengel's „Judaism and Hellenism", JJS 29, 1978, 3–5.

Schlagwort auch zu erkennen, daß es darum ging, Religion und Lebensform der Juden in jenem äußerlichen Sinn zu „hellenisieren", wie dies bezüglich der nichtmonotheistischen orientalischen Religionen längst geschehen war. Beide in dem fraglichen Schlagwort enthaltenen Aspekte werden am besten durch zwei Dokumente illustriert, die Josephos in seine *Antiquitates Judaicae* eingefügt hat[6]: den Antrag der ‚Sidonier von Sichem" – gemeint sind wahrscheinlich die Samaritaner[7] – auf Benennung ihres Heiligtums nach Zeus Hellenios und das Schreiben des Königs an seine lokalen Funktionäre, worin jenem Antrag stattgegeben wird. Datiert ist dieses Schreiben – und damit der gesamte Vorgang – auf das Jahr 146 S.Ä., also auf das Herbstjahr 167/166 v.Chr. Es war die Zeit, als die seleukidischen Funktionäre im südlichen Syrien bemüht waren, den Widerstand der Juden gegen das Religionsedikt zu brechen. Betroffen war nicht nur Judäa, sondern auch Samaria. Die Bewohner der drei südlichen Bezirke hatten vor Erlaß des Religionsedikts ihre Opfergaben nicht auf dem Garizim, sondern in Jerusalem dargebracht, sie waren also im religiösen Sinne Juden.[8] Die Samaritaner verehrten ihrerseits in ihrem ‚nationalen' Heiligtum auf dem Garizim einen namenlosen Gott – nach einem Ritus, der dem jüdischen im wesentlichen entsprach. Zwischen Juden und Samaritanern zu unterscheiden, mochte Außenstehenden ohnehin schwerfallen, und möglicherweise waren seleukidische Offiziere gar nicht daran interessiert zu differenzieren: Dem Wortlaut der Eingabe zufolge hatten sie die „Sidonier von Sichem" belästigt, indem sie ihnen die auf die Juden bezüglichen Anschuldigungen anhängten. Dieser Begründung suchten die Petenten durch zwei Kunstgriffe den Wind aus den Segeln zu nehmen: Sie betonten die Eigenständigkeit, d.h. nichtjüdische Herkunft ihrer Bräuche, und stellten den Antrag, ihr Heiligtum nach Zeus Hellenios benennen zu dürfen. Sie verstanden es darüber hinaus, diesen ihren Antrag mit dem fiskalischen Interesse des Königs zu begründen: „Dadurch werden die Belästigungen ein Ende finden, und wir können uns ohne Besorgnis unserer Arbeit widmen und Dir auf diese Weise um so größere Einnahmen verschaffen."[9]

Ihre Bräuche, den Sabbat und den traditionellen Kult hatten sie in ihrem Schreiben nicht zur Disposition gestellt. Sie hatten sie vielmehr mit dem Argu-

---

[6] Josephos, Ant. Jud. 12,259–264; grundlegend zur Echtheitsfrage und Interpretation E. Bikkermann, Un document relatif à la persécution d'Antiochos IV Epiphane, RHR 115, 1937, 188–223.

[7] M. Delcor, Vom Sichem der hellenistischen Epoche zum Sychar des Neuen Testaments, ZPalV 78, 1962, 36–41 hat, anders als E. Bickermann (s. o. Anm. 6) die Auffassung vertreten, daß nicht die Samaritaner, sondern die Gemeinschaft der sidonischen Kolonisten in Sichem die Verfasser der Bittschrift gewesen seien. Dies ist jedoch von A. Schalit mit guten Gründen bestritten worden: Die Denkschrift der Samaritaner an König Antiochos Epiphanes zu Beginn der großen Verfolgung der jüdischen Religion im Jahre 167 v.Chr., Annual of the Swedish Theological Institute 8, 1972, 131–183. Schalit erklärt den Namen der Petenten, die in ihrem Schreiben gegebene Begründung der Sabbat-Heiligung und anderes aus der antijüdischen, partikularistischen Tradition des samaritanischen Ethnos.

[8] Vgl. Makk 1,11,34; zur Lage der drei Bezirke E. Schürer, History I, 182 Anm. 23.

[9] Josephos, Ant. Jud. 12,261; die Übersetzung ist nach E. Bickermann, Gott der Makkabäer, 178 gegeben.

ment verteidigt, daß von der Ähnlichkeit der Bräuche nicht etwa ihre Verwandtschaft mit den Juden abgeleitet werden dürfe. Sie hielten sich an das Gütezeichen jenes eingeschränkten Hellenentums, welches das auf die Juden bezügliche Religionsedikt in Anlehnung an den hellenistisch-orientalischen Synkretismus geschaffen hatte, also an die hellenische *denominatio* des namenlosen Gottes. Sie konnten sich somit offenbar ausrechnen, daß dieses Zugeständnis die Substanz ihrer religiösen Lebensordnung retten würde. In ihrem Falle gab es ja auch keinen sachlichen Grund, der den König zur Verfolgung ihrer Religion hätte veranlassen können. Tatsächlich täuschten sie sich in ihrer Erwartung nicht. Der König, der an nichts weniger dachte als an die Verbreitung genuin hellenischer Kultbräuche, gab der Eingabe statt und setzte den Meridarchen von Samaria, Apollonios, und den Beauftragten für die Steuereinziehung, Nikanor, von seiner Entscheidung in Kenntnis: „Die Sidonier in Sichem haben die beigefügte Denkschrift eingereicht. Da ihre Abgesandten auf der mit unseren Freunden abgehaltenen Ratssitzung dargelegt haben, daß sie mit den die Juden betreffenden Beschuldigungen nichts zu tun haben, vielmehr vorziehen, nach griechischer Sitte zu leben, so sprechen wir sie von den Vorwürfen frei, und ihr Tempel soll, wie sie baten, nach Zeus Hellenios genannt werden.“[10]

Nach *hellenischer* Sitte leben war demnach nichts anderes als ein Synonym für *nichtjüdische* Lebensweise, und nur die Umbenennung des namenlosen Gottes in Zeus Hellenios verlieh ihr das äußere Kennzeichen des Hellenischen. Beide Dokumente bestätigen in wünschenswerter Deutlichkeit, daß es Antiochos IV. nicht darum ging, den Juden oder Samaritanern, geschweige denn den anderen Völkern seines Reiches eine einheitliche griechische Religion aufzudrängen.

Beide Dokumente lassen aber auch Schlußfolgerungen auf die nichtideologischen, pragmatischen Motive zu, die der gewaltsamen Einführung einer orientalisch-heidnischen, nur ganz oberflächlich ‚hellenisierten‘ Religion in Judäa zugrunde lagen. Sie unterstellen, daß die Widersetzlichkeit der Juden *irgendwie* mit ihrer spezifischen, religiös begründeten Lebensform zusammenhänge. Die Samaritaner erkannten in ihrer Petition ausdrücklich an, daß die Bestrafung der Juden ihrer „Schlechtigkeit“ entspreche, und ebenso wie der König gingen sie von der Annahme aus, daß die gegen die Juden erhobenen Anschuldigungen zu Recht bestünden. Was den Juden im einzelnen zur Last gelegt wurde, wird als bekannt vorausgesetzt und deshalb nicht beim Namen genannt. Immerhin kann soviel erschlossen werden, daß die Vorwürfe sich nicht auf die religiösen Bräuche als solche bezogen haben können. Die Heiligung des Sabbats, die Beschneidung, die Speisegebote und die Opferbräuche teilten die Samaritaner mit den Juden. Aber nur diese wurden gezwungen, ihrer traditionellen Religion zu entsagen und eine Lebensweise anzunehmen, „die dem Lande fremd war“. Die ‚väterliche‘ Religion der Samaritaner blieb (von der Benennung ihres namenlosen Gottes abgesehen) unangetastet. Die Ursache für diese unterschiedliche Behandlung kann nur in dem Umstand gesucht werden, daß allein den Juden eine aus

[10] Josephos, Ant. Jud. 12,263; s.o. Anm. 9.

ihrer religiösen Lebensordnung entspringende Widersetzlichkeit und offene Rebellion angelastet wurde. Das war, wie oben gezeigt worden ist, nicht einmal verkehrt. Aber indem der kausale Zusammenhang zwischen der *Provokation* und der *Reaktion* des jüdischen Volkes unterschlagen wurde, operierten die gegen die Juden erhobenen Anschuldigungen in durchsichtiger Absicht mit der Unterstellung, daß ihre auf dem ‚Gesetz' beruhende Lebensform ihre spezifische „Schlechtigkeit" konstituiere und diese wiederum ihren manifesten Niederschlag in Widersetzlichkeit und Rebellion gefunden habe. So wurde die Vernichtung der traditionellen Lebensordnung des jüdischen Volkes auf schiefe Weise gerechtfertigt und vertuscht, daß es erst die Bedrückung und vor allem die Verletzung ihrer heiligsten Gefühle waren, welche die Juden zum äußersten, zum offenen Aufstand, getrieben hatten. Eben weil das Schlagwort von der „Umstellung auf die hellenische Lebensweise" nicht als Ausdruck einer ideologisch oder pragmatisch begründeten Hellenisierungspolitik beim Wort genommen werden darf, konnten sich die Samaritaner leicht der Verfolgung entziehen, von der die stamm- und religionsverwandten Juden unter demselben Schlagwort betroffen waren. Sie machten geltend, daß sie eben nicht, wie von königlichen Funktionären vermutlich unterstellt worden war, mit den Juden verwandt seien. Zur Bekräftigung konnten sie darauf verweisen, daß sie ja an der offensichtlichen „Schlechtigkeit" der Juden, ihrer Widersetzlichkeit, gar keinen Anteil hätten. So genügte dem König das bloße Angebot, das Heiligtum auf dem Garizim nach Zeus Hellenios zu benennen, und er zögerte daraufhin nicht, den Samaritanern ihr ‚Hellenentum' zu bestätigen.

Wenn es also bei dem Konflikt zwischen Antiochos IV. und den Juden in Wahrheit um Geld und Loyalität ging und das Hellenische der den Juden aufgezwungenen heidnischen Religion sich auf die *denominatio* des Himmelsgottes beschränkte, so erhebt sich die Frage, warum der griechische König überhaupt das schiefe Etikett des τοῖς Ἑλληνικοῖς ἔθεσιν ζῆν bzw. der μετάθεσις ἐπὶ τὰ Ἑλληνικά benutzte. Den Umständen nach zu urteilen, folgte er auch in diesem Punkte der bloßen Sprachregelung dem Hohenpriester Menelaos. Dem Zeugnis des zweiten Makkabäerbuches ist zu entnehmen, daß unmittelbar nach Erlaß des Religionsediktes der abtrünnige Ältestenrat der jüdischen Gemeinde die benachbarten „griechischen Städte" aufforderte, die auf ihrem Territorium lebenden Juden zur Teilnahme an heidnischen Opfermahlzeiten zu zwingen und diejenigen zu töten, die nicht zur „hellenischen Lebensweise überträten".[11] Zu bedenken ist ja, daß dies die Aufforderung einer formal ‚hellenischen' Stadt an Nachbargemeinden war, die ähnlich wie die der „Antiochier in Jerusalem" ‚hellenisierte' orientalische Städte waren. Seleukos IV. und Antiochos IV. hatten, vornehmlich aus fiskalischen Motiven, die Bildung dieses neuen hellenistischen Städtewesens gefördert. Es liegt deshalb nahe, anzunehmen, daß die seleukidischen Kanzleien nicht nur die betreffenden Gemeinden als griechische Städte bezeichneten, sondern auch deren Sprachregelungen im einschlägigen Schriftver-

[11] Makk 2,6,8; vgl. dazu oben S. 94f.

kehr übernahmen. So kann es nicht verwundern, daß der abtrünnige Hohepriester Menelaos und sein Ältestenrat die gewaltsame Einführung einer Religion, die im wesentlichen der kanaanäischen Religion der hellenisierten Umwelt Judäas entsprach, als „Umstellung auf die hellenische Lebensweise" bezeichneten und die königliche Kanzlei sich dieser Sprachregelung anschloß.

Antiochos IV. und die königliche Kanzlei werden in der Frage der Etikettierung des Religionszwanges gewiß keine sonderliche Aufmerksamkeit geschenkt haben, sie übernahmen die griffige Formel, die ihnen Hoherpriester und Ältestenrat der Polis der „Antiochier in Jerusalem" anboten. Welche Wirkungen die schiefe, zu Mißverständnissen herausfordernde Formel von der „Umstellung auf die hellenische Lebensweise" nach sich zog, wird der König noch weniger als die unmittelbaren, direkten Folgen des Glaubenszwanges vorausgeahnt haben.

Für die von der Religionsverfolgung betroffenen Juden wurde „hellenisch" zu einem Synonym für „heidnisch". In diesem Sinne rückten die Hellenen an die Stelle, die in vorexilischer Zeit die Kanaanäer als das Heiden- und Sündervolk schlechthin eingenommen hatten.[12] So kann es nicht verwundern, daß auf Grund der traumatischen Erfahrung der im Dezember 168 v. Chr. angeordneten μετάθεσις ἐπὶ τὰ Ἑλληνικά das Verdikt des Glaubensabfalls auch auf die hellenistische Reform des Jason ausgedehnt wurde. Verfolgung und Kampf um Selbstbehauptung ließen verständlicherweise keinen Raum für Sachlichkeit und differenzierendes Urteil. So blieb unbeachtet, daß die Reform des Jahres 175/174 v. Chr. die Einführung politisch-gesellschaftlicher Institutionen einer Polis bezweckte, die Religion und die auf dem ‚Gesetz' basierende Lebensform unangetastet ließ. Ebensowenig wurde beachtet, daß die Religionsverfolgung für ihren geistigen Urheber, den Hohenpriester Menelaos, das letzte Mittel war, um Herrschaft und Leben zu retten, und weder sachlich noch genetisch mit dem ohnehin absterbenden Reformprojekt des Jason zusammenhing. Dementsprechend schlägt das zweite Makkabäerbuch, dessen Vorlage, das Geschichtswerk des Diasporajuden Jason von Kyrene, in der Zeit des Makkabäeraufstandes entstanden ist[13], die Reformen des Jason und die Religionsverfolgung des Antiochos über einen Leisten. Jason und Menelaos werden ohne Unterschied als Verräter an ‚Gesetz' und Vaterland[14], als Religionsfrevler[15] gebrandmarkt. Die Einführung von Gymnasium und Ephebie wird nicht nur als Aufhebung der alten, von Antiochos III. bestätigten Verfassung bezeichnet, sondern mit einem Bruch des ‚Gesetzes' gleichgesetzt.[16] Und doch zeigt gerade die auf Jason von Kyrene zurückgehende detaillierte und substantielle Darstellung der Vorgeschichte der

---

[12] Zur Auseinandersetzung mit der kanaanäischen Religion in vorexilischer Zeit vgl. M. Noth, Geschichte Israels, Göttingen 1969[7], 132 f.; 200 und vor allem E. Würthwein, s. v. Gott II. In Israel, in: Die Religion in Geschichte und Gegenwart II, Tübingen 1958, 1708–1711 (mit Literatur).

[13] Zur Datierung vgl. Chr. Habicht, 2. Makkabäerbuch, 175 mit den Literaturhinweisen in Anm. 45.

[14] Makk 2,5,8 und 15.

[15] Makk 2,4,13 und 19 sowie 13,7 f.

[16] Makk 2,4,11.

Religionsverfolgung, daß diese nicht die Frucht jener „Blüte des Hellenismus" gewesen ist, die Jerusalem unter dem Hohenpriester Jason erlebte. So sehr stand bereits Jason von Kyrene unter dem Banne des Schlagwortes von der „Umstellung auf die hellenische Lebensweise", daß er den Widerspruch zwischen seiner Deutung und seiner Darstellung nicht einmal bemerkte.

Je weniger die konkreten Voraussetzungen des Religionsediktes noch gegenwärtig waren, umso pauschaler und gewagter wurde die Deutung. Der Verfasser des ersten Makkabäerbuches (die Entstehung des hebräischen Originals gehört in das letzte Drittel des zweiten Jahrhunderts v. Chr.) unterstellt den hellenistischen Reformern, daß sie einen „Bund" mit den umwohnenden Völkern schließen und so den Heiligen Bund aufkündigen wollten, der die Sonderart des Auserwählten Volkes begründete: „Zu dieser Zeit [d. h. im Jahre 175/174 v. Chr.] traten Verräter in Israel auf, die viele in die Irre führten. Sie sagten: Wir wollen einen Bund mit den fremden Völkern schließen, die rings um uns herum leben; denn seit wir uns von ihnen abgesondert haben, haben uns viele Übel getroffen."[17] Ein authentisches Zeugnis der Gedankenwelt der gescheiterten Reformer enthält diese Quellenstelle gewiß nicht, und es ist müßig, darüber zu spekulieren, was die Reformer denn mit jenen „vielen Übeln" gemeint haben könnten.[18] Die zitierte Stelle enthält vom Standpunkt des siegreichen Hasmonäer eine legitimnationsstiftende Interpretation *ex eventu*. Den „Verrätern" wird angelastet, die Botschaft der Propheten pervertiert zu haben: Nicht die Abwendung von Gott, sondern die Absonderung von den Nachbarn sei schuld an allem Unglück, das Israel betroffen habe. So wird bereits den Reformern um den Hohenpriester Jason in Anlehnung an Jeremia 44,17f. unterstellt, sie seien vom Gott der Väter abgefallen. Aber dies ist, wie Isidore Lévy zu Recht formuliert hat, eine „*insinuation perfide qui tend à assimiler la jeunesse du gymnase aux impudiques adorateurs de Ba'al Pe'or, le dieu moabite*".[19] Nur im Lichte der später erzwungenen Verehrung eines Baal Schamin auf dem Zion konnte eine solche Unterstellung überhaupt Überzeugungskraft gewinnen.

Der Verfasser des ersten Makkabäerbuches hat sich an eine noch kühnere Deutung gewagt: Was die Reformer in Jerusalem angeblich angestrebt hatten, die Beseitigung der jüdischen Sonderart durch einen „Bund mit den Völkern", das soll sich Antiochos IV. im Jahre 168 v. Chr. sozusagen in universalem Maßstab zu eigen gemacht haben: „Damals schrieb der König seinem ganzen Reich vor, alle sollten zu einem einzigen Volk werden, und jeder sollte seine Eigenart aufgeben."[20] Wörtlich genommen werden darf das nicht. Aber vor dem Hinter-

---

[17] Makk 1,1,11.

[18] Anders urteilt E. Bickermann, Gott der Makkabäer, 128: „Es ist vielleicht die empfindlichste Lücke in unserer Kenntnis der makkabäischen Zeit, daß uns verschlossen bleibt, was jene Reformatoren als die ‚vielen Übel' empfanden . . .; Schicksalsschläge? Haß der Völker? Innere Verkümmerung?" Bickermann übersieht, daß die Worte in Makk 1,1,11 eine polemische Unterstellung aus späterer Zeit darstellen.

[19] I. Lévy, Les deux livres des Maccabées et le livre hébraique des Hasmonées, Semitica 5, 1955, 16f.

[20] Makk 1,1,41f.

grund der Tatsache, daß die gewaltsame Einführung der Baalreligion der umwohnenden Völker unter das Stichwort einer „Umstellung auf die hellenische Lebensweise" gestellt war, wird auch diese schiefe Behauptung verständlich: Die Juden sollten also – so ist zu verstehen – nach dem Willen des hellenischen Königs wie die übrigen (d.h. umwohnenden) Völker ‚hellenisiert' werden, d.h. Baal Schamin unter dem Namen des Zeus verehren.

Der Unterschied, der das Auserwählte Volk von den Heidenvölkern trennte, wurde unter den geschilderten Voraussetzungen auf den Gegensatz zwischen ‚Judentum' und ‚Hellenismus' zugespitzt.[21] So wurde der Grund für die vergiftete Atmosphäre zwischen den Juden und der hellenistisch geprägten Umwelt gelegt, die sich zur Zeit der römischen Herrschaft in den großen jüdischen Aufständen und in ihrer gewaltsamen Niederschlagung furchtbar entladen sollte.

Die als Reaktion auf die erlittene Verfolgung verständliche Feindseligkeit der Juden gegen den ‚Hellenismus' des Vorderen Orients und die stärkere Betonung der eigenen, zugleich ‚nationalen' und religiösen Sonderart führte im Zug der hasmonäischen Expansion zu einer fatalen Umkehr der Fronten: Die Juden vernichteten ihrerseits, was sie in ihrer Umwelt an Hellenistischem antrafen. Griechisch-orientalische Stadtgemeinden wurden vernichtet, heidnische Bevölkerungsgruppen durch Zwangsbeschneidung ‚judaisiert'. Alexander Jannaios hat Besiegten nur die Wahl zwischen Vernichtung und Beschneidung gelassen.[22] So erfuhr die hellenistische Welt des Vorderen Orients, was es hieß, wenn mit Gewalt das fatale Prinzip durchgesetzt wurde, daß „alle zu einem Volk werden sollten".

Die Reaktion auf diese Erfahrung ließ nicht lange auf sich warten. Das Bild des jüdischen Volkes nahm in der gesamten hellenistischen Welt zunehmend bösartige Züge an.[23] Es erfuhr Ausmalungen, die den schlimmsten Wahnideen des modernen Antisemitismus nahekommen. Allen Ernstes wurde das Greuelmärchen kolportiert, daß Antiochos IV. im Jerusalemer Tempel einen gefangengehaltenen Griechen angetroffen habe: Dieser sei entsprechend einem geheimen jüdischen Gesetz für die jährlich wiederkehrende grausige Opfermahlzeit gemästet worden, bei der die Juden den heiligen Eid leisteten, den Hellenen feind zu sein.[24] Das weite Feld billiger und gefährlicher Pauschalurteile öffnete sich, und die ohnehin wenig bekannte Vorgeschichte des Glaubens-

---

[21] Vgl. Chr. Habicht, Hellenismus und Judentum in der Zeit des Judas Makkabäus, JHAW 7, 1974, 97f. über Ἑλληνισμός und Ἰουδαισμός.

[22] Josephos, Ant. Jud. 13,397; vgl. E. Schürer, History I, 228. Das Schicksal der Zwangsbeschneidung hatte, unter Johannes Hyrkanos, meist die Idumäer getroffen: Josephos, Ant. Jud. 13,257f.; dann folgte unter Aristobul ein Teil der Ituräer (gemeint ist wahrscheinlich die heidnische Bevölkerung Galiläas): Josephos, Ant. Jud. 13,318f., gestützt auf Strabon (FGrHist 91 F 11) und dessen Gewährsmann Timagenes (FGrHist 88 F 5).

[23] Chr. Habicht, a.a.O. (s.o. Anm. 21) 109: „Vor der Makkabäerzeit gibt es in der griechischen Literatur keinen antijüdischen Satz, in der Geschichte keinen judenfeindlichen Akt." Zum antiken Antisemitismus vgl. I. Heinemann, RE Suppl. 5 (1931), 3–43; I.M. Sevenster, The Roots of Pagan Antisemitism in the Ancient World, Leiden 1975.

[24] Josephos, Contr. Apion. 2,91–96; vgl. hierzu E. Bickermann, Ritualmord und Eselskult. Ein Beitrag zur Geschichte antiker Publizistik, ZGWJ 71, 1927, 177ff. Bickermann führt diese bös-

zwangs geriet vollends in Vergessenheit. Was sich der Erinnerung der griechisch-römischen Welt einprägte, war ein Vexierbild: Antiochos IV. als ‚Kulturbringer', der dem verstockten, feindseligen Volk der Juden vergeblich den Fremdenhaß auszutreiben und es in die Gemeinschaft der zivilisierten Völker einzureihen versucht hatte.[25]

Der Gegensatz ‚Judentum' – ‚Hellenismus' wurde von griechischen ebenso wie von römischen Literaten als Gegensatz zwischen Barbarei und Kultur schlechthin interpretiert. Demnach hätte sich der griechische König bemüht, den Juden den Aberglauben zu nehmen und die Lebensweise der Griechen zu geben, um das scheußliche Volk zum Besseren zu wandeln – *rex Antiochus demere superstitionem et mores Graecorum dare adnisus, quo taeterrimam gentem in melius mutaret*.[26]

Einsicht in die historisch-pragmatische Bedingtheit der Religionsverfolgung und damit in die Überwindbarkeit der ihr entspringenden Konflikte hat es somit weder auf jüdischer noch auf hellenistisch-römischer Seite gegeben. Beide Seiten haben vielmehr die Formel der „Umstellung auf die hellenische Lebensweise", wenn auch in verschiedener Weise, mit der Vorstellung eines prinzipiellen, unversöhnlichen Gegensatzes belastet und ihr damit ein ideologisches Gewicht unterschoben, das ihr von den Bedingungen ihrer Genese her gesehen keinesfalls zukommt.

Welche Belastungen sich aus dieser ‚Ideologisierung' für das Verhältnis zwischen Juden und Nichtjuden ergaben, muß hier auf sich beruhen.[27] Um so nachdrücklicher ist darauf hinzuweisen, daß auch die ‚modernen' Deutungen der Religionsverfolgung des Antiochos allesamt von der mißverständlichen, schon im Altertum falsch ausgelegten Formel der „Umstellung auf die hellenische Lebensweise" abhängig sind. Wie immer man sie sich im Sinne der jeweils herrschenden Zeitströmungen zurechtlegte[28]: Indem das epochale Ereignis, der Versuch einer Vernichtung der jüdischen Religion, auf angebliche Hellenisierungsbestrebungen des Königs oder des Hohenpriesters Menelaos zurückgeführt wurde, hielt die Wissenschaft sich an ein Schlagwort bzw. seine polemische Ausdeutung und glaubte, dort die wahren Motive zu fassen, wo Polemik und Feindseligkeit die geschichtlichen Zusammenhänge, in denen die hellenistische Reform und die Religionsverfolgung standen, eher verdunkeln als erhellen.

---

artige Erfindung auf die Propaganda eines seleukidischen ‚Informationsbüros' aus der Zeit Antiochos' IV. zurück. Beweisen läßt sich das nicht. Weder ist die Existenz solcher ‚Presse- und Informationsbüros' bezeugt noch kann wahrscheinlich gemacht werden, daß Antiochos IV. seine Plünderung des Tempels mit albernen Fabeleien in der Öffentlichkeit rechtfertigen zu müssen glaubte. Vielmehr ist zu vermuten, daß sie auf die antisemitische Hetzliteratur der Hasmonäerzeit zurückgeht. Für die herabsetzende Legende des jüdischen Eselskultes ist das belegt. Sie stammt von dem Rhetor und ‚antisemitischen' Schriftsteller Apollonios Molon (ca. 100 v. Chr.): Josephos, Contr. Apion. 2,80; vgl. E. Bickermann, a. a. O. 255–264.

25 Diodor 34,1,3 (nach Poseidonios): αὐτὸς δὲ (sc. Antiochos IV.) στυγήσας τὴν μισανθρωπίαν πάντων ἐθνῶν ἐφιλοτιμήθη καταλῦσαι τὰ νόμιμα [sc. der Juden].

26 Tacitus, Hist. 5,8,2.

27 Es ist beabsichtigt, dieses Thema in einer gesonderten Studie zu behandeln.

28 Vgl. hierzu E. Bickermann, Gott der Makkabäer, 36–49; s. auch oben S. 99ff.

# Literaturverzeichnis

Abel, F.-M., Topographie des campagnes machabéennes, RBi 32 1923, 495–521; 33 1924, 201–217 u. 371–387; 34 1925, 194–216; 35 1926, 206–222 u. 510–533.

Abel, F.-M., und Starcky, J., Les Livres des Maccabées, Études Bibliques, Paris 1961².

Aymard, A., Du nouveau sur la chronologie des Séleucides, REA 57, 1955, 263–272.

Bar-Kochva, B., The Seleucid Army. Organization and Tactics in the Great Campaigns, Cambridge 1979².

Ben-David, A., Talmudische Ökonomie. Die Wirtschaft des jüdischen Palästina zur Zeit der Mischna und des Talmud, Bd. I, Hildesheim-New York 1974.

Bengtson, H., Die Strategie in hellenistischer Zeit. Ein Beitrag zum antiken Staatsrecht, 3 Bde., Münchener Beiträge zur Papyrusforschung und antiken Rechtsgeschichte 26 (1937); 32 (1944); 36 (1952), 1964².

Bentzen, A., Daniel, Handbuch zum Alten Testament, 1. Reihe, Bd. 19, Tübingen 1952.

Bi(c)kerman(n), E., Ritualmord und Eselskult. Ein Beitrag zur Geschichte antiker Publizistik, ZGWJ 71, 1927, 171–181 u. 255–264.

Ders., s.v. Makkabäerbücher I–III, RE XIV, 1928, Sp. 779–800.

Ders., Ein jüdischer Festbrief im Jahre 124 v.Chr., ZNTW 32, 1933, 233–254.

Ders., La Charte séleucide de Jérusalem, REJ 100, 1935, 4–35.

Ders., Un document relatif à la persécution d'Antiochos IV Epiphane, RHR 115, 1937, 188–223.

Ders., Der Gott der Makkabäer. Untersuchungen über Sinn und Ursprung der makkabäischen Erhebung, Berlin 1937.

Ders., Anonymous Gods, JWI I, 1937/38, 187–196.

Ders., Les institutions des Séleucides, in: Haut-Commissariat de la Republique Française en Syrie et au Liban. Service des Antiquités. Bibliothèque archéologique et historique, Tome XXVI, Paris 1938.

Ders., Héliodore au temple de Jérusalem, AIPhO 7, 1938–1944, 5–40.

Ders., Sur une inscription grecque de Sidon, Mélanges syriens offerts à M.R. Dussaud, Bd. I, in: Haut-Commissariat de la Republique Française en Syrie et au Liban. Service des Antiquités. Bibliothèque archéologique et historique Tome XXX, Paris 1939, 91–99.

Ders., Une proclamation Séleucide relative au temple de Jérusalem, Syria 25, 1946–1948, 67–85.

Ders., The Historical Foundations of Postbiblical Judaism, The Jews – Their History, Culture and Religion, ed. by L. Finkelstein, Vol. I, New York 1949, 70–114.

Ders., Les Maccabées de Malalas, Byzantion 21, 1951, 63–83.

Ders., Une question d'authenticité: Les privilèges juifs, AIPhO 19, 1953, 11–34.

Ders., Four Strange Books of the Bible. Jonah, Daniel, Koheleth, Esther. New York, 1967.

Ders., Chronology of the Ancient World, London 1968.

Bousset, W., Die Religion des Judentums im späthellenistischen Zeitalter, Tübingen 1966 (Ndr. der 4. Aufl. 1926).

Bunge, J.-G., Untersuchungen zum zweiten Makkabäerbuch. Quellenkritische, literarische, chronologische und historische Untersuchungen zum zweiten Makkabäerbuch als Quelle syrisch-palästinensischer Geschichte im 2. Jh. v.Chr., Diss. Bonn 1971.

Ders., Der „Gott der Festungen" und der „Liebling der Frauen". Zur Identifizierung der Götter in Dan 11, 36–39, JSJ 4, 1973, 169–182.

Ders., Münzen als Mittel politischer Propaganda: Antiochos IV. Epiphanes von Syrien, StudClas 16, 1974, 43–52.

Ders., Theos Epiphanes. Zu den ersten fünf Regierungsjahren Antiochos' IV. Epiphanes, Historia 23, 1974, 57–85.

Ders., Zur Geschichte und Chronologie des Untergangs der Oniaden und des Aufstiegs der Hasmonäer, in: JSJ 6, 1975, 1–46.

Ders., Die Feiern Antiochos' IV. Epiphanes in Daphne im Herbst 166 v.Chr., Chiron 6, 1976, 53–71.

Cohen, C. M., The Seleucid Colonies. Studies in Founding, Administration and Organization, Historia Einzelschr. 30, Wiesbaden 1978.
Dagut, M. B., II Maccabees and the Death of Antiochus IV Epiphanes, JBL 72, 1953, 149–157.
Delcor, M., Vom Sichem der hellenistischen Epoche zum Sychar des Neuen Testamentes, ZPalV 78, 1962, 34–48.
Frey, J. B., ed., Corpus Inscriptionum Judaicarum, 2 Bde., Rom 1936/1952.
Fischer, Th., Seleukiden und Makkabäer. Beiträge zur Seleukidengeschichte und zu den politischen Ereignissen in Judäa während der ersten Hälfte des 2. Jh. v. Chr., Bochum 1980.
Galling, K., Judäa, Galiläa und der Osten im Jahre 164/3 v. Chr., PalJ 36, 1940, 43–77.
Ginsburg, M. S., Rome et la Judée. Contribution à l'histoire de leurs relations politiques, Paris 1928.
Giovannini, A., und Müller, H., Die Beziehungen zwischen Rom und den Juden im 2. Jahrhundert v. Chr., MH 28, 1971, 156–171.
Grimm, C. L. W., Das erste Buch der Maccabäer. Kurzgefaßtes Handbuch zu den Apokryphen des Alten Testaments. 3. Lieferung, Leipzig 1853.
Gutschmid, A. v., Der zehnte Griechenkönig im Buche Daniel, RM, N. F. 15, 1860, 316–318.
Habicht, Chr., Die herrschende Gesellschaft in den hellenistischen Monarchien, VSWG 45, 1958, 1–16.
Ders., Gottmenschentum und griechische Städte, Zetemata 14, Nünchen 1970$^2$.
Ders., Hellenismus und Judentum in der Zeit des Judas Makkabäus, JHAW 7, 1974, 97–110.
Ders., 2. Makkabäerbuch, Jüdische Schriften aus hellenistisch-römischer Zeit, Bd. I, Historische und legendarische Erzählungen, 3. Lieferung, Gütersloh 1976.
Ders., Royal Documents in Maccabees II, HSPh 80, 1976, 1–18.
Hanhart, R., Zur Zeitrechnung des I. und II. Makkabäerbuches, ZATW Beiheft 88, Berlin 1964, 49–96.
Heinemann, I., Wer veranlaßte den Glaubenszwang der Makkabäerzeit? MGJ 82, 1938, 145–172.
Hengel, M., Judentum und Hellenismus, WUNT 10, Tübingen 1973$^2$.
Ders., Juden, Griechen und Barbaren, Stuttgarter Bibelstudien 76, Stuttgart 1976.
Heuß, A., Stadt und Herrscher des Hellenismus in ihren staats- und völkerrechtlichen Beziehungen, Klio-Beiheft 39, Wiesbaden 1937 = Ndr. Aalen 1963.
Jones, A. H. M., The Greek City from Alexander to Justinian, Oxford 1971$^2$.
Ders., The Cities of the Eastern Roman Provinces, Oxford 1971$^2$.
Kahrstedt, U., Syrische Territorien in hellenistischer Zeit, AGWG, Phil.-hist. Kl., N. F., Bd. XIX, 2, Berlin 1926.
Kolbe, W., Beiträge zur syrischen und jüdischen Geschichte. Kritische Untersuchungen zur Seleukidenliste und zu den beiden ersten Makkabäerbüchern, BWAT N. F. 10, Stuttgart 1926.
Kugler, F. X., Von Moses bis Paulus, Münster 1922.
Laqueur, R., Kritische Untersuchungen zum zweiten Makkabäerbuch, Straßburg, 1904.
Ders., Griechische Urkunden in der hellenistisch-jüdischen Literatur, HZ 136, 1927, 229–252.
Lebram, J. C. H., Apokalyptik und Hellenismus im Buche Daniel. Bemerkungen und Gedanken zu Martin Hengels Buch über „Judentum und Hellenismus", VT 20, 1970, 503–524.
Lévy, I., Les deux livres des Maccabées et le livre hébraique des Hasmonées, Semitica 5, 1955, 15–36.
Ders., Notes d'histoire hellénistique sur le second livre des Maccabées, AIPhO 10, 1950, 681–699.
Liebmann-Frankfort, Th., Rome et le conflit judéo-syrien, AC 38, 1969, 101–120.
Lohse, E., Die Texte aus Qumran, Hebräisch und Deutsch, Darmstadt 1964.
Meyer, Ed., Ursprung und Anfänge des Christentums, 3 Bde., Stuttgart-Berlin (I, 1923$^{1-3}$; II/III, 1924–1925$^{4-5}$) = NDr Darmstadt 1962.
Millar, F., The Background of the Maccabean Revolution: Reflections on Martin Hengel's „Judaism and Hellenism", JJS 29, 1978, 1–21.
Mittwoch, A., Tribute and Land-Tax in Seleucid Judaea, Biblica 36, 1955, 352–361.
Mölleken, W., Geschichtsklitterung im I. Makkabäerbuch (Wann wurde Alkimus Hoherpriester?), ZATW 65, 1953, 205–228.
Momigliano, A., Prime linee di storia della tradizione maccabaica, Rom 1930 = NDr Amsterdam 1968 (mit Appendice bibliografica 1932–1968).
Ders., The Second Book of Maccabees, CPh 70, 1975, 81–88.

Ders., Alien Wisdom. The Limits of Hellenization, Cambridge 1978[2]; dt. Hochkulturen im Hellenismus. Die Begegnung der Griechen mit Kelten, Römern, Juden und Persern, München 1979.
Mørkholm, O., Studies in the Coinage of Antiochus IV of Syria, Hist. Filos. Medd. Dan. Vid. Selsk. 40, Nr. 3, Kopenhagen 1963.
Ders., Antiochus IV of Syria, Classica et Mediaevalia Dissertationes VIII, Kopenhagen 1966.
Niese, B., Kritik der beiden Makkabäerbücher nebst Beiträgen zur Geschichte der makkabäischen Erhebung, Hermes 35, 1900, 268–307 und 453–527.
Ders., Geschichte der griechischen und makedonischen Staaten seit der Schlacht bei Chäronea, 3 Bde., Gotha, 1893–1903.
Ders., Eine Urkunde aus der Makkabäerzeit, Orientalische Studien, Theodor Nöldeke gewidmet, Bd. II, Gießen 1906, 817–829.
Nilsson, M.P., Geschichte der griechischen Religion, 2 Bde., HdAW V. 2.2, München 1961[2].
Noth, M., Geschichte Israels, Göttingen 1969[7].
Parker, R. A., and Dubberstein, W. H., Babylonian Chronology 626 B. C.–A. D. 75, Brown University Studies XIX, Providence 1956.
Porteous, N. W., Das Danielbuch. Das Alte Testament Deutsch, Bd. 23, Göttingen 1962.
Rostovtzeff, The Social and Economic History of the Hellenistic World, 3 Bde., Oxford 1953[2] = Gesellschafts- und Wirtschaftsgeschichte der hellenistischen Welt, 3 Bde., Darmstadt 1955/1956.
Sachs, A. J., and Wiseman, D. J., A Babylonian King List of the Hellenistic Period, Iraq 16, 1954, 202–211.
Samuel, A. E., Greek and Roman Chronology, HdAW I, 7, München 1972.
Sevenster, I. N., The Roots of Pagan Antisemitism in the Ancient World, Leiden 1975.
Schalit, A., Herodes der Große. Der Mann und sein Werk, Berlin 1969.
Ders., Die Denkschrift der Samaritaner an König Antiochos Epiphanes zu Beginn der Großen Verfolgung der jüdischen Religion im Jahre 167 v. Chr. (Josephus. A. J. XII, 258–264), Annual of the Swedish Theological Institute, Vol. VIII, 1972, 131–183.
Schaumberger, J., Die neue Seleukidenliste BM 35 603 und die makkabäische Chronologie, Biblica 36, 1955, 423–435.
Schmitt, H. H., Untersuchungen zur Geschichte Antiochos d. Gr. und seiner Zeit, Historia Einzelschr. 6, Wiesbaden 1964.
Schunck, K.-D., Die Quellen des ersten und zweiten Makkabäerbuches, Halle 1954.
Schürer, E., Geschichte des jüdischen Volkes im Zeitalter Jesu Christi, I–III, Leipzig 1901–1909[4].
Ders., The History of the Jewish People in the Age of Jesus Christ (175 B. C.–A. D. 135), rev. and ed. by G. Vermes and F. Millar, Vol. I, Edinburgh 1973, Vol. II 1978.
Stegemann, H., Die Entstehung der Qumrangemeinde, Diss. Bonn 1971.
Stern, M., Greek and Latin Authors on Jews and Judaism, Vol. I, Jerusalem 1976.
Ders., Die Zeit des zweiten Tempels, in: Geschichte des jüdischen Volkes, hrsg. von H. H. Ben-Sasson, Bd. I, München 1978, 231–268.
Tcherikover, V., Die hellenistischen Städtegründungen von Alexander dem Großen bis auf die Römerzeit, Phil Suppl. 19.1, Leipzig 1927.
Ders., Fuks, A., Corpus Papyrorum Judaicarum, Cambridge/Mass. 1957.
Ders., The Ideology of the Letter of Aristeas, HThR 51, 1958, 59–85.
Ders., Hellenistic Civilization and the Jews, Philadelphia 1961[2].
Wacholder, B. Z., Eupolemos. A Study of Judaeo-Greek Literature, Monographs of the Hebrew Union College III, New York-Jerusalem 1974.
Welles, C. B., Royal Correspondence in the Hellenistic Period, New Haven 1934.
Wellhausen, J., Über den geschichtlichen Wert des zweiten Makkabäerbuches im Verhältnis zum ersten, NGG 1905, 117–163.
Will, Ed., Histoire politique du monde hellénistique, 2 Bde., Nancy 1966/1967.
Zambelli, M., La composizione del secondo libro dei Maccabei e la nouva cronologia di Antioco IV Epifane, Miscellanea greca e romana, Rom 1965, 195–299.
Zeitlin, S., The Rise and Fall of the Judaean State, 3 Bde., Phildaelphia 1968[2].

Den Abkürzungen liegt der *Index des périodiques dépouillés* in L'Année Philologique zugrunde.

Zusätzlich sind folgende Abkürzungen verwendet:
BWAT = Beiträge zur Wissenschaft vom Alten Testament
HdAW = Handbuch der Altertumswissenschaft
JJS = Journal of Jewish Studies
RE = Realencyclopädie der classischen Altertumswissenschaft
WUNT = Wissenschaftliche Untersuchungen zum Neuen Testament

# Index Auctorum et Locorum

(Die Indices wurden von Herrn Wolfgang Rapp angefertigt.)

## A. *Jüdische und samaritanische Autoren und Schriften*


Artapanos, FGrHist 726
  F 1–3: S. 105,72
Ben Sira (Jesus Sirach)
  5,15,2 (Septuaginta): S. 42
  16,17–23: S. 106
  24: S. 33
  24,30f.: S. 76
  38,?f.: S. 80
  44,20: S. 105
  45,15: S. 33
*Damaskusschrift* (Texte aus Qumran ed. Lohse)
  1,5–11: S. 126
*Buch Daniel*
  11,20: S. 114
  11,22: S. 33
  11,24: S. 122
  11,25–26: S. 29
  11,28–31: S. 30f.
  11,28: S. 29, 31, 33
  11,29: S. 31, 127
  11,30–31: S. 32, 34, 38
  11,30: S. 29, 31, 34, 38, 103, 130
  11,31: S. 31, 34, 103
  11,32: S. 132
  11,34: S. 30, 62
  11,37f.: S. 110
  11,39: S. 63, 132
  11,40ff.: S. 30
  11,44f.: S. 121
Demetrios
  FGrHist 722: S. 105
*Deuteronomium*
  14,22–26: S. 78
  18,3: S. 79
  23,22–24: S. 79
  26,1–11: S. 78
*Buch Esther*
  3,7: S. 95
  9,24: S. 95
Eupolemos, FGrHist 723
  F 1a und b: S. 72, 106, 139
  F 2: S. 83
*Exodus*
  12,2: S. 23f.
  23,19: S. 78
  30,11–16: S. 80
  34,26: S. 78
Jeremia
  44,17f.: S. 146
Flavius Josephus, *Contra Apionem*
  1,193: S. 77, 128
  1,223–253: S. 101
  2,80: S. 148
  2,91–96: S. 147
Flavius Josephus, *Antiquitates Judaicae*
  1,81: S. 24
  3,248: S. 24
  11,297: S. 115
  12,120: S. 68
  12,136–144: S. 76
  12,138–144: S. 70, 112
  12,138: S. 86
  12,140: S. 80
  12,142: S. 79, 86, 115
  12,145f.: S. 77, 129
  12,148–153: S. 63, 128
  12,150: S. 128
  12,154–236: S. 68
  12,224: S. 69
  12,228–236: S. 122
  12,229: S. 79
  12,239f.: S. 79, 123, 132, 134
  12,244: S. 116
  12,246–254: S. 38
  12,246: S. 38
  12,252: S. 127
  12,258–264: S. 102, 142
  12,258–261: S. 36
  12,261: S. 61, 142
  12,263: S. 11, 135, 143
  12,254: S. 36

12,284: S. 45
12,338 f.: S. 130
12,358 f.: S. 120
12,363: S. 141
12,384 f.: S. 62, 103, 130
12,387 f.: S. 134
13,166: S. 86
13,234: S. 23
13,257 f.: S. 147
13,262: S. 95
13,318 f.: S. 147
13,364: S. 91
13,397: S. 147
14,233: S. 25
17,319: S. 117
17,320: S. 117
18,69: S. 95
Flavius Josephus, *Bellum Judaicum*
1,31–33: S. 38
1,31: S. 79
1,32: S. 127, 134
1,34: S. 39
2,93: S. 117
2,97: S. 117
*Buch Judith*
4,8: S. 86
11,14: S. 86
15,8: S. 86
Kleodemos Malchos, GFrHist 727
F 1: S. 105
*Leviticus*
7,19: S. 78
11,24–28: S. 78
22,4–6: S. 78
23,10: S. 23
23,24: S. 24
27: S. 79
27,28: S. 79
*1. Makkabäerbuch*
1,10: S. 15, 19
1,11–15: S. 67
1,11: S. 146
1,14: S. 82
1,16–59: S. 30
1,16 ff.: S. 31
1,20: S. 15, 39
1,21–24: S. 119
1,21 f.: S. 33, 126
1,25–28: S. 126
1,27: S. 38
1,29–59: S. 32
1,29–40: S. 126
1,29–35: S. 127
1,29: S. 15, 32 ff., 93, 116
1,31 ff.: S. 33
1,33 f.: S. 33
1,33 f.: S. 64
1,34: S. 127
1,38 f.: S. 129
1,41: S. 35, 103, 146
1,42: S. 35
1,44–48: S. 89
1,44: S. 35, 87
1,47: S. 132
1,51: S. 132
1,54: S. 15
1,59: S. 15, 39
2,15–28: S. 132
2,15: S. 89
2,25: S. 89
2,31: A. 64
2,42 f.: S. 138
2,54: S. 33
2,70: S. 15
3,29: S. 140
3.30: S. 115
3,31–4,34: S. 40
3,31: S. 120
3,36: S. 63
3,37: S. 15, 40
3,38: S. 136
3,45: S. 127
4: S. 52
4,26 ff.: S. 44
4,28: S. 15, 40
4,51: S. 126
4,52: S. 15, 18, 25, 40
5: A. 26, 52
5,1–68: S. 26
5,1 f.: S. 60
5,2: S. 59
5,3–8: S. 57
5,3–5: S. 56
5,6–8: S. 54, 56
5,9–68: S. 57
5,9–23: S. 57
5,10–15: S. 59 f.
5,13: S. 62
5,23: S. 62
5,24–68: S. 55 f.
5,29 ff.: S. 53
5,45: S. 62
6: S. 52
6,1–4: S. 120
6,7: S. 26
6,14 f.: S. 65
6,16: S. 15, 17
6,18: S. 64
6,19 ff.: S. 58
6,20: S. 15, 19 f., 27

6,23–26: S. 127
6,23 f.: S. 133
6,24: S. 63
6,31–54: S. 65
6,34: S. 59
6,49: S. 20, 22, 58 f.
6,52 f.: S. 59
6,53: S. 20, 22, 58
6,55 f.: S. 65
6,60–63: S. 65
7,1: S. 15, 18, 20, 25
7,13–18: S. 65
7,20: S. 65
7,32: S. 15, 18, 25, 64
7,39 ff.: S. 46
7,49: S. 18, 25
7,50: S. 28
8,17 ff.: S. 25, 72, 139
9,1–18: S. 54
9,3: S. 15 f., 18, 25
9,54: S. 15
10,1–20: S. 19
10,1: S. 15
10,13: S. 63
10,21: S. 18 f.
10,22: S. 20
10,25: S. 94
10,30: S. 116
10,42: S. 115
10,57: S. 15
10,21: S. 15
10,67: S. 15
11,19: S. 16
11,23: S. 86
11,34: S. 117, 142
12,6–26: S. 106
12,6–18: S. 72
12,6: S. 86
12,35: S. 86
13,12–42: S. 21
13,21: S. 64
13,22 f.: S. 22, 46
11,30: S. 93
13,33: S. 22
13,36–40: S. 22
13,36: S. 86, 93
13,41: S. 16, 23
13,42: S. 21
13,43–48: S. 55
13,51: S. 16, 18
14,1: S. 16
14,20–23: S. 106
14,20: S. 86
14,27: S. 16
14,36: S. 127
15,2: S. 93
15,10: S. 16, 18
15,28: S. 87
15,33: S. 87
16,14: S. 16
16,24: S. 18

2. *Makkabäerbuch*

1,1–2,18: S. 26
1,7: S. 21, 23
1,10: S. 23, 86
1,15: S. 120
3,1–10: S. 113
3,3–6: S. 66
3,4: S. 81, 124
3,6: S. 73, 80
3,10–12: S. 113
3,10 f.: S. 123
3,11: S. 79
3,14–22: S. 113
3,40: S. 57
4,1–6: S. 66, 123
4,1 f.: S. 113
4,3–6: S. 114
4,8: S. 66, 115
4,9: S. 67, 73, 84 f.
4,11: S. 25, 72, 89, 135, 138 f., 145
4,12–15: S. 67
4,12: S. 80
4,13: S. 145
4,14 f.: S. 76, 80
4,15–20: S. 82
4,16: S. 93
4,18: S. 71, 82, 89
4,19: S. 145
4,20: S. 83
4,21 f.: S. 85, 124
4,23–25: S. 91
4,23: S. 118 f., 124
4,24 ff.: S. 92, 124
4,27–29: S. 118
4,27 f.: S. 92
4,28 f.: S. 135
4,32–50: S. 124
4,32–42: S. 118
4,33 f.: S. 125
4,43–49: S. 118–132
4,44: S. 86, 91 f.
4,45 f.: S. 136
4,48: S. 125
5,1–6,7: S. 30
5,1–26: S. 126
5,1: S. 29, 36 ff.
5,5 ff.: S. 88
5,6–10: S. 126
5,7–10: S. 134

5,8: S. 145
5,9: S. 106
5,11–26: S. 127
5,11–23: S. 36
5,11–16: S. 119
5,11: S. 29, 32, 37 f., 93, 127
5,12–14: S. 37
5,15 f.: S. 33, 37, 43, 126, 129, 145
5,21: S. 80
5,22 f.: S. 88, 128
5,23: S. 37
5,24–6,7: S. 36
5,24: S. 32 f., 37
5,28: S. 121
6,1 ff.: S. 33, 36, 38, 89
6,2: S. 36
6,7–9: S. 132
6,7: S. 35, 110
6,8: S. 61, 86, 94 f., 102, 136, 141, 144
6,9: S. 11
6,11: S. 89
7,42: S. 57
8: S. 52
8,8: S. 89, 136
8,10 f.: S. 140
8,22: S. 56
8,30–33: S. 53 f., 56 f.
8,30: S. 54
8,31: S. 53
8,33: S. 54
9: S. 52
9,2: S. 120
10: S. 52
10,1–13: S. 51
10,1–8: S. 54
10,1: S. 53
10,2: S. 132
10,3: S. 51
10,5: S. 51
10,9: S. 26, 57
10,10: S. 27
10,11–38: S. 57
10,12: S. 61, 64
10,14–11,38: S. 40
10,14–23: S. 56 f.
10,15 f.: S. 56
10,17–23: S. 56
10,19: S. 56
10,20–22: S. 56
10,24–28: S. 54
10,24–38: S. 53 ff.
11: S. 52
11,2 d.: S. 140
11,3: S. 128
11,13: S. 61
11,14: S. 40
11,16–38: S. 41, 58
11,16–21: S. 41
11,18: S. 61 f.
11,19: S. 99
11,22–26: S. 41 f., 58, 64
11,24: S. 11, 85, 99, 141
11,25: S. 43
11,27–33: S. 27, 42, 93
11,27: S. 43, 86, 91
11,29: S. 94
11,30: S. 45, 99
11,32: S. 94
11,34–38: S. 42, 48 f.
11,34: S. 47 f.
12,2–9: S. 60
12,2: S. 53, 59, 61
12,3–45: S. 57
12,3–9: S. 57
12,4: S. 95
12,10–31: S. 55 f.
12,10–12: S. 54
12,10 ff: A. 53
12,17–31: S. 54
12,17 S. 62, 139
12,29–31: S. 55
12,31: S. 54
12,32–45: S. 56
12,32 ff.: S. 55 f.
2,12,35: S. 62 f., 139
12,40–45: S. 55
13,1: S. 16, 19 f., 58
13,3–8: S. 130
13,4: S. 45, 103
13,7 f.: S. 145
13,23: S. 65
13,26: S. 57
14,1: S. 16 f., 20
14,3: S. 47
14,4: S. 16 f., 22
14,37: S. 86
15,25 ff.: S. 46
15,37: S. 57
*3. Makkabäerbuch*
1,3: S. 68
*Megillath Taanith*
§ 5: S. 16, 27
§ 23: S. 27
§ 30: S. 27
Nehemia
10,36: S. 78
10,38–40: S. 79
10,38: S. 79
*Numeri*
15,17–21: S. 79

18,13: S.78
18,14: S.79
18,20–32: S.79
24,24: S.31
29,1: S.24
Philon, *Confus. ling.*
2f.: S.106
Philon, *Vita Mos.*
1,32: S.106
Pseudo-Aristeas
15f.: S.107
Pseudo-Eupolemos, FGrHist 724
F 1 und 2: S.72, 105
Pseudo-Hektaios, FGrHist 264
F 21: S.128
*Quohelet*
2,6: S.76

## *B. Griechische, hellenistische und römische Autoren*

Appian, *Syriake*
38: S.112, 233: S.114, 352: S.120
Aristoteles, *Politica*
1272b 24–1273b 26: S.71
Arrian, *Anabasis*
2,24,6: S.71, 3,6,1: S.71
Athenaios
45c, 193d, 439a: S.39
5,193d: S.137
10,439a: S.137
Augustinus, *De civitate Dei*
4,31: S.100
Berossos,
FGrHist 680: S.105
Cicero, *De natura deorum*
3,5: S.108
Damascius, *Vita Isodori*
nach Photios, Bibl. 345b ed. Bekker: S.105
Diodor
17,46,6: S.71
18,56,5: S.45
28,3: S.113
29,10: S.112
29,15: S.113
29,32: S.137
30,7,2: S.125
30,16: S.127
31,1: S.31
31,7,2: S.48
31,26,2f.: S.137
34,1,3: S.148
Diogenes Laertios
7,30 = Anthol. Fraec. 7,117: S.71
Eusebios von Caesarea, *Praeparatio evangelica*
13,12,7f.: S.107
Granius Licinianus
p. 5: S.120
p.8: S.137
Hekataios, FGrHist 264
F 6,5: S.100
Hellanikos, FGrHist, 4
F 36: S.71
Herodot
2,49,3: S.71
5,57f.: S. 71
8,90,4: S.85
Hieronymus, *Commentatio in Danielem*, ed. Migne
715c: S.103
Justin
32,2,1f.: S.113
Johannes Antiochenus, FGH 4, 558
fr. 58: S.125
Livius
37,45: S.112
38,13,8–10: S.112
38,37,7–9: S.112
41,2–4: S.136
41,20,1: S.137
41,20,8f.: S.109
41,20,11–13: S.137
42,6,6–8: S.114
45,12,3–6: S.31
Lysias
9,7: S.85
Malalas ed. Dindorf
p. 207: S.109
Manetho, FGrHist 609
F 10: S.101, 105
Origines, *Contra Celsum*,
5,41 (45): S.106
Pausanias
7,11,1–3: S.48
Philon von Byblos, FGrHist 790
F 2,7: S.109
Polybios
1,67,5: S.42
5,11,5: S.42

5,48,12: S. 88
5,54,10: S. 91
5,86,10: S. 122
6,56,6–15: S. 108
10,27,12 f.: S. 113
16,39,4: S. 76
21,17 f.: S. 112
21,41,10–12: S. 112
26,1 a: S. 109, 137
26,1,5 f.: S. 137
29,27: S. 31
30,25,3: S. 137
30,25,13: S. 35
30,26,4–8: S. 137
30,27: S. 49
30,30,7: S. 49
31,1,6–8: S. 48
31,2,1–14: S. 48
31,4,9: S. 119
31,6,1–5: S. 48
31,8,4: S. 138
31,9: S. 120
31,20,12: S. 17
Porphyrios, FGrHist 260
F 35 und 36: S. 31
F 49: S. 122
F 50: S. 31 f.
F 51: S. 32
F 52: S. 62
F 53: S. 120
F 54: S. 137
F 56: S. 120 f.
Pseudo-Longinus, *De sublimitate*
9,9: S. 100
Ptolemaios VIII. Energebes II., FGrHist 234
F 3: S. 137
Sulpicius Severus
2,7,15: S. 115
Strabon, FGrHist 91
F 11: S. 147
Strabon, *Geographika*
9,17: S. 109
16,1,18: S. 113
16,2,1: S. 76
16,35–37: S. 104
16,35: S. 100
16,40: S. 104
Tacitus, Historiae
5,5,1: S. 100
5,8,2: S. 148
Timagenes, FGrHist 88
F 5: S. 147
Varro, Fragmente ed. Agahd.
fr. I 58 b ed. Agahd: S. 106
fr. I, 59 ed. R. Agahd: S. 100
Vegetius, *Epitoma rei militaris*
4,39: S. 17
Velleius Paterculus
I, 10,1: S. 109
Vitruv, *De architectura*
7, praef. 15: S. 109
Xenophon, *Hellenika*
Hell. 7,1,42: S. 80

## C. *Inschriften*

Ph. le Bas – H. Waddington, *Voyage archéologique...*
II, 1866 a + c: S. 71
III, 404: S. 116
Corpus Inscriptionum Judaicarum (CIJ)
15: S. 83
1537 und 1538: S. 107
Inscriptiones Graecae (IG)
II², 2, 960,16: S. 72
II², 2, 2314,21: S. 71
II², 2, 2315,27: S. 72
II², 2, 2316,51 f.: S. 71
V, 1, 1398,91 f.: S. 83
VII, 1760,21: S. 72
IX, 2, 203,68: S. 71
Inscriptions grecques et latines de la Syrie, ed. R. Monterde
1261, 2: S. 87
Königsliste, British Museum (BM) 35 603, ed. Sachs-Wiseman:
S. 17, 26, 52
Orientis Graeci Inscriptiones Selectae (OGIS)
73 und 74: S. 107
228, 7 f.: S. 116
230: S. 112
Royal Correspondence in the Hellenistic Period, ed. C.B. Welles
5: S. 93
15: S. 93
31: S. 93
32: S. 93
38: S. 93
41: S. 93
43: S. 93
45,1: S. 87, 93
72: S. 93

## *D. Papyri*

Corpus Papyrorum Judaicarum (CPJ)
1,1–3: S. 24
4,6: S. 24
4,18: S. 24
5,8: S. 24
5,16: S. 24
6,9: S. 24
Papyri Tebtunis
23,12(II 5): S. 42

# Index Nominum


Abraham, jüd. Erzvater, S. 72, 105
Absalom, jüd. Gesandter, S. 41
Agenor, myth. König von Sidon, S. 71
Alexander III. d. Gr., maked. König 336–324 v. Chr., S. 71
Alexander IV., maked. König 316–312 v. Chr., S. 45
Alexander I. Balas, seleuk. König 150–145 v. Chr., S. 15f.; 19; 94
Alexander Jannaios, jüd. König und Hoherpriester 103–77 v. Chr., S. 104, 147
Alkimos, jüd. Hoherpriester 163–159 v. Chr., S. 15, 27, 47, 65, 91, 99, 116
Andronikos, seleuk. Funktionär, S. 124f.
Antiochos III. d. Gr., seleuk. König 223–187 v. Chr., S. 29, 63, 70, 77, 79, 95, 111–116, 119, 122f., 129, 133, 135, 138
Antiochos IV. Epiphanes, seleuk. König 175–164 v. Chr., passim
Antiochos V. Eupator, seleuk. König 164/63–162 v. Chr., S. 13, 17, 27, 40–43, 47, 49–53, 57–60, 64, 86, 91, 99, 132, 141
Antiochos VI. Epiphanes II., seleuk. König 145–142/41 bzw. 136/35, S. 21
Antiochos VII. Sidetes, seleuk. König 138–129 v. Chr., S. 16, 18, 87, 95
Antiochos, Sohn Seleukos' IV. und 175–170 v. Chr. Mitregent Antiochos' IV., S. 114
Apollon, S. 71, 133
Apollonios, Sohn des Menestheus, seleuk. Stratege und Funktionär, S. 114, 123, 143
Apollonios, seleuk. Söldnerführer, S. 32ff., 36–39, 98, 116
Apollophanes, Sohn des Abdyzamunos, Agonothete in Sidon, S. 71
Archelaos, jüd. Tetrarch 4 v. Chr. – 6 n. Chr., S. 117f.
Ariarathes V. Eusebes Philopator, König von Kappadokien 163–130 v. Chr., S. 138
Aristobul, jüd.-hellenist. Philosoph, S. 107f.
Athene/Allat, S. 109, 131
C. Aurelius Cotta, Cos. 75 v. Chr., S. 108
Baal Schamin, S. 109f., 131ff., 139, 141, 146f.
Bakchides, seleuk. General, S. 28, 54, 117
Demetrios I. Soter, seleuk. König 162–150 v. Chr., S. 15ff., 20, 94, 114f., 117f.
Demetrios II. Nikator, seleuk. König 145–140 v. Chr. und 129–125 v. Chr., S. 15f., 21ff., 117
Diodotos Tryphon, seleuk. General und Usurpator 142/41 bzw. 139/38–136/35 (?) v. Chr., S. 21ff., 27
Dionysios von Sidon, Sieger bei den athen. Theseusspielen, S. 71
Dionysos/Dusares, S. 131
Dioskorides von Tyros, Sieger bei den Panathenäen, S. 72
Diotimos, Suffet in Sidon und Sieger bei den Nemeischen Spielen, S. 71
Diotimos, Sohn des Abdubastios, Sieger bei den Spielen zu Ehren des Delphischen Apoll in Sidon, S. 71
Dositheos, Sohn des Drimylos, ptolem. Funktionär jüd. Herkunft, S. 68

Epikur, griech. Philosoph, S. 106
Eulaios, ptolem. Funktionär, S. 29, 122
Eumenes II. Soter, König von Pergamon 197–160 v. Chr., S. 47ff., 112, 128
Eupolemos, jüd.-hellenist. Historiker und Parteigänger der Makkabäer, S. 72f., 82, 106, 138f.

C. Fannius C. f., Cos. 161 v. Chr., S. 25

Geron von Athen, seleuk. Funktionär, S. 36, 38, 89
Gorgias, seleuk. Stratege, S. 40, 44, 52, 55f., 61

Heliodor, seleuk. Kanzler, S. 66, 113f.
Henoch, jüd. Erzvater, S. 72
Herakles, S. 83
Herakles/Melkart, S. 71, 90, 109
Hermes, S. 83
Hieron von Laodikeia in Phoinikien (Berytos?), Sieger bei den Panathenäen, S. 71
Hyrkanos, jüd. Dynast aus dem Geschlecht der Tobiaden, S. 62f., 122f., 139

Jahwe, S. 83, 101, 133
Jason, jüd. Hoherpriester, S. 29, 38f., 66f., 73ff., 77, 80–85, 89–93, 114f., 118f., 123, 126f., 134, 139, 145f.
Jason von Kyrene, jüd.-hellenist. Historiker, S. 55f., 86, 145f.

Johannes, jüd. Gesandter, S. 41
Johannes Hyrkanos, jüd. Hoherpriester 134–104 v. Chr., S. 22, 147
Jonathan, jüd. Hoherpriester 152–143 v. Chr., S. 15, 19 f., 22 f., 25, 27, 72, 94
Josephos, jüd. Magnat aus dem Geschlecht der Tobiaden, im Dienst der Ptolemäer, S. 68 f., 122 f.

Judas Makkabaios, S. 15, 19, 25 f., 28, 30, 40, 46 f., 50 f., 53–56, 58–65, 72, 82, 98 f., 106, 126, 138 f.
Juppiter Capitolinus, S. 109, 138

Kadmos, myth. Gründer Thebens, S. 71
Kleopatra Thea, Tochter Ptolemaios' VI. Philometor, verheiratet mit Alexander Balas, S. 15
Krates, seleuk. Offizier, S. 135

Lenaios, ptolem. Funktionär, S. 29, 122
Lykurg, myth. spartan. Gesetzgeber, S. 72, 101
Lysanias, Sohn des Theodoros, von Laodikeia in Phoinikien (Berytos?), Sieger bei den Panathenäen, S. 71
Lysias, seleuk. Kanzler und Vormund Antiochos' V., S. 15 f., 19 f., 40–47, 52, 57–62, 64 f., 86, 98 f., 128, 130, 135–137, 140 f.
Lysimachos, Bruder und Stellvertreter des jüd. Hohenpriesters Menelaos, S. 118, 125

Mattathias, Vater des Judas Makkabaios, S. 15
T. Manlius (Namensform unsicher), röm. Legat 165 v. Chr., S. 42, 47
Q. Memmius, röm. Legat 165 v. Chr., S. 42, 47
Menelaos, jüd. Hoherpriester, S. 29, 37 f., 40, 42 f., 45 ff., 50, 65, 88, 91–94, 96–99, 103 f., 106, 108, 110 f., 118 f., 124 ff., 129–140, 144 f., 148
Moses, S. 72, 101 f., 138

Nehemia, jüd. Reformer und pers. Statthalter in Judäa, S. 80
Nikanor, Sohn des Patroklos, seleuk. Funktionär, S. 15, 17, 25, 27 f., 40, 44, 46, 52 ff., 140
Niketas, im ionischen Iasos lebender Jude aus Jerusalem, S. 83

Onias III., jüd. Hoherpriester, abgesetzt 175 v. Chr., ermordet 170 v. Chr., S. 33, 66, 81 f., 113 ff., 123 ff., 129, 134
Onias IV., Gründer des jüd. Heiligtums in Leontopolis, S. 38

Perseus, maked. König 179–168 v. Chr., S. 138
Philipp III. Arrhidaios, maked. König 323–316 v. Chr.,, S. 45
Philippos, seleuk. Offizier, S. 37, 88 f., 127 f.
Philippos, seleuk. Funktionär, Rivale des Lysias, S. 60, 65
Phoroneus, myth. König von Argos, S. 71
C. Popilius Laenas, Cos. 172 v. Chr. Legat 168 v. Chr., S. 31, 33, 138
Poseidon/Baal von Berytos, S. 109
Poseidonios, Sohn des Polemarchos, von Sidon, Sieger bei den Panathenäen, S. 71
Protarchos, seleuk. Stretage, S. 57
Ptolemaios, Sohn des Dorymenes, seleuk. Stratege, S. 60 f., 96, 102, 125, 136, 141
Ptolemaios II. Philadelphos, König von Ägypten 282–246 v. Chr., S. 107, 122
Ptolemaios III. Euergetes I., König von Ägypten 246–222 v. Chr., S. 68 f., 122
Ptolemaios IV. Philopator, König von Ägypten 222–205 v. Chr., S. 68
Ptolemaios VI. Philometor, König von Ägypten 180–145 v. Chr., S. 16, 123
Ptolemaios VIII. Euergetes II., Mitregent Ptolemaios' VI. 170–164 v. Chr., König in Kyrene seit 163 v. Chr., König von Ägypten 145–116 v. Chr., S. 137

Salomon, jüd. König, S. 82
Seleukos I. Nikator, seleuk. König 311–281 v. Chr., S. 67
Seleukos II. Kallinikos, seleuk. König 246–225 v. Chr., S. 116
Seleukos IV. Philopator, seleuk. König 187–175 v. Chr., S. 66, 73, 91, 113 ff., 117 ff., 123, 144
T. Sempronius Gracchus, Cos. 177 und 163 v. Chr., Legat 165 v. Chr., S. 49
M.' Sergius, röm. Legat 164 v. Chr., S. 48 f.
Sillis von Sidon, Sieger im Faustkampf auf Delos, S. 71
Simon der Gerechte, jüd. Hoherpriester um 200 v. Chr., S. 77, 112
Simon, jüd. Hoherpriester 143–134 v. Chr., S. 27, 21 ff., 27, 55 f., 87
Simon, Tempelvorsteher in Jerusalem, S. 66, 73, 81 f., 92, 113 f., 118, 123 f.
Sostratos, seleuk. Offizier, S. 118, 135
C. Sulpicius Galus, Cos. 166 v. Chr., Legat 164 v. Chr., S. 48
Suron, myth. König von Tyros und Sidon, S. 83
Strabon, Sohn des Strabon, von Sidon, Sieger bei den Museia in Thespiai, S. 72

Timokrates von Byblos, Sieger im Faustkampf auf Delos, S. 71
Timotheos, seleuk. Stratege, S. 52, 54f., 61
Tobias, jüd. Militärbefehlshaber im Transjordanland, in ptolem. Diensten, S. 62, 122
Zenodotos, stoischer Philosoph, S. 71
Zenon von Kition, Begründer der Stoa, S. 71
Zeus, S. 110, 133 – als Bezeichnung für den höchsten Gott orientalischer Religionen, S. 83, 106f., 109f., 113, 131, 141–144, 147

Gerhard Delling
**Studien zum Neuen Testament und zum hellenistischen Judentum**
1970. 463 Seiten, Leinen

Hans G. Kippenberg
**Religion und Klassenbildung im antiken Judäa**
Eine religionssoziologische Studie zum Verhältnis von Tradition und gesellschaftlicher Entwicklung. 2., erweiterte Auflage 1982. 194 Seiten, kartoniert (Studien zur Umwelt des Neuen Testaments 14)

**Kerygma und Logos**
Beiträge zu den geistesgeschichtlichen Beziehungen zwischen Antike und Christentum. Festschrift für Carl Andresen zum 70. Geburtstag. Herausgegeben von Adolf M. Ritter. 1979. 519 Seiten, gebunden

Wolfgang Speyer
**Bücherfunde in der Glaubenswerbung der Antike**
Mit einem Ausblick auf Mittelalter und Neuzeit. 1970. 157 Seiten, kartoniert (Hypomnemata 24)

Othmar Keel / Max Küchler
**Orte und Landschaften der Bibel**
Ein Handbuch und Studienreiseführer zum Heiligen Land. 3 Bände
**Band 2: Der Süden**
1982. XXII, 997 Seiten mit 645 Textabbildungen und Teilplänen, gebunden. Band 1 (Einführung; Jerusalem) wird im Herbst 1983, Band 3 (Der Norden) 1985 erscheinen. (Vandenhoeck / Benziger)

Burton Lee Mack · **Logos und Sophia**
Untersuchungen zur Weisheitstheologie im hellenistischen Judentum. 1973. 220 Seiten, kartoniert (Studien zur Umwelt des Neuen Testaments 10)

**Vandenhoeck & Ruprecht · Göttingen und Zürich**